# 兩世冤家

1

溫柔刀 著

風 文創 266

# 目錄

自序 …… 005
第一章 …… 007
第二章 …… 017
第三章 …… 031
第四章 …… 037
第五章 …… 043
第六章 …… 053
第七章 …… 069
第八章 …… 077
第九章 …… 083
第十章 …… 089
第十一章 …… 097
第十二章 …… 111
第十三章 …… 123
第十四章 …… 137
第十五章 …… 147
第十六章 …… 157
第十七章 …… 169
第十八章 …… 185
第十九章 …… 197
第二十章 …… 209
第二十一章 …… 225
第二十二章 …… 237
第二十三章 …… 251
第二十四章 …… 265
第二十五章 …… 277
第二十六章 …… 291
第二十七章 …… 301
第二十八章 …… 317
第二十九章 …… 327

# 自序

溫柔刀

這是我在狗屋出版社出的第二套小說了，很感謝編輯還能給我這個比較難對付的作者再一次的機會。

《兩世冤家》是我在連載期寫得頗有點艱難的一套小說，前面說過，我是個比較難對付的作者，這不是虛言，我對於寫作這件事向來執著，也不太願意為別人的意見改變自己的初衷，所以當這本男、女主雙重生的古代小說，最後的走向確實不太「美好」的時候，我遭到了很多質疑，那段時間有點難過，其間加之一點外因，因此停更過一段時間，最後調整好了，才重新繼續開始。

現在把這些事情說出來，也是頗有點醜話說在前面的意思，希望大家看到中間，覺得男、女主之間撕扯得太過於厲害，他們的兒子也不是那麼盡善盡美的時候，請大家看在作者至少是個誠實人的分上，對作者網開一面。

當然，你們放心，這兩位主角最後還是在一起的（他們不在一起也沒辦法，就這兩人，沒人願意跟他們搭夥，兩個人撕了兩輩子，這輩子就湊合著過吧）。

說完這些，我也不太知道該在前序說些什麼了，我往往面對這種需要介紹自己，或者介紹自己的文章的時候，都會想真誠地跟編輯說：能讓我回去再寫五萬字的故事情節嗎？

這倒不是我詞窮，而是我其實也算是個話癆，大家從我老寫長篇也可以看出我是個心裡有多少囉嗦的話想跟大家叨叨的人了，所以篇幅有限的序言對我來說，是個不太好發揮的地方，我怕在「吹喧」自己的途中發力過猛，吹過了頭，最後減哪個字對我來說都是場艱難的歷程（這個編輯部的美人兒應該可以作證，每當她們需要我改稿、減字數的時候，我往往都只會回答：不改、不改，編編我不改～～）。

話說到這兒，想來想去，也沒什麼特別要跟大家交代的了，也希望大家能覺得這套小說尚可。

感謝你們。

祝大家開心。

# 第一章

外面鞭炮聲連連，賴雲煙覺得她的額頭很疼，她伸出手來摸了摸撞到的部位，發現一片光滑，正暗吁了一口氣時，突然怔住了。

她頭上戴的是什麼？怎地這般重？她伸手去摸，竟摸到了鳳冠！

這時，門外有了動靜，有婆子的聲音在歡叫道——

「新郎官來了！新郎官進洞房了——」

這聲音，賴雲煙無端地覺得甚是熟悉。

「哎呀，新郎官、新娘子百年好合，多子多孫，吉祥如意！」

喜婆還在那兒叫，那詞賴雲煙覺得她上輩子好像聽過一次，就她跟魏瑾泓成親的那次。

賴雲煙突然心生不祥之感。

「出去吧。」

這時，魏瑾泓一出聲，賴雲煙頓時覺得她那一摔，可能摔昏了頭，尚在惡夢裡，才會夢到了他們過去成親的那一天。

真是晦氣，魏瑾泓還沒死幾天，就到她夢裡折磨她來了。

就算如此，賴雲煙也沒打算讓他好過，就等魏瑾泓一見到她、一開口，她就嬌滴滴地叫聲「夫君」，撕下他那張欺騙世人的君子臉。

他跟她的仇，只是大略算一下，都有那十里地長，比她的嫁妝還要長上那麼一半。

他背叛她，她背後也沒少幫著她哥陷害他。賴雲煙曾想過，如若他們見面時，沒有外人在場，絕對是相互都恨不得啃了對方的骨、喝了對方的血。

當然，那不是因愛而起，後來也不是因為恨了，而是因為仇實在結得太多、太深了。

他們之間仇深似海，以至於賴雲煙聽到他的死訊，知道自己終於不用再面對一個可怕的對手時，真真是仰天大笑了三聲。管他魏瑾泓最後的死是因病，而不是被他們兄妹或其他人害死的，他總歸是死了；她以後都不用再躲著這老魔星，連京城都不敢去了，真是樂不可支的大事。

只是，樂極生悲，在她正要去吩咐下人找人來吹竹弄笙慶賀一番時，因她只顧著仰天大笑，踏錯了階梯，身子猛然往前一倒，就陷入了這可怕的夢裡。

說來，他們成親的頭幾年，還真是過了幾年蜜裡調油的好日子，賴雲煙在心裡假模假樣地感嘆著。這時，眼前一亮，有人掀開了她頭上的喜帕。

賴雲煙立馬揚起了她練過無數次才練成的完美笑容，抬起眼，去看那冤家，順便她還磨了下牙。

只是，對上魏瑾泓那雙冷靜至極的眼，賴雲煙的笑有些掛不住了，那聲想好要拿來氣人的「夫君」更是叫不出口。

太熟了。這雙眼，就跟前一個月，魏瑾泓突然跑到她的山莊裡看她時的那雙眼一模一樣。

一雙五十歲的眼睛，卻掛在了只有十八歲的魏瑾泓的臉上，太可怕了，她沒法對著有這雙眼睛的人叫夫君，哪怕是帶著戲謔諷刺。

賴雲煙心中再生不祥之感，她死死地盯住魏瑾泓，臉上的笑越來越冷，越來越小……

直到門響，有丫鬟在外面說「大公子、大少夫人還有何吩咐？」就跟那夜一模一樣。

「無事，退下。」魏瑾泓說了與那夜一樣的話，眼睛卻是沒有離開賴雲煙的臉，臉上也沒有當年看著賴雲煙時的笑。

他在審視著她。

賴雲煙瞇了瞇眼，雙手放在袖中，不動聲色地狠狠掐了自己一把。

疼。

她不死心，又掐了自己一把。

還是疼。

「賴雲煙。」魏瑾泓淡淡地開了口。

那口氣、那腔調，就跟一個月前他叫她時一樣！賴雲煙記憶猶新，是因為那是近二十年後，她與魏瑾泓的再次見面，聽魏瑾泓時隔多年後再次叫她。

她本來還想他們一生都會老死不相往來，沒料到魏瑾泓竟突然拖著病體來看她。

說來，當時若不是邊上還有她的兄長，她也是肯定不出去見人的，她是有些怕這個人的。

現在想來都後悔，如果不見，就不會有這活生生的惡夢發生了吧？

「魏大人。」賴雲煙看著他，謹慎地叫了他一聲。

「有禮。」魏瑾泓朝她拱了拱手，坐在了喜床對面的凳子上，正對著坐在喜床上的賴雲煙。

賴雲煙看他一眼，眼睛掃過屋內的擺飾，見真跟當年一模一樣後，她輕皺了下眉，忍不住又掐了自己一把。

還是疼。

難不成，在上世的穿越之後，這世她竟重生了？還附帶一個重生的魏瑾泓？賴雲煙真希望這是惡夢。她轉過臉，看著魏瑾泓那張少年臉，跟他對視兩眼，見他眼帶評估地看著她，賴雲煙站了起來，走到了妝檯前，看著鏡裡自己那張熟悉的少女臉。

這年他十八，她十六。青梅竹馬，姻緣天定的兩人。只是，後來變成了仇人。

賴雲煙把頭上的鳳冠拿下，把簪子取下，解下頭髮，走到洗臉架前，拿起放置在一邊的鐵壺倒了熱水，拿帕淨了滿臉的胭脂後，這才轉過身，對魏瑾泓客氣地道：「魏大人，是您去抓雞，還是我去抓雞？」賴雲煙在賭，這惡夢一半真，一半假。

無論如何，她從來不是不打沒準備的仗的人，管它真假，先做好準備再說。

如若劇情繼續上演，明天還要見公婆、見魏家的那一大票親戚，那貞帕這關就得過，而這洞房，想來他們是過不下去的。

賴雲煙覺得以他們過去的仇怨來說，別說脫光了裸裎相見，現下沒有拔刀相見，都因託他們兩人同是冷靜、做作又陰險之人的福。

魏瑾泓一路看著賴雲煙的舉動，聽到她的話，他笑了笑。

賴雲煙看著他溫文爾雅的笑，對他久不見的君子樣還真是有些懷念。

她不由得也笑了，跟魏瑾泓笑著道：「大人還是跟當年那般玉樹臨風，真乃謙謙君子。」

「妳還是如當年那般會說話。」魏瑾泓站了起來，拱手溫和笑道：「這雞還是瑾泓去取吧。」

「有勞。」賴雲煙朝他福禮，溫婉笑道。

魏瑾泓也微笑頷首，出門而去。

他一起身，賴雲煙站在原地半會，直到聽不到什麼聲音了，她才轉過身，走到了鏡子邊，看著鏡中那張年輕的臉。

又要來一次嗎？這次，要如何去活？

門邊這時響起了魏瑾泓那不緊不慢的腳步聲，聽著這熟悉卻又恍如隔世的腳步聲，賴雲煙笑了笑，回過了身。

罷了，看著辦吧！她現還在魏家的屋簷下，她的對手是時時刻刻都好像成竹在胸的魏瑾泓，她從不輕視他，這也是她能幫兄長真的陷害到魏瑾泓的重要原因。

儘管她知道他的弱點，但她也得伺機而動。

她最恨他的時候，都能對著他笑，何況是多年後愛全無，恨也隨著時光散去後，他們之間就光剩仇的現在；只要魏瑾泓不先攻擊，他們之間要禮貌以待是不成問題的。

雖然，他們更擅長的是在背地裡捅對方刀子。

「歇息吧。」不一會兒，魏瑾泓拿了血帕回來，把帕子擱到桌上，溫和地說了一句。

「我歇榻上。」賴雲煙朝他一福禮，回身去櫃中翻出了一床被子來。

那喜床，還是留給魏大人睡的好。

魏瑾泓不動聲色地看著她，等她在榻上鋪好被子，隨口問了一句。「要枕頭嗎？」

「櫃中有。」賴雲煙朝他一笑，又去翻了自家帶來的櫃子。

她是賴家唯一的嫡女，陪嫁的都是好東西，不比魏家的差。

軟榻、軟枕、軟被準備就緒後，賴雲煙脫了身上的嫁衣，鑽進了被中，閉著眼對魏瑾泓道：

「煩勞魏大人滅一下燭火了。」說著就轉過了身，面對著榻背。

魏瑾泓坐著看了她的背影一眼後，轉過身脫了袍子掛到屏風上，沒有叫貼身小廝進來，自行去了洗臉架前洗漱。

喜燭還在燒著紅光，桌上的吃食未動，魏瑾泓用冷下的水洗漱好後，看著桌上鋪著紅紙的喜慶瓜果點心，回頭問了一句。「可要吃點吃食？」

「多謝您，不用了。」

不遠處，傳來了她客氣的聲音。

魏瑾泓笑了笑，回身走到了床邊，躺在了滿是花生、紅棗的床上。他們曾做了十幾年的夫妻，沒休她之前，他們過的也曾是這種日子——不同床，也不異夢，他們太清楚對方是什麼人了。

他曾經以為賴雲煙多少還戀著點他，但是時隔二十年再見到她，她謹慎看著他的眼光讓他明白，她真的只把他當敵人了，不是曾經的青梅竹馬，也不是曾經的生死夫妻，她僅單純地把他當她賴家的對手。

她還有點怕他。

就像剛才她看著他的眼神一樣，她怕他。

她怕他，他又何嘗不是？在她拆了他那麼多臺後，他雖未敗，但也確實讓賴家討了不少好處去。回想那麼多年的回頭路，魏瑾泓不禁嘲諷地笑了起來。最後，是他心軟了，可惜的是，只不過是最後想看她一眼，卻被當賊一樣地防，他走後，她都要派探子到他身邊探明白他的意圖。他死的那天，她怕是樂得找了人吹竹弄笙了三天吧？

這夜不到卯時，淺眠的賴雲煙就醒了，任誰跟對頭同處一室，怕是都睡不好了。她醒來時還想，要是這真是夢一場才好，但一起來，摸摸身下的榻，再聞了聞這屋子裡還未消弭而去的喜燭味道，她不由得在心中輕嘆了一口氣。真是惡夢啊，人要是命衰，真是喝口涼水都砫牙，大白天走路都會遇到鬼。賴雲煙搖搖頭，摸黑下了地，穿上鞋，想了想，還是去了燭火邊取火摺子，點燃燭燈後，她轉身，對身後床上看著她的英俊少年歉意地一笑。

「睡不著了，您多擔待點。」說來，她這也是廢話，她就不信跟她共處一室，魏瑾泓就能睡得著。

點燃燭火，賴雲煙拿著燭檯到了鏡邊，伸出手扳算時辰，算來還要半個時辰，她的丫鬟們才會端水敲門。沒事做，那就先清點一下見面禮了。上世她給魏二嬸的禮太薄了，真是對不住那個對她還算溫和的夫人了。

想罷，賴雲煙拿著燭檯去翻禮箱，全拿了出來後，她毫不猶豫地把給魏姑媽的那對鐲子放到了魏二嬸的禮那邊。

這時見魏瑾泓下床自行穿衣，賴雲煙瞥了一眼，忍了忍，又磨了磨牙，還是忍不住笑著說道：「魏大人真是了不得，現下都自個兒會穿衣了。」以前他可是缺不了丫鬟、侍妾伺候的。

當年她傻的時候，也是幫著這位公子哥兒穿過幾年的，沒想到，多年未見，命苦地又再次狹路相逢，魏大人都會自己穿衣了！賴雲煙有種看著三歲的寶寶突然長大成人了的感慨。

賴雲煙含諷帶刺的話並未讓魏瑾泓臉色生變，他穿好衣靴後，走到她的對面坐下，看著她桌上的一堆東西，伸手拿過一雙鞋墊，淡淡地道：「這是給娘的？」

「嗯。」給魏母的東西未變。

「妳恨她嗎？」

「何恨之有？」賴雲煙淡笑。「您知我的，我這人心腸算不上太好，但她對我也曾好過，我不會恨她。說來，她還是個好母親，也算得上是個好婆婆了。」雖然，她這婆婆後來還挺嫌棄她的。

「嗯。」魏瑾泓點了點頭。想來也是，有些事她自來想得開。「妳怎知是我？」魏瑾泓又開口淡淡問道。

「您又怎知是我？」賴雲煙反問。

「呵。」魏瑾泓輕笑了起來。

賴雲煙也笑。

這時他們誰都不用多說，也都明白，這世上最瞭解他們的人，此時正坐在他們的對面。

十來年的青梅竹馬，十來年的夫妻，他們誰能不明白誰？哪怕先前不明白的，後來為敵的時間裡，也是明白了。只一個眼神，他們大概都會明白對方的意圖。

「您說，您是怎地打算的？」賴雲煙還是先開了口。老實說，現在這場面，她是輸了半截的，畢竟這是魏家的地方，如果魏瑾泓出招，她只有挨打的分，所以乾脆捅破窗戶紙，就算不能問個明白，也好探探魏瑾泓的口風。

「妳想著我是怎地打算的？」魏瑾泓拿過一只白玉鐲端看。

「我要是您，等會兒敬完茶後，自行先去書院，再抱抱您的美侍、嬌丫頭們，美得不知今日是何時才是好。」賴雲煙笑道。

到時，這魏府裡的丫鬟們就可以又個個都發夢了。魏母只要他把她娶到了手就好，才不會管兒子的風流韻事，而她這大少夫人的面子，到時就會全被掃到地上去嘍！

「嗯……」魏瑾泓聞言沈吟了一下後，抬眼看她道：「如此，回門那天妳就可找震嚴兄哭訴，震嚴兄再訓我一回，然後妳假裝傷心，歇在娘家，一歇就是歇到我休了妳為止？」

賴雲煙聞言格格亂笑，甩帕道：「瞧您說的！妾哪會這等自掘墳墓？」

聽她對他說了半輩子虛虛假假的話，魏瑾泓後來也弄不清她哪句話是真，哪句話是假，就乾脆把聽著懷疑的話都當成了假話，所以聽罷這明顯假得讓他心中扎刺的假話後，他轉過眼，對上手中的白玉鐲，道：「這一對妳要給二嬸？」

「嗯。」賴雲煙拿帕拭了拭嘴，言笑晏晏。「不瞞您說，走過那麼一遭，我現下可歡喜二嬸了。」

「太貴重了。」魏瑾泓淡道。

「這是哪兒的話？」賴雲煙拿帕掩嘴，掩下了嘴邊的哈欠，懶懶地道：「送給姑媽都不嫌貴重的東西，送給二嬸哪就貴重了？」說罷，她冷下嘴邊的笑，朝魏瑾泓道：「不瞞您說，如若不是要那面子情，我都不想把我親手繡的帕子給她呢！」

魏姑媽那個人，賴雲煙現在想想都覺得糟心，她就沒見過愛好是往姪子床上塞女人的姑媽，跟個鴇母一樣；就連當年她受傷臥病在床時，也沒少受魏姑媽的刺激。儘管魏瑾泓不是個什麼好東西，但他那削尖了腦袋給他送女人的姑媽也確實太愛打她的臉了，打了一次又一次。

「不說她了。」賴雲煙搖搖頭道：「一說起她，再看看您，我怕我早膳都得省下。」這姑姪倆一聯手，她就噁心得吃不下東西。

賴雲煙太直言不諱了，魏瑾泓半晌都無言。

他不說話，賴雲煙也不再開口了，反正她想試探的，剛也試探出來了。

魏瑾泓可能暫時還沒想跟她掰。

想來，他是要等著她出錯，狠狠抽賴家一耳光後，才會把她踢出魏府去吧？

# 第二章

賴雲煙剛把桌上的禮物收拾好，門邊就響起了她貼身丫鬟百合和杜鵑的聲音。

「大公子、大少夫人，奴婢等送水過來了。」

賴雲煙笑，拿帕掩嘴對魏瑾泓笑道：「還是您喚她們進門吧！」見他未來的兩個姨娘、他孩子們的娘親的事，還是交給孩子他爹做的好。

賴雲煙想，如果這真不是一場惡夢的話，她回門那天，得把對她忠心的那兩個丫頭帶回來才行。那兩個儘管性子偏激了點，長得也實在貌不出眾了一點，但勝在對她忠心，這輩子她再為她們著想點，給她們挑個好夫婿，也算對得起上輩子她們對她的好了。

「進來。」魏瑾泓看了賴雲煙一眼，平靜地揚聲開了口。

見他不動如山的樣子，賴雲煙笑著搖了搖頭，走到了鏡邊。

魏瑾泓跟在她身後，等她坐下，他站在她身後問她。「現下不怕我了？」

在門被小心推開的聲音裡，賴雲煙拿起梳子梳著頭髮，嘴角含笑。「還是怕的，但怕也不能讓魏大人對我客氣點，只好暫時不怕了。」

「嗯。」魏瑾泓垂首，輕聞了聞她的頭髮，在她耳邊輕道：「沐浴吧。」

賴雲煙聞言，神情歡快地點頭笑道：「多謝。」

她自來有清晨沐浴的習慣，看來，魏大公子沒打算在她的生活習性上打壓她，真是君子。要是換作她，在她的地盤上，別說讓他舒舒服服地沐浴了，就是喝口水，她都十分樂意下點砒霜進去，哪怕毒不死他，但看著他難受，她心情也能好上幾天。

賴雲煙化了妝，輕施胭脂，臉上紅韻尤為掃得仔細，站起來一看，儼然一個倍受疼愛的嬌羞小娘子，她看著鏡中的自己，滿意不已。

這時，杜鵑在她身後嬌笑道：「大小姐……不，大少夫人真是漂亮得緊！」

許是以前的記憶作祟，賴雲煙現在聽著丫鬟的嬌笑，就覺得像在賣騷似的。她好笑地回頭看著杜鵑道：「好了，去把我給公爹、婆母的什物拿上吧。」

「已拿上了。」百合這時過來一福。

賴雲煙看著貼心的百合一笑，道：「還是妳伶俐。」

「大少夫人！」杜鵑這時不依地跺腳道。

「妳也伶俐。」賴雲煙笑道。不伶俐，怎麼可能給魏瑾泓生了兩個庶子？

這時見魏瑾泓已帶著他的小廝站在門口，似在等她的樣子，賴雲煙猶豫了一下，還是走了過去。

她走到他面前一福，輕笑道：「大公子。」

魏瑾泓的貼身小廝蒼松、翠柏一聽她的稱呼，不由得奇怪地相視了一眼。

怎地過了一夜，大少夫人就不叫大公子「泓哥哥」了？難不成是在嬌羞？再看看她紅通通的臉，這兩人不由得恍然大悟了起來。

「大少夫人。」蒼松、翠柏這時朝賴雲煙再次施禮，拱手笑道。先前進外屋時，他們隔著門，已朝裡屋向她請過一次安了。

前生，賴雲煙一開始時對這兩個魏瑾泓的心腹也是很客氣尊重的，只是後來當了敵人，她對他們就不怎麼禮貌了。現在看著這兩人，腦海裡還在感慨世事無常，臉上卻揚起了甜美的嬌笑。「蒼松、翠柏多禮了，等會兒見過長輩回來，我再給你們打賞。」

「這哪可使得！」蒼松、翠柏忙彎腰道。

「要得的。」賴雲煙拿帕掩嘴笑。

「走吧。」魏瑾泓拿眼掃了眼嬌美的她，說完提腳就走。

他走得不算太快，賴雲煙還跟得上他的腳步，不過他走得太信步了，賴雲煙還是不信他，因此在腦海裡算了算路程和時辰，知道能趕得上給廳堂裡的人請安的時辰，這才安下了心。

到了魏景仲夫婦的主院，賴雲煙佯裝害羞地低頭，進門時，雙手拿帕遮住了鼻尖以下的臉，眼睛垂著看到了地下。

她矯揉造作的表現，換來了魏瑾泓的一眼。

「爹、娘、二叔、二嬸、姑媽……」魏瑾泓出了聲，開口拱手道。

「泓兒來了，快帶雲煙來爹娘這兒！」魏母崔氏的聲音裡透著笑，滿是欣喜。

「給爹娘請安。」魏瑾泓已掀袍跪在了僕人拿過來的蒲墊上。

「雲煙給公爹、婆婆請安。」賴雲煙的聲音細如蚊音，很是嬌羞無比。這一世，誰也休想她再為這家的誰出頭了，她就好好當個害羞嬌憨的小媳婦就是。

「又害羞了！夫君，您看。」崔氏掩帕輕笑，扯了下魏父魏景仲的衣袖道。

「讓泓兒和雲煙敬茶吧。」魏景仲撫鬚笑道。對於和賴家這樁門當戶對的婚事，他一直都很是滿意的。

「爹、娘，請喝茶。」

「公公、婆婆，請喝茶。」

賴雲煙的聲音後出。

這時有聲音笑道：「可不能叫公公、婆婆了，都喝了妳敬的茶了，還不快快叫爹娘！」

魏姑媽魏秀瑩的聲音一出，賴雲煙心中便笑道了一聲「死老婆子」，臉上神色卻未變，只是臉又往底下微偏著低了低，正好可以讓公婆看到她抹了紅脂的側臉。

見她滿臉通紅，崔氏大笑了起來，連帶地，屋內的人在看明瞭她的臉後，也跟著笑了起來。

在歡笑中，賴雲煙低下頭，又輕如細蚊地叫道了一聲。「爹、娘。」

她這聽著羞澀得很的聲音被人一聽，大廳堂裡的笑音更大了，連站著伺候的奴才也嘴角帶笑，一時之間，氣氛歡快無比。

自己是逗樂了一大夥人了，為著更逼真，賴雲煙咬著嘴唇，抬起紅通通的臉，對崔氏嬌憨地道：「娘您別笑我。」說罷，又拿帕遮臉，像是無地自容般。

餘下一番見禮，賴雲煙的表現比前世就要嬌羞甚多了。上輩子她太落落大方了，恨不得讓所有人都明白她與魏瑾泓是無比般配的，表現得太像一個魏家長媳，最後就是她做了所有的事，卻還是因無子而被羞辱，在這府裡度過了她人生中最屈辱的那幾年。

這一世，在離開這魏府之前，她無論如何都不會再為任何事出頭了，魏瑾泓要是還有什麼危險，她肯定二話不說拔腿就跑，她可不想為著救他一次，再落個終生不育。

她還想著，如果這個惡夢醒不來，她果然是再次重生了的話，她得趕緊想辦法出了這魏府，離開這人心險惡的京城，遠遠地找個男人、生個孩子，好好過完這一生的好。

「二嬸。」到了魏景仲的親弟魏景軾夫婦前，賴雲煙見過魏景軾之後，抬頭就朝魏二嬸露了個比之前明顯閃亮一些的笑。

上一世自從離開魏府後，她就沒見過這個嬸子了。

她當年在魏府被魏母打壓的時候，是這個二嬸幫了她幾次小忙，才讓她離開了魏府這個地獄，爬出去獲得了新生。

對她，賴雲煙是真心感激的，所以後來賴府與魏府因政見不合成為政敵時，她還是暗地幫過二嬸的那兩個孩子，順手給他們搭了一條暗路，去了淮南當官。

「好孩子。」魏夏氏笑著拍了拍她的手，從丫鬟手中拿過給她的見面禮。「與瑾泓和和樂樂地過吧。」

賴雲煙笑，沒有像之前那樣昧良心地答好，而是朝魏夏氏福了福身。

她會和和樂樂地過，但不會與魏瑾泓一起過。

魏二叔之後就是魏姑媽魏秀瑩了，他們一走過去，魏秀瑩就笑得合不攏嘴。

「總算是把賴家貌美如花的大小姐娶回來了，快來讓姑媽看看！」

「姑媽。」賴雲煙羞澀地叫道。

魏秀瑩要過來拉她，這時魏瑾泓看她一眼，賴雲煙腳往前一步，坐著的魏秀瑩便按著彎腰朝她低下身的賴雲煙的肩膀，笑著打量她不休，賴雲煙低頭輕咬著嘴，羞笑不已。魏秀瑩儘管讓她噁心，但噁心歸噁心，作戲誰不會？如果連這個人都忍不了，她也白活那麼多年歲了。

她上輩子真是傻，魏秀瑩這般按扶著她，這哪是歡喜見她？不過是讓她彎腰向她低頭罷了！真歡喜見她，像魏二嬸那般站起來扶她就是，上世的她，就是有著兩世的智慧，在這些人面前還是太嫩了。

「真真是個秀氣嬌貴的小人兒！」魏姑媽作狀打量過幾眼，笑著道。

「姑媽！」賴雲煙只好頭往底下低，嘴角羞笑不止。

「姑媽，請喝茶。」魏瑾泓端過下人手中的茶，伸手往前淡道。

「好、好！」魏姑媽鬆開了扶著賴雲煙肩膀的手，接過他手中的茶，笑著與他道：「你真是娶了個好媳婦！」

「多謝姑媽。」魏瑾泓看了眼她的臉，淡淡地道。隨即，他轉頭朝賴雲煙看去，只見她低頭看著腳尖的樣子，一時也猜不出她在想什麼。不過不管她此時在想什麼，都不會是什麼好事就是，這府中，除了剛剛她笑得稍微真心的二嬸外，可以說個個都跟她多少有點仇。

「大哥。」見魏瑾泓與賴雲煙敬過茶後，下首的魏瑾瑜這才開口拱手道。

「大弟。」魏瑾泓朝他頷了下首。

「瑾瑜見過大嫂。」

「見過小叔。」賴雲煙低頭朝他一福。這魏瑾瑜與其兄長感情好得很，但對她這嫂子可就不怎麼好了。她後來有段時間一見魏瑾泓，隔夜飯都吐得出來，魏瑾瑜在其間功不可沒。

「好了，都見過了，開膳吧。」這時，坐在首位的魏景仲開了口。

賴雲煙稍抬了抬頭，看到魏瑾瑜身邊的庶妹魏丁香這時臉一暗，似要抽泣。見她就要朝自己看來，賴雲煙便不動聲色地偏過了臉，嬌羞地朝魏瑾瑜看去，沒有對上這庶女的眼。

她可不想跟這個得了她的好，嫁了個好夫君，後頭卻幫著她娘家那庶妹妹賴畫月上位的小姑子有什麼交集。這輩子，魏丁香原本是什麼樣，就便是什麼樣的吧。

她對魏家的這些人，可真沒有上世那樣氾濫成災的好心了。

膳間，賴雲煙站在公婆後面伺候了一會兒，在魏父開口讓她坐下後，她稍推拒了一下，等魏母也開了口，她就坐到了魏瑾泓的身邊。

魏家用膳向來食無語，各人只會看著手中的碗。賴雲煙抬抬眼皮目測了一下，覺得自己坐的位子還算好，面前有兩盤肉，她便慢慢地一塊接一塊地挾了吃了。她可得吃得飽點，等會兒回了魏瑾泓的院子，他那兒的東西她可不敢隨便吃，魏瑾泓是個心狠手辣的，誰知會不會給她下毒？這一家子人一起吃的，反倒是最安全的。

賴雲煙心中想著沒離開魏府的這陣子，飲食要如何解決之法，筷子往嘴裡送米飯的速度不快，卻也是不慢的。她用罷一碗，丫鬟拿過碗又添來了一碗，賴雲煙這次也吃了個乾乾淨淨，見丫鬟再來伸手時，她才搖了搖頭。

這時她頭一抬，見魏母含笑看她，她不好意思地朝她一笑，輕聲地道：「孩兒、孩兒……」說著，羞澀地別過眼，連連眨著眼睛。

見她羞澀得話都不好意思說的樣子，魏母搖頭失笑，招來丫鬟，朝她吩咐了幾聲，讓她一會兒再送幾道小菜去大公子的院子。

賴雲煙沒聽到她說什麼，但大概也知她說了何話，於是又把頭低了下來，裝得很害臊。

想起上世的自己，現在賴雲煙都想對那時的自己搖頭。上世為了表明她是守規矩的，她記得那天她拖著瘦澀的身子站在後面伺候了一頓，回院子就著熱水啃了幾塊糕點，還喜不自勝，覺得自己一定能勝任魏大少夫人這個位置，蠢得完全不像一個穿越人士。

還好，她現下可長心了，不受那個苦了，吃得飽飽的，穿得暖暖的，坐得舒舒服服的，這才不枉她穿越成富貴嫡女一場啊！

回了院子，廚房開小灶炒出來的小菜很快就送到了，兩雙碗筷，還有一小壺酒。賴雲煙揮退了屋中的人後，就招呼起一直沒離開、靜默無聲地看著她的魏瑾泓。「您快快過來，有酒喝。」

魏瑾泓起身從主位離開，坐到了她的對面，自行倒了酒，舉起喝過，又拿筷把各道菜都吃了一點，這才放下筷。

見他如此上道，賴雲煙看了他一眼，更狐疑了起來。先前她只是有點不放心，想讓他先試幾口，她再跟著來，但見他如此乾脆，她反倒猶豫了。她心間猶豫，卻還是舉了筷，挾過一道菜吃了兩口。

魏瑾泓見她下筷謹慎，未語，只是拿筷朝她愛吃的那道小炒牛肉伸去，多吃了兩口。

賴雲煙這才安心起來，朝魏瑾泓嫣然一笑，拿過酒壺對著細口子就喝了起來。

酒是溫來給魏瑾泓喝的，就拿來了一個杯子，她只好將就著點，把酒壺占為己有了。

一小壺用來暖胃的溫酒、兩道肉菜，還有一道滑嫩的蛋羹，賴雲煙把愛吃的都吃完，酒也全喝掉之後，打了一個飽嗝，朝魏瑾泓不好意思地一笑。「如果您沒什麼事，不介意的話，我能去補個眠嗎？」酒足飯飽，就想睡覺。這真是別人的地盤啊，不自由也不自在，吃睡都是大問題。

賴雲煙想，她還是得盡快從魏家離開才好。

「嗯。」魏瑾泓閉了閉眼，再抬眼往門邊看去。「去吧。」

「我去找丫鬟吩咐兩聲。」賴雲煙想了想道。這大白天的，補眠還是得找個藉口的好，就說頭疼吧！

「我會說，妳去吧。等會兒我會讓丫鬟端熱水進來。」

還端熱水進內屋讓她洗漱？賴雲煙一下子就愣了，端坐了好一會兒，才小心翼翼地朝魏瑾泓道：「您是不是有什麼事要跟我說？」無事獻殷勤，不會是什麼好事。

見她眼睛試探地看著他，魏瑾泓摸向了手上的戒指，卻發現前生的戒指沒在手上，手指空落落的，就跟他此時的心情一樣。多年的恩愛，最後他們卻走到了誰也不信誰這步。

「睡吧。」魏瑾泓起身，不緊不慢地走向了門。

賴雲煙看著他頎長的背影，猜不出他現在的心思。魏瑾泓到底是想幹什麼？這時，魏瑾泓吩咐下人的聲音響起，賴雲煙也不好再待在外屋，便進了內屋，在榻上躺下。

不多時，外屋的門被關上了。

賴雲煙坐了起來，沈思了一會兒，才下地去了外屋。這時的屋中一個人都沒有，只有放在水盆旁邊的鐵壺口子在冒著熱氣。她看了那裝著熱水的鐵壺一眼，不禁失笑。

有時，她也知自己太以小人之心猜測魏瑾泓了，但她確實願意把魏瑾泓所有的意圖都想到極點的壞，就算是魏瑾泓有時還真不是那麼不堪，賴雲煙也很心安理得地把魏瑾泓想得很齷齪，因為這能保她自己的命。

在這人面前再怎麼謹慎，也都不為過。

到傍晚酉時，賴雲煙又得去給魏母請安。這早間跟晚間的請安，只要還在魏府就免不了。賴雲煙是真不願意去請這個安，但不得不去，她還得在那兒用一頓膳。

她帶著丫鬟欲出門時，魏瑾泓不知從哪兒回了院子，跟賴雲煙走在了一道。身後的杜鵑偷偷摸摸地在打量貴公子，百合則端著矜持清冷的清高樣子，目不斜視。賴雲煙掃了身後的兩個丫鬟一眼，朝她們揮了揮手帕。

等她們識趣地少跟了幾步，賴雲煙才低聲朝魏瑾泓道：「您怎地有空？」

如若她所記沒錯的話，上世的這日，魏瑾泓跟了魏景仲出門，拜見那沒幾天好活的沈侯爺去了。魏瑾泓重活一回，不打算幫沈二公子爭侯位了？還是，這世的他已有了好法子，所以不用走這一趟了？一想到後者，賴雲煙就後悔起了她的問話，她太沈不住氣了。

見賴雲煙問完話就垂下臉，嘴角微擰，魏瑾泓開口道：「爹已去了。」

「喔。」

見她不再問，魏瑾泓也不再出聲，帶著她往主院走去。到了父母的主院，魏瑾泓見她臉上溢滿了嬌笑，他多看了她兩眼，這才轉過了臉，嘴角也揚起了淺笑。

前世，眾友都道他是真君子，從未見他變過臉色，可惜他們從不知他私下對著賴雲煙的臉是如何的暴躁狂怒；而她，自從那一晚他狂罵她不知好歹，而她歇斯底里地哭過一場後，便也學會了臉上掛滿笑容。

魏瑾泓曾想，大概就是在她決定不再在他面前哭的那天起，他就失去她了，後來強留她在魏府的那幾年，不過就是把他們之間那點曾經的恩愛全部消磨殆盡。

「大公子、大少夫人。」這時，魏母的丫鬟春鵑朝他們福了禮，笑道：「夫人正等著你們呢！」說罷，就打起了簾子。

「可是我來晚了？」賴雲煙跟著魏瑾泓進了門，在門邊停了一步，嬌俏地跺了下腳。「唉，都是我不好！」

「誰說我兒不好了？」魏母的笑聲傳了過來。「快快進來吧！」

賴雲煙笑著去看魏瑾泓，見他提步，她這才跟著抬腳。

隨著他進了魏母的小廳屋，賴雲煙遠遠地就朝她福禮，嬌羞道：「孩兒來晚了，還望娘恕罪。」

「正好、正好，哪來晚了？」魏母笑著朝她伸手。「快快過來！」

賴雲煙走了過去，讓魏母握上了她的手。

「你爹有事出門去了，瑾瑜也會友去了，今晚就咱們娘仨用膳了。」魏母笑著朝魏瑾泓道。

「是。」魏瑾泓朝母親拱手，掀袍在她對面坐了下來。

「坐吧。」魏母拍了拍賴雲煙的手，朝她慈祥地道。

「多謝娘。」賴雲煙朝她再一福身，又朝魏瑾泓面前一福，這才坐上了凳子，對上了魏母滿意帶笑的眼睛。

上世，她覺得與魏瑾泓親密，在自家人面前可以少些禮節，往往她在對魏母多禮時，對魏瑾泓就少了些禮；她自詡這是把魏瑾泓放在了心間，不想跟他隔著距離，可看在別人眼裡，不過是她恃寵而驕，看在魏母眼裡，是她不守規矩。

人啊，真是不吃虧就長不了智慧。賴雲煙在魏府過了那幾年，出去後，她就從不再自以為是了。這世道自有它的規則，逆道而為的話，就算現下不顯，以後也有的是苦頭吃。

「擺膳吧。」魏母朝身邊的吉婆婆淡淡地吩咐了一聲，這才轉臉對魏瑾泓笑道：「娘還當你與你爹一道去了，所以也沒讓下人做你順口的菜，今兒個你就將就著點吃吧。」說罷，轉頭對賴雲煙笑道：「還是瑾泓貼心妳。」

換作以前，要是有這麼一齣，賴雲煙還當魏瑾泓是真喜歡她呢，與公爹一道出門辦重要事都不願去了，還來陪她，肯定會歡喜得不知如何是好。可現下她卻對著魏母笑著搖頭道：「也不是，是夫君說您操勞我們的婚事辛勞了，便想陪您用頓清靜的飯。」言罷，她就低下了頭，嘴邊依舊含著那羞笑。想來，她這等話，魏瑾泓是不好駁的，而這話，魏母愛聽得很。

果然，魏母一聽，就朝魏瑾泓歡喜地道：「你這哪來的禮？怎地跟娘還這般見外！」

「娘，喝杯茶吧。」

「好，好，好。」魏母連應了三聲好，聲音中透著濃濃的歡喜勁兒。

賴雲煙好笑地牽了牽嘴角，未再出聲。

等安靜地用完膳，賴雲煙抿了一口丫鬟遞上來的茶後，就突然朝魏母說：「娘，我剛想起，屋中還有一些什物未囑丫鬟收拾好，孩兒怕是要先行一步回去了。」

「這……」

賴雲煙起身朝她與魏瑾泓施了一禮，笑道：「容兒媳先行告退。」說罷，笑著看向魏母。

魏母笑著搖頭，朝她揮了下手。「去吧。」

賴雲煙成功退了下去，把礙她眼的魏瑾泓留在了他娘那兒娛親。

# 第三章

賴雲煙剛洗漱好，杜鵑便擺好了繡架，前來問道：「小姐……喔，不，少夫人，您看婢子這嘴……」說著就掩嘴笑了起來。

「下次別再叫錯了，再叫錯，就打發妳去洗兩個月的衣裳。」賴雲煙坐在床上，打量著手中的帕子，嘴間笑道。

杜鵑當她在開玩笑，又掩嘴笑了兩聲，才道：「您要不要去繡幾針，等大公子回來？」

賴雲煙拿起帕來打了個哈欠，朝她搖頭道：「不了，妳和百合在外屋好好等著大公子吧，我就在這歇會兒。」

杜鵑一聽，眼睛一亮，輕聲道：「是，那您好生歇著。」

賴雲煙好笑，上世她眼睛是瞎的，早前才會看不出這兩個丫鬟這麼明顯的心思。她下午歇了那麼長的時辰，現下剛用完膳不到一個時辰就要歇著，也就別有心思的人想都不想就願信了。她看，要是她這丫鬟今晚就勾搭上了魏瑾泓，怕是一萬個願意她就此歇死算了。

杜鵑退出去後，賴雲煙嘲諷地笑了笑，就又回到了榻處半躺著。

等到亥時，魏瑾泓回來了，外屋傳來了丫鬟問安的聲音——

「大公子，您且等等，我去打水。」

「不用，讓蒼松來，妳們退下。」

「這……少夫人說讓我們等著您回來伺候您。」

「退下！」

「是。」

聽著魏瑾泓冷下來的聲音，在內屋看書的賴雲煙訝異了一下。怎地，魏大公子不歡喜漂亮丫頭伺候了？她的這兩個丫鬟，不是一直都挺招他歡喜的嗎？她可記得他在滿是聖賢書的書房都和百合搞過呢！

直到魏瑾泓進來，賴雲煙才從榻上坐直了身，這時，外屋又有了杜鵑怯怯的聲音——

「大少夫人，可要讓奴婢進來伺候？」

賴雲煙啞然失笑，她看了魏瑾泓一眼，見他神色如常地走到了桌前，自行給自己倒了杯水，不像要讓她的丫鬟進來的意思。這畢竟不是她的地盤，她也不好太過自作主張，這才張嘴道：

「不用了，退下去吧。」

「您不歡喜她們了？」等丫鬟退下，賴雲煙把手中的書收起，與魏瑾泓閒話家常般道。

「嗯。」

她以為魏瑾泓不會出聲，但沒料，他竟開了口，還嗯了一聲。

「怎地不歡喜了？」賴雲煙搖頭道。「她們給您生的庶子長得又好，性子也不錯，我還道您對她們歡喜得緊呢！」長得好，性子不錯，就是沒用了一點，比他們老子還好色，大街上強搶民女的事都幹過。想至此，賴雲煙那一直繃緊著的心情好了起來，她怕自己樂出聲來，便掩飾性地低下頭，拿過放在一邊的帕子掩了掩嘴，這才恢復如常地抬頭與魏瑾泓笑道：「您今晚還要歇在這兒？」

魏瑾泓看她一眼，點了下頭，把倒好的冷水一口喝了下去。

見他此狀，賴雲煙嘆道：「您這還是十幾歲的身子呢，不找外頭的那兩個，找個您歡喜的洩洩火也是好的。」這一晚還跟她擠一屋，她睡不好，不信他也能睡得好，這不兩人都耽誤了嗎？

「過幾天再說吧。」魏瑾泓說了一句。

賴雲煙看著他溫和的臉，想了一下，才問道：「您的意思是，過幾天您就搬出去歇？」

魏瑾泓看她一眼，輕笑了一下。

賴雲煙看他一臉溫潤似玉的神情，開玩笑般地又道了一句。「您說，您要何日才休了我？要知這可是您的主院，妾哪好意思鳩占鵲巢。」

說來，賴雲煙真不覺得魏瑾泓會主動休了她，按她對他的瞭解，他肯定會想個法子讓她合理地死在這魏府裡，把她毫無聲息地處理掉，這才是他的作風。不過，他再怎麼想讓她死，也得讓她回個門才成，要不，新婚不到三天她就死了，這事要成了真，在她剽悍狠毒的兄長那兒，可不是那麼好交代的。可這話，問問也是好的，總歸是個試探。賴雲煙說罷，笑意盈盈地看著魏瑾泓，等著那目光幽深地看著她的人的答覆。

「睡吧。」魏瑾泓看著賴雲煙，說了這兩字，便低頭脫靴。

沒得到回覆，賴雲煙也不奇怪，翻身上榻。

第二日一大早，賴雲煙醒來後把榻上的棉被收拾好，蓋上箱子的那刻，無奈地搖了搖頭。活這麼多年歲了，居然晚上就個寢都要大費周章，還是趕緊想法子脫離苦海，快快逍遙去吧！

這一早，魏瑾泓就沒再陪賴雲煙去請安了，賴雲煙也就鬆了一大口氣。

魏家與賴家一般，都是士大夫階層，魏瑾泓現下年僅十八歲，如若與前世一樣沒變，他現已是翰林學士了；時不時能見皇帝，參與朝政，隱隱有率領眾貴族世家年輕子弟之勢的領頭人物，要是連著兩天與她去請安，明天回門，她都要被她父親訓斥了。

為著明天回賴府，賴雲煙這一天都很靜，早晚請安過後就坐於房中，捏著針在那兒牽線，時不時繡兩針打發時間，丫鬟讓她去花園走走，她都未去。

主院下午也來了婆子，說魏母讓她過去幫忙處理家務，賴雲煙去了一趟，說了幾句自己尚且年幼，難當大任，就回來了。

她上輩子，進門沒幾天，推拒再三後，就接了魏母手中的管家權；哪怕她把魏母伺候得跟老太君似的，魏母卻也漸漸地不怎麼歡喜她了，以至於後頭那般苛刻對她，想來也是冰凍三尺，非一日之寒之事。

說來，賴雲煙也覺得上世自己是做得太不妥當了，哪怕是好心，也有能力，可哪有新媳婦嫁進家門不到半年就把家婆手中的權力奪過去的？魏母後來厭惡她，還真是怪不得魏母，是她不通俗務，犯了錯，也活該被錯待。

所以，這次賴雲煙是打算推到直至她走的那天，她都不接手魏家的事。

魏瑾泓進房後，賴雲煙朝他福禮後就沒再吭聲了。這個關頭，還是少說話的好。

她不開口，魏瑾泓在看過她幾眼就躺了下去。賴雲煙見他睡後，就拿書去了外屋，就著小燈看了半會，就勢在外屋的小榻上睡了過去。外屋的小榻是給丫鬟們睡的，自然沒有裡面的舒適精緻，但不與魏瑾泓同房，哪怕只隔了點距離，賴雲煙也覺得這壓力稍小了點。

清晨時，賴雲煙突然驚醒，她翻了個身就從榻上坐起，看著站在圓門前的人影。

「魏大人？」

「嗯。」

賴雲煙笑了笑。「您起得真早，什麼時辰了？」

「寅時。」

「您這就要喚丫鬟進來嗎？」

「嗯。」

「請待妾片刻。」賴雲煙伸出手，點燃了手邊的燭檯。她起身穿好鞋，把榻上的被褥收拾好，回頭迎上了魏瑾泓靜靜看向她的眼睛。她朝他一笑，就拿帕掩嘴進了內屋。

通報出去，隨即，丫鬟、婆子都進門來了。

賴雲煙的陪嫁是八個丫鬟、四個婆子，還有二十個小廝，這天一早全進了魏瑾泓的院子跟他們請安。

賴雲煙帶著丫鬟、婆子去了魏母處，受了她幾句叮囑，這才又帶著浩浩蕩蕩的禮車，往魏家的封地走。

一路出了正城往北，再走五里地，餘下的一路就全是魏家的田莊。

走到自家的地方時，賴雲煙輕掀了簾子看了外面一眼，被杜鵑伸出手攔了攔。

「您快到府裡了。」杜鵑輕笑道，還看了一眼那靜坐在一旁，猶如松柏之姿的姑爺一眼。

賴雲煙淡笑不語。如若不是怕帶著春夏秋冬四個婆子在身邊，怕她們老辣的眼看出她與魏瑾泓的不對之處，她豈會帶著這兩個心大的丫鬟在身邊堵她的眼？一個丫鬟也敢出手攔她？賴雲煙想，以前她還真是太不拘小節了，才會讓丫鬟尊卑不分。

「下去吧。」杜鵑攔手後，賴雲煙朝杜鵑淡淡地開了口。

「啊？」杜鵑微愣了一下。

「滾下去！」賴雲煙朝她冷下了臉，抬起了下巴。

那無聲的威嚴讓馬車內的氣息頓時僵化，杜鵑猛地一磕頭，隨即就掀簾而走，在馬車的行進中跳了下去。在她跳地的那一刻，車內的人還聽到了她的啜泣聲。

百合還跪在一旁，此時抬起頭，倉皇地看了賴雲煙一眼。

賴雲煙用手撐著頭，懶得理會這些丫鬟的心思，閉著眼睛尋思著事情。

如果事情未變的話，那麼賴家與魏家還是會有封地之爭，魏瑾泓與她同知這些事會發生，他肯定會有新的應對之法，而她現在所處之勢明顯被他壓在了其下。

他是魏家長子，而她現下是賴家嫁出去的女兒，如若被休回家，哪怕兄長護她，她在家族裡也只能是隱形的存在。所以，多年後的封地一爭，哪怕她知情，她也處於劣勢；而且不知這一世的兄長，在事情沒發生之前，會不會把她的話全聽進去？

# 第四章

一進賴家，去了正堂拜見過父親賴遊後，賴雲煙便正式與魏瑾泓兵分兩路，她進了內院，他就跟著賴家的族人去了宴廳。

一到了後院，賴雲煙就讓內管家叫了杏雨、梨花兩個丫鬟過來。

「請大小姐安。」杏雨、梨花一過來，就跪在了賴雲煙的面前。

賴雲煙笑著朝留在屋內的春婆婆與夏婆婆道：「妳們出去吧。」

兩個婆子相視一眼，道了聲「是」，退了下去。

賴雲煙留了這兩個丫鬟在屋內說話。

很快地，兄長賴震嚴就匆匆來了後院，揮退了丫鬟和身後的小廝，朝賴雲煙皺眉道：「先前杜鵑的事，是怎麼回事？」

「有人告訴你了？」賴雲煙拉了兄長的袖子，嬌笑道。

賴震嚴板著臉看著她。

「我平日讓她放肆慣了，她一個丫鬟竟當著姑爺的面伸手攔我，不管管，還當我無人疼愛呢！」賴雲煙仔細地看著兄長的臉，見他皺眉搖頭看她，一臉多年前不滿她時的不變表情，她在心裡苦笑了一聲。他跟他們不一樣，不是重生的，她真是少了個幫手了。賴雲煙噙下嘴間苦澀，淡道：「我知宋姨娘的事了。」

「什麼事？」賴震嚴瞇了瞇眼，年輕的臉龐這時已是陰沈得很了。

賴雲煙不知上一世自己為何從兄長那總是陰著的臉上看不出來，她兄長身上、心間擔了這麼多事。上世沒經歷過多少事情的她，還是太天真了。

「知她害死娘親的事。」賴雲煙看著他道：「知三年前她被下毒的事，知父親也知曉了是誰做的。」

賴震嚴聞言，身體僵住，狠狠地瞪了賴雲煙一眼，就朝門邊走去，他左右看了一眼後，關上門，轉過頭就對賴雲煙厲聲道：「妳知妳在說何話？」

「我知曉。」不知怎地，賴雲煙想起兄長多年的保護，眼淚就這麼掉了下來。「雲煙知你護我護得辛苦。」

「妳……」見她哭了，被她的一番舉止弄得震驚的賴震嚴一時之間不知說何話才好，他緩了緩，才道：「妳從哪兒知的？」

「雲煙自己想的。」賴雲煙轉過臉，拿帕擦了眼淚，垂眼道：「出嫁前去過書房一趟與父親告別，我走的是那條你告知我的小道進去的，我走得急，先了丫鬟幾步，在門口時聽父親不知罵了誰一句孽子，還說要把那在蘇南的庶子接回來，給宋姨娘養。」

「把庶子接回來，給宋姨娘養？」賴震嚴聞言，一字一句地重複道。

「是。」賴雲煙點頭道。

賴震嚴一屁股坐到了椅子上，緩了兩口氣，抬起瞇著的眼，與妹妹道：「妳半道兒讓丫鬟滾下馬車，就是為讓我速速來找妳，與我說這事？」

「是。我想了幾天，心中很是不安。」賴雲煙垂首看著自己的鞋子，喘了兩口氣。「我這才想起當年我昏睡了三天，醒過來時，娘沒了，你為何要哭的事。」

說到這兒，賴雲煙悔恨交織。兄長護她半生，她直到離開魏府後，才知曉兄長在賴家的艱難處，雖後頭有她與他一起打拚，但兄長多年的工於心計、逼死庶子、氣病父親，已讓他在外有了陰毒之名。因此，多年後，新帝上任之後不重用賴家，才讓他們只能暗中謀算；後雖因朋黨之爭最終上位，但其中不知費了多少的功夫，重來一回，不是沒好處的，至少兄長就能少走些彎路。

賴雲煙猛地再次伸手，緊緊抓住了賴震嚴的袖子，彎腿跪在了他的面前，咬著牙道：「你疼我，雲煙是知曉的。哥哥，雲煙定不會再給你添麻煩了。」

說罷，想起在朋黨之爭前，他為了讓她回家，竟不惜與魏瑾泓結仇之事。她忍了忍，還是痛哭了出來。

她哭，陰沈的賴震嚴卻是狐疑了。「妳這幾日在魏家發生了何事？瑾泓欺負妳了？為何我沒接到報？」

他一連三問，賴雲煙破涕為笑，抬起臉，淚中帶笑地問他。「要是他欺負了我，你要怎生才是好？」

「他要是對妳不好……哼！」賴震嚴冷冷地笑了起來。「我有的是法子收拾他！」

「哥哥……」賴雲煙再聽一次這樣的話，忍不住把臉擱在了他的腿上蹭了蹭。前生，她真是太對不住他了，才讓他身陷賴家的囹圄之中時，還得為她操心。

「他欺負妳了？」賴震嚴忍不住再問，哪怕他知小妹聰慧，得瑾泓歡喜，但到底還是擔心她。家中有他護著，誰人也欺不了她，只能尊著、敬著她，可魏家那裡，他卻是真管不到了。

「他哪會？哥哥，你知他是君子的。」賴雲煙笑著道，把心中的萬千思緒都掩了下去。

這時，只要魏瑾泓不談和離，她知曉按現下的形勢，她是提不得半字一句的。在賴家，她哥儘管還是嫡長子，可宋姨娘還在，而偏心宋姨娘、憎恨哥哥下毒害了宋姨娘肚中孩子的父親也還會活很多年，她哥離接掌賴家還有很長的路要走。這次離開魏家，她只能靠自己，順勢而為了。

「庶子之事，可沒聽錯？」一直陰著臉在思索其事的賴震嚴輕撫了下她的頭髮道。

「是，不過雲煙也不知真假，哥哥還是去查查吧。」賴雲煙也知兄長是從不輕信別人之人，可是這個後來在外人眼裡極為陰毒狠辣之人，卻是那生對她最好的人。

與兄長談話不到一炷香的時間，兄長的貼身小廝虎尾就在門邊輕叫了一聲。「大公子，宋姨娘來了。」

賴震嚴聞言起身，看向賴雲煙，瞇眼道：「在魏家要謹言慎行，可知？」

「雲煙知曉。」賴雲煙彎腰福禮。

「還有些妳在魏家需要注意的事項，我會在信中告知妳。」賴震嚴說罷，揮袖而去。

賴府現無主母，一直都是宋姨娘在掌內院之事，賴父也無續娶之意，說是思念亡妻，暫不思娶，這也讓他在外贏得了一片讚譽之聲，外人皆道工部尚書賴遊真乃重情重義之人，對亡妻甚是情深意重。

賴雲煙前世對父親甚是恭敬，但也只是恭敬而已，賴遊與她並無父女之情。頭幾年，親娘尚在時，賴雲煙還道他不喜女兒；但當宋姨娘的女兒賴畫月出生，賴遊時常去看望之後，她才知，這人心是偏的，賴遊的喜愛，不是她這個嫡長女對他的乖巧討好就能得來的。

後來娘親過世，宋姨娘掌家，對她這個嫡長女也很是恭敬，年復一年地下來，賴雲煙並沒有在她臉上看到過野心，那時她還只當這女子是父親的心上人，所以才這般讓父親對她千嬌百寵，對娘親那般冷淡守禮。

只有到後來賴畫月嫁與魏家，宋姨娘這個貴妾隱隱有賴家夫人之勢後，賴雲煙這才明白了宋姨娘的真正能耐。這個女人，太擅長隱忍了，當年如若不是她兄長冒著危險，當機立斷殺了她的兒子賴震煒，這賴家就真要被她一介婦人奪去了。

這廂沒多時，杏雨就來報。「大小姐，宋姨娘來了。」

「嗯，請。」賴雲煙坐在外屋的主位上，淡道。

「是。」

一會兒，穿了一襲石榴裙的宋姨娘進了屋，一進來就朝賴雲煙福腰，抬頭輕輕柔柔地道：「見過大小姐。」

「宋姨娘多禮了。」賴雲煙淡笑了一下。她過去與這姨娘也甚是疏遠，以為只要不理會這婦人，就是對得起她的親娘了。她那時，真是被娘親、兄長保護得太好了，不知在這樣的府裡，不思不慮便也是惡。

「午時的歸寧宴，除了本家的那幾位小姐，您可還要請些什麼人嗎？」宋姨娘微笑著道，那蒼白的瓜子臉上透出了幾許孱弱。

自從流了孩子之後，她臉上就是這等神情了，似乎只要誰高聲多說一句話，她就能立馬昏過去一般。

「妳請了哪幾位？把帖子拿來給我看看。」賴雲煙不冷不淡地說了這麼一句。

見賴雲煙對她的疏遠似比過去更甚一些，宋姨娘臉色未變，只是朝站在門口的丫鬟輕頷了下首，接過丫鬟手中的紙冊，雙手遞給了賴雲煙。

賴雲煙未看她，拿過冊子看了，見上面的人名都是她以前玩得來的本家裡的女孩，她輕搖了下首，對身邊站著的梨花道：「拿筆來。」

「是。」

賴雲煙接過梨花手中的筆，劃掉其中幾位庶女的名字，再寫上幾位嫡女的名字，這才停筆對宋姨娘道：「劃線的不請，加上的那幾位嫡親小姐，便都替我請來吧。」

宋姨娘看了冊子一眼，聲音依舊輕柔。「青梅、文竹兩位小姐也不請嗎？」

這兩位以前確是與她玩得最好的，後來她們出嫁後，賴雲煙與她們的交情也泛泛，那時受困於魏家時，她們倒是前來勸過她幾句。

「不了，歸寧日，請嫡親的姊姊、妹妹聚聚就好。」賴雲煙說到此，垂眼拿帕拭嘴，淡道：「去吧。」她的歸寧宴上，一個庶女也別想出現，包括宋姨娘的那個女兒。

她如此言道，宋姨娘的臉色卻一變都未變，只道了一聲「是」，就又福禮退了下去。

等她走後，賴雲煙輕笑了一聲。如果不是前世嘗過宋姨娘的厲害，誰能猜得出這麼一個對她百依百順的姨娘的心思？

# 第五章

歸寧宴的女眷桌上，賴家的二夫人、三夫人都攜嫡女來了，賴雲煙與她們見過禮後，以過去一般無二的開朗神情掩嘴笑道：「二嬸、三嬸還是念著我，我一回府就來看我了！」

賴二夫人搖頭笑道：「還是跟過去那般調皮！還想妳嫁給了魏家的大公子，妳身為長媳，能端莊幾分呢！」

「二嬸！」賴雲煙跺腳，頭上的碧玉步搖在空中飛揚得甚是輕盈，她揚著小臉，嬌俏地道：「雲煙怎地不端莊了？」

「妳看看、妳看看……」賴二夫人見她此番嬌態，朝著賴三夫人笑道：「妳看她，哪像嫁出去的女兒？還跟當初在我們膝下賣乖的小女兒一般撒嬌呢！」

「這怕是魏家的大公子寵的！」賴三夫人說到此，笑道：「我剛還聽妳三叔說，說魏大公子如若不是朝中有事，還想陪妳在娘家多住幾天呢！妳看看，真真是嬌寵了！」

賴雲煙聽聞此言，心下不知魏瑾泓又在搞什麼鬼，面上卻是拿帕擋臉嬌羞道：「三嬸，瞧您說的！」說罷，似是埋怨她們一般地轉過身，朝她們的女兒手拉手地叫人去了。

賴雲煙上世就人緣好，跟誰都處得來，哪怕是小心眼的妹妹，平時跟她吵個嘴、鬥個氣，她也不跟人生氣；現下她還是這般作態，自然也無人懷疑她這般舉止，都親親熱熱地跟她說著話，也無人覺得她不請平日那幾個與她走得近的庶女來有什麼不妥，反倒覺得賴雲煙看重她們的身分，與她越發地親熱起來。

賴二夫人、賴三夫人見親生女兒及養在她們膝下的那幾個女兒與賴雲煙聊得甚是熱絡，兩人相視一笑，心道這嫁出去的閨女還是有些不一樣的，比過去的不拘小節來說，懂禮甚多了。

歸寧宴一休，前方就有人來請賴雲煙回府。賴雲煙去了前院，與賴遊及兩位叔父再行施過禮。

欲要道別時，賴雲煙紅著臉與賴遊開了口。「孩兒還有一事想求父親。」

「喔？說吧。」賴遊看了長女一眼，又看了看嘴邊翹著淺淺微笑的女婿一眼，神色自在地道。

「孩兒那兒，還少兩個做針線的婢女，想討了杏雨、梨花去。」賴雲煙羞紅了臉。

賴遊聽她這麼一說，當她是討兩個面貌醜陋的丫鬟放到身邊安心，他只沈吟了一下，便點了頭。在她未生下魏家的嫡長孫之前，這丫鬟確也該管束一番，她能有這般心思，也是好事。

賴雲煙如願討了要討之人，一回到馬車上，她就讓兩個丫鬟上了另一輛馬車，跟杜鵑她們擠在一輛，讓她們先熱鬧一下，她則在馬車內褪下了笑臉，拿帕抵住嘴，打了個哈欠。

魏瑾泓看了她一眼，沒出聲。

賴雲煙在賴府跟賴家那幾個女眷又重新理了一遍關係，此時也很是倦怠，靠著牆便合上了眼。

良久，她察覺魏瑾泓動了一下，她睜開眼，就見他把一襲羊毯蓋在了她的膝蓋處。賴雲煙當下皺眉，深深不解。「魏大人所為何意？」

「無意。」

「您有事還是告知妾幾聲吧，妾腦袋愚笨，猜不出您的意思。」賴雲煙客氣地道。魏瑾泓到底是怎麼想的？這幾天這般敬著她，難道還想跟她握手言和不成？

「很快就五月了。」魏瑾泓見她眼睛裡的倦意消失，臉色也正色之後，慢慢地張了嘴。

五月？賴震煒從南方回賴家之時。

「是啊，五月，有勞魏大人費心了。」賴雲煙微笑道。

「我與震嚴兄說過，如賴家有事，可來找我。」

「找您？」賴雲煙甚是疑惑，想了一會兒，才朝魏瑾泓看去，輕道：「您這還真是想握手言和了？」

「不可？」魏瑾泓眼波平靜地看著她。

「呵！」賴雲煙被他的回答激得冷不丁地急促笑了一聲，隨即，她真還想再不屑地笑兩聲，但她還是緊緊地閉上了她的嘴。思索了一會兒後，她才張嘴輕道：「原來您這兩天這般給我臉面，是為的這事？」與賴家合手，少了個政敵，魏父也就不會因朋黨之爭而死了？「您真當我們上世的仇，這世可以忘卻？」忍了又忍，賴雲煙還是問了這麼一句。

「我尚可，妳呢？」魏瑾泓看她一眼。

「我？」賴雲煙不可思議地拿帕掩住嘴，笑了好幾聲才說：「您都能忘，我有什麼不好忘的？」魏父之死，她在其中伸了最為推波助瀾的一手，魏瑾泓連殺父之仇都不計較了，她還有什麼話好說的？但，她要是真信了，她就是癡兒！

不過，魏瑾泓提了這話出來，她也不能駁他的臉面，遂笑道幾聲，也就不再張口言語，忍住了嘴邊的笑。太荒唐了，魏瑾泓這言語之間，竟然真的有此意；她還以為，他們沒有一見面就刀劍相見，都只是為了想不聲不響地把對方弄死呢！這重生一回，魏瑾泓是真想重來一回？賴雲煙還真是想信他，可惜啊，她怎麼想都不覺得魏瑾泓會是這等人。

「為何而笑？」賴雲煙一直拿帕擋嘴，魏瑾泓看她幾眼，還是張了嘴問道。

賴雲煙搖頭不答，拿帕的手放了下來，用明亮的眼睛看了他兩眼。

「妳在想什麼？」魏瑾泓又問道了一聲。

「您定是不想知的。」她翹了翹嘴角，又笑意盈盈地看著他。

「說吧。」魏瑾泓垂眼看著她瓷白的纖長玉手，都有點想不起曾吻過其間的滋味了。

「妾是在想，您的提議真真是萬般的好，妾也是不想兄長與您為敵的……」說到這兒，賴雲煙靠近魏瑾泓的臉，在他耳邊輕笑著道：「可是，這次妾卻是萬萬不會為您擋刀了，您便是被人千刀萬剮，妾在背後也只有那找人吹竹弄笙的心。」

上世有人刺殺他，也只有她那般傻，居然為了這麼個男人擋了一刀，現下想想，她上世傻得都讓自己心疼。

聞其言，魏瑾泓閉了閉眼，輕笑了一聲，微微偏過頭，抬眼看著她近在眼前那嬌豔欲滴的紅唇。「是嗎？」

他的氣息近在鼻息，賴雲煙收回身，眼睛帶笑地瞥了他一眼，見他深幽的目光回視著她，她啞然失笑，收回了眼神。她都忘了，魏瑾泓也不是毛頭小子了，她激他，他怎會上當？她還是收著點勢好，免得在這心思難測的人面前竹籃打水一場空，白被人占了便宜，一點好處也討不著。

回了魏府，又去後院與魏父、魏母請了安，在那兒用了晚膳後，賴雲煙回了魏瑾泓的院子。一進院，她就打發了杜鵑、百合出去。

杜鵑、百合在外面聽了春婆婆傳來讓她們出去的信，在院中痛哭出了聲音。

那聲音大得賴雲煙在屋內都能聽得見，她稍想了想便出了門，站在高高掛在廊上的紙燈下，對院中的人說：「不想在前院守夜，那便去漿洗房吧；要是再不懂禮數，還要在大公子的院中哭，那便打發回去吧，省得別人還道我們賴府管教不嚴，出來的人不知禮數。春婆婆，可有聽到？」

她站在明亮的燈下，不緊不慢地說了這句話，院中頓時沒有了聲響，只有樹上那不知名的小蟲發出的吱吱呀呀聲在輕微地響著。

「春婆婆？」賴雲煙笑著喚了一句。

「奴婢知曉了，這就送她們去漿洗房。」

「嗯。」賴雲煙轉過身，腳踏進屋。

端著茶的梨花輕搖了搖首。「大小姐，這不妥。」

「何不妥？」賴雲煙接過她手中的茶，笑道。

「別人看著，會說您的閒話。」

「嗯？」

見大小姐不鹹不淡，梨花急躁了起來。「您帶我和杏雨來了，又把她們趕出去，這不是誰都知瞭您的心思了？」

「我什麼心思？」賴雲煙好笑。

「這、這……」梨花沒賴雲煙那般伶牙俐齒，這時被賴雲煙堵得口舌都打了結，連連搖了好幾下頭才擠出話來道：「您知奴婢的意思。」

「無不妥，依著我辦就是。」賴雲煙朝著一臉無奈又著急的梨花笑道，許久沒有什麼波動的心中有些酸楚。就是這麼個傻丫頭，告知她賴畫月有孕要嫁進魏府後，一頭撞死在了魏瑾泓面前，以為能阻了魏大人不娶賴畫月，真是忠心到愚忠的丫頭，跟了她一輩子，卻沒得來個好結果。

她本不應該再帶梨花與杏雨來的，可是，她們的年歲也大了，兩人都是最終沒嫁出去的老丫鬟，與其等到最後她們被宋姨娘賞賜給幾十歲的老奴才當小妾糟蹋，到時再出手，不如她還是先人幾步，把她們帶到身邊的好；跟著她，也許禍福不定，但她會盡力保她們衣食無憂，不受外人欺凌，她也不會再讓她們為她痛哭，為她慘死。

「梨花。」杏雨拉了拉梨花的手，輕聲地道：「聽大小姐的。」

「喔。」梨花朝賴雲煙福了福身，一臉焦心，嘴卻還是道：「奴婢聽您的。」

賴雲煙好笑地拍了拍她的臉。「這就對了。」

不聰慧，腦子不及別的人靈敏又如何？對她忠心就夠了。對現在的她來說，她的腦子已經夠使了，真心才是最難能可貴的。

這夜，賴雲煙讓兩個丫鬟在外屋歇著，四個婆婆依舊在前面的院中輪換著守夜，聽候差使。

魏瑾泓回來後，在外屋看到了這兩個丫鬟朝他施禮，他掃了她們一眼。

「起。」魏瑾泓走至了桌前。

「大公子，我去打水。」蒼松機靈地道。

「嗯。」

杏雨、梨花早前得了賴雲煙的吩咐，說伺候大公子不是她們的事，他若讓她們前去伺候再去伺候，沒發話就站在一邊即可。

她們是從小進府就得了賴雲煙的照顧，受了她不少好，拿她當主子，更拿她當恩人，從來都是萬般地聽從她的吩咐；先前得了吩咐，現下便是規矩地站在一旁，頭低著看地上，在沒聽到大公子的吩咐前，她們是不會抬一眼的。

她們一直站著，直到魏瑾泓洗好手腳，進了內屋，得了小廝讓她們也去歇息的話，她們才抬起頭。

回到屏風後的榻上，杏雨輕輕地與梨花說道了一聲。「妹子，大小姐是個聰慧的，她吩咐什麼都是有因由的，我們只管聽話就是。她是主子，妳以後萬萬不可駁她的話，咱要懂規矩，才能在她身邊留得長久，可懂？」

「知曉了。」梨花點頭，她爬上了榻，與杏雨擠在了一個被窩裡，側耳仔細地聽了聽內屋的聲響，這才在杏雨的搖頭下，閉上了眼睛睡覺。

這廂內屋，見魏瑾泓進來，賴雲煙收好了手中的書，起身朝魏瑾泓一福身，不好意思地輕聲道：「大公子，我那兩個丫鬟不聽話，我打發她們當洗衣丫頭去了，您要是心疼，覺得不妥，便把她們提到您的書房去就是，妾不會有什麼不滿的。」

魏瑾泓聞言，扶桌坐下的手頓了頓，才慢慢地坐到了椅子上。這麼多年了，她往他心中扎刀子的功力哪怕時隔太久沒用，但狠絕卻一點也沒減少。一場書房的雲雨後，在她眼中，他就成了那個喜愛跟丫鬟在書房亂搞的人了。她總是不忘提醒他，在她心裡，他有多麼齷齪骯髒、低俗下流。

見魏瑾泓看著檀桌不語，賴雲煙剛剛因梨花、杏雨而起的酸楚的心就好過了起來，她輕笑兩聲，便回了榻。她與他前世那番糾纏，受盡折磨，但這也不是沒好處的，他讓她不好過，她便也能提醒他，讓他不好過的事她還是知曉一二的。

他們這世最好的結果就是她離開魏家，好好去過她的日子。魏瑾泓要是不想與賴家為敵，這世的他盡知前事，更是有那能耐化解，不必拖她下水；可他不提條件，賴雲煙也只能旁敲側擊地提醒他早點提出來。

魏瑾泓終是抬起了頭，看向了賴雲煙。

賴雲煙笑著迎上他的眼睛。

「可還要看書？」魏瑾泓淡淡地道。

賴雲煙嘴角的笑因此慢慢地淡了下去。

「那我歇燈了。」魏瑾泓漫不經心地撇過臉，看著燭火道了一聲。

燭檯的燈光這時閃耀得甚是迷離，賴雲煙沒有出聲，把書放在了案上，倒頭睡了下去。空中響過一道輕微的呼聲，燈滅了，屋也全黑了，賴雲煙的臉便漸漸地冷淡了下來。這世的魏瑾泓，她真是尚看不破他所有的意圖，他太沈得住氣了，當然，她也不意外就是。

前世就是因此，哪怕她後來刀刀都直截他的命脈，這個男人最終還是踏上了一人之下、百官之上的丞相之位。

而這世，他是真的想與她合手，讓前仇舊怨全都消散不提嗎？

他們兩人同時重生，這是巧合嗎？

還是，她尚還在可怕的夢境中？

# 第六章

第二日清早寅時，魏瑾泓就起了身。

賴雲煙也在黑暗中睜開了眼。她聽到了有人在黑暗中穿衣的輕微磨擦聲，她睜著清醒的眼聽著動靜，不多時，魏瑾泓在床那邊開了口。

「我去書院，妳再歇會。」

他的聲音在靜寂的黑暗中顯得尤為清亮，這提醒著賴雲煙，這個人是那個剛與她成婚不久、尚還只有十八歲的年輕公子。

「多謝魏大人。」賴雲煙也沒打算裝睡。

「嗯。」魏瑾泓走了出去。

隨即，外屋的門被打開，她聽到了他的兩個小廝的聲音，也聽到了她的丫鬟在請安的聲音。聽到杏雨、梨花的請安聲，賴雲煙打了個哈欠，精神雖然有些不好，但心情卻是愉悅了起來。

魏瑾泓雖然一言不發，但賴雲煙也知他心中肯定沒明面上那麼波瀾不驚。一個梨花，是撞死在他面前的；一個杏雨，在他杯中下過毒，現在在他面前的三個人，在在提醒著他，自己曾被她們主僕深深憎惡過，魏瑾泓心中要是好受，她就不信了。他要是想擺脫她們，要嘛是想辦法弄死她們，要嘛就是把她休離出去，自此礙眼、礙心的人不在了，才能真痛快。

賴雲煙沒有歇多久，寅時一過，她就得起來，準備去跟魏母請安了。

丫鬟們聽她的吩咐進來收拾被褥，哪怕她們早被告知賴雲煙歇在榻上另有他意，但梨花還是在收拾被褥進箱籠時頻頻掉淚，以為賴雲煙一嫁進來，以前對她萬般好的大公子便被杜鵑、百合兩個丫鬟迷了心竅，給她委屈受了。

她低低抽泣，就算有所掩飾，坐在銅鏡前的賴雲煙也是聽得到的，但她沒開口勸慰她什麼。只要她沒離開魏府，只要魏瑾泓沒搬出這屋子，她就得過這樣的日子，丫鬟不解，她也不能解釋什麼，她們最好就是跟著她習慣，日子久了，便也沒什麼了。

什麼都是能習慣的、能改變的，就像她多年前習慣愛魏瑾泓，變成了習慣憎惡他，後來恨他，又變成了無恨，只全心想著對付他了。這就是時間的力量，沒有什麼是不可改變的。

「大小姐。」杏雨這時開了口，輕道：「我給您編個頭髮吧？我前些日子找府中的梳頭婆婆學的。」

「好。」賴雲煙笑著答道。「春婆婆她們會的也挺多，回頭我吩咐她們一聲，妳跟梨花跟著多學著點，以後我的頭就妳們梳了。」

「奴婢知曉了。」杏雨抿著嘴笑了一聲，便不再發聲，專注地給賴雲煙編挽起了頭髮。

她就是這樣，話不多，但每件事都是把她放在前頭，後來看她萬般痛楚，就想著要把罪魁禍首毒死，卻從沒有想過自己的下場會如何。魏瑾泓道她這個丫鬟過於陰狠，但他這個言語上說要疼她、護她的人，卻沒有這個他說陰狠的丫鬟對她的一分好。

人吶，往往總是會被人的相貌、言語所騙，往往不知其間真貌，直到吃了苦頭、受了傷，遍體鱗傷了，才會認清真相是什麼樣子。

「您也讓我去？」梨花聽了主子的話，偷偷地把眼淚擦乾了，回過頭走來問賴雲煙。
「讓妳去。」賴雲煙微笑。
「太好了！奴婢肯定好好學！」梨花一聽，笑道了一聲，就又跪下看了賴雲煙的鞋子，抬頭與她道：「您那雙緞面青花的鞋可是還在箱籠裡？」
「放著呢，沒拿。」
「那婢子給您去拿那雙來，今日穿？」
「去吧。」賴雲煙忍不住伸手摸了摸她的頭，對她說：「順道拿些昨日帶回來的點心，妳與杏雨吃了再隨我去請安。」

賴雲煙院中的事，魏母是知曉的，在賴雲煙向她請安坐下後，她眼睛帶笑地拍了拍賴雲煙的手，看了她那兩個相貌平平的丫鬟一眼，臉上似有戲謔。
她不語，賴雲煙也就羞紅著臉，垂首不語。
見她不說話，魏母好笑地開了口，道：「妳這丫頭啊！」
「娘……」賴雲煙羞道。
魏母笑著搖了搖頭。
賴雲煙知曉她現在才新婚四天，打發下身邊的丫頭，魏母不會有什麼意見，她也不能有什麼意見；要是生不出，再跟陪侍過不去，魏母才會說話，現下短時間內，魏母還不會插手魏瑾泓院中的事。

「好了，陪娘用膳吧。」

「是。」

丫鬟擺上了膳，食間無語。

用罷膳，魏母喝過茶才與賴雲煙說：「也不知他們父子三人在書院用得如何？」

「這是娘您精心叫人備下的，爹與夫君、小叔自然用得妥當。」賴雲煙笑著說道：「您就寬心吧！」

魏景仲是翰林大儒，主持著天下聞名的德宏書院；魏瑾泓作為十六歲就受皇帝賞識進翰林院的人，也會隔三差五地就去書院為學子講學，與師儒談經論道；而魏瑾瑜現下應是還在翰林院就學，等著明年的科舉吧。

「妳這嘴啊，就是會寬慰人！」魏母接過她端上的茶杯，小喝了一口，與賴雲煙笑著道：「今兒個就隨我去聽堂坐坐吧。」

跟她去聽管家報事？賴雲煙搖搖頭，起身朝魏母一福，歉意地道：「娘，孩兒就不去了，為夫君做的那件新衫，花樣子都還沒打好。」

「不急在這一時。」魏母微笑道。

「孩兒想做得快些，好讓夫君早日穿上。」賴雲煙羞澀地道。

見她如此嬌羞之態，魏母拿帕掩嘴笑道了幾聲，才道：「那就去吧，那花樣要是作不了主，就來問我。」

「多謝娘！」賴雲煙喜道，又一福，等再福一禮後，她這才退下。

她一走，魏母便對身邊的貼心婆子笑道：「這孩子，現在心眼裡全是夫君，以前還當她是個沈穩的，現下一看，可不還就是個小姑娘嗎？」

「是啊、是啊！」婆子應和道，隨即又笑道：「大少夫人伺候了大公子，也是替您省了些心了，您就受點累，多當幾年家吧！」

「唉，現下也只得如此了。」魏母悠悠地嘆了口氣。

這時，另一婆子打簾進來，說管家已經帶著幾個管事的去廳堂了，魏母得了報，慢慢起了身，讓丫鬟們給她理了遍衣裳，隨後便帶了婆子、丫鬟十餘人等去了廳堂。

賴雲煙一回去，就讓杏雨坐在外屋廊下繡花伺候著，梨花這個不大沈得住氣的，就坐在外屋替她繡花，她就去補眠。天天陷在龍潭虎穴，這覺她是肯定得睡好了，要不精神一渙散，怎麼被魏瑾泓算計的都不知道。那魔星，就幾天的交手，賴雲煙算是又怕了他了，如若不是她三番五次地出手，怕是什麼話都從他嘴裡得不出；可饒是這樣，也還是沒讓他有個什麼表態。

魏瑾泓就是這樣，太會用鈍刀子屠宰她了，前世今生都是如此。賴雲煙不知道自己是倒了多大的楣，才會兩世都與這煞星綁上，要是醒來，發現這是虛幻一場，該有多好？入睡前，賴雲煙還是不死心地這麼想著。

等她被梨花叫醒，聽丫鬟說著「大公子回來了」的話，賴雲煙用了全身的自制力，才沒在這一刻嘆氣出聲。老天爺，快來救救她吧！

梨花七手八腳地替她穿衣裳，又看著有些亂的榻面，慌張不已。

賴雲煙慢騰騰地拍她的手，安慰她。「別慌，無礙。」

「大公子已進了院，很快就要進屋了。」梨花勉強笑道。大白日的，她們大小姐就睡覺，要是讓他看到了，這可如何是好？大公子可是最知書達禮的了，魏家又是大儒之家，小姐不伺候婆母跟前，卻在院中補覺的事若傳出去，都不知會被人說成什麼樣，到時候，名聲受損的就是她家小姐了！

梨花操心的是什麼，賴雲煙也算是知曉，在衣裳穿好後，她搖搖頭，放梨花收拾著榻面，她先去了外屋。

「大少夫人。」賴雲煙一出來，給她請安的杏雨就改了稱呼，沒再叫大小姐了。

這時，魏瑾泓一腳踏進了門。

「大公子。」

「大公子。」

「大……大公子。」

梨花從內屋跑了出來，喘了半口氣，跟在杏雨後給魏瑾泓請了安。

「大少夫人。」魏瑾泓的兩個小廝蒼松、翠柏也笑著給賴雲煙作了揖。

「免禮。」

「起。」

賴雲煙看了眼魏瑾泓，朝丫鬟、小廝道：「都出去吧。」

這時，她見門外有春婆婆站在院中往這邊打量什麼，她不由得挑了挑眉。「誰讓春婆婆進來的？」

守在屋外的杏雨朝她搖了搖頭。

「沒得妳的話？」賴雲煙訝異。

「奴婢沒叫她。」杏雨回了話。

「嗯，且出去吧，把她也帶走。」賴雲煙朝她頷了下首。

杏雨領命帶了梨花出去，小廝們也退下，把門關上後，賴雲煙才朝那眉目沈穩的人笑著說：「您看看，妾為人多不得人心，這幾個陪嫁，居然沒一個比得上後來我朝家中要來的。」她後來硬討了杏雨、梨花來，這才得了兩個替她打算的丫鬟。先前這滿院子的丫鬟、婆子、小廝，是她哥的人也有，只是能耐不太大，且也跟百合、杜鵑那般有著二心，重任不得。

她帶笑自嘲，魏瑾泓看向了她，張了嘴淡道：「要前去與娘用膳了？」

又是這沒用的話。賴雲煙在心中冷冷一笑，面上卻是笑著問道：「您今日回來得有點早？」

「嗯。」魏瑾泓輕頷了下首，這時他嘴邊的笑意褪盡後，卻讓他的眼神顯得清冷了些，少了幾許在外的溫和。

「娘說你們都不在，這午間就讓廚房給我送膳過來，讓我好生歇著。」賴雲煙打量著手中的帕子道。她可是不想再去演戲了，魏瑾泓要去，便自個兒去吧！「我就歇著了，您要是去了，替我告個罪，就說我夕間就去賠罪。」賴雲煙替他把話都想好了，到時她夕間去請安，再朝魏母暗示幾句「是想讓魏瑾泓與她多處處」的討巧話，魏母也不會對她生氣，只會覺得她事事都以她這個婆母為先。

「我膳後再去。」魏瑾泓淡道。

要在屋中一起用膳？賴雲煙本是要派杏雨去廚房熟悉一下地方，然後聽她的吩咐抬膳過來的，現下見魏瑾泓也要一起用膳，她覺得自己肯定會有些消化不良，但卻也是吃得飽的。她其實也不怕魏瑾泓給她下慢性毒，若她不常吃他院中的東西，吃一、兩次是沒事的，只要不積多，那慢性毒就會排出體外；但她知魏瑾泓手上有無色無味的劇毒，那東西一筷子下去，她就會暴斃。

「那要不要派丫鬟去說一聲？」賴雲煙心中有了主張，嘴裡也不緊不慢地出聲。

「無須了。」

「是。」賴雲煙拿帕抿了下嘴，再問道：「那現在就傳膳？」

「嗯。」

賴雲煙走出門外，跟杏雨和梨花說了幾句，就讓她們去了廚房。魏瑾泓在這兒用膳，傳到魏母耳裡，肯定會有那麼一點不快的，但這點不快與杏雨、梨花能藉著魏瑾泓的名義更方便在廚房逗留察看些時辰相比，就不算什麼了。她日後入肚的膳食，就靠這兩個丫鬟為她在廚房裡打點了。

賴雲煙邊想著魏府中這時在廚房裡當差的管事婆子和下人的人名及人數，腳也邊踏進了外屋。進屋看見魏瑾泓還端坐在那兒，桌上茶也沒有一杯，賴雲煙笑道：「可要讓您的小廝進來伺候？」

見她連他小廝的名字也不叫，魏瑾泓掃了她一眼，卻見她說過話後沒得到他的回覆就轉身進了內屋，他微抿了下嘴。

賴雲煙進內屋後，見魏瑾泓也跟著進來了，不由得訝異地問：「您怎地進來了？」他待一處，她待一處，這樣不就井水不犯河水了嗎？

她句句都棉裡藏針，魏瑾泓看她一眼，於她用的書案前坐下，翻過她放在案上的書，抬頭與她道：「震嚴兄的未婚妻這月會隨父上京。」

只一句，賴雲煙臉上掛著的笑就消失了。

她扶著身後的椅臂，慢慢地在椅子上坐了下來，拿帕擋了嘴，垂下了眼。她兄長是與淮河州的巡撫蘇旦遠的幼女訂的親，可這門親事最後卻沒有成行，因在成親前，這位姑娘就因急病去世了。當年，她兄長還為他這夭逝的未婚妻守了一年的禮，這才在一年後，娶了當朝戶部尚書的小女；而蘇旦遠，最後當上當朝的御史大夫，成了魏瑾泓的左右手。

「您這是何意？」賴雲煙想罷，抬起頭問魏瑾泓。

「蘇巡撫的小女這年也應有十五了，入京後，妳兄長也該迎她過門了。」魏瑾泓眼看著她，不緊不慢地說道。

他不緊不慢，說得狀似漫不經心，賴雲煙聽得卻倉促地笑了一聲，之後就不再聲響。魏瑾泓這一句話所透露出來的消息，太讓她匪夷所思了，但她卻絲毫不想拒絕，因為，她知道與蘇旦遠這人攀上關係，對她的兄長會是多大的助力。蘇旦遠是後來繼位的元辰帝的恩師之一！他只一句話，賴雲煙就覺得她被他捏住了七寸，渾身動彈不得。

「您呢？您想要什麼？」片刻後，賴雲煙緩過神，眼中帶笑地問。

好事突然降到頭上，可從魏瑾泓嘴裡說出來的好事，哪有這麼容易？就衝著蘇旦遠上京之事，魏瑾泓不知在其中動了多少手腳，他費這麼大的功夫把人弄到京都來，還欲要她兄長把親事訂下，這等好事，如果不是有那天大的利益，魏瑾泓豈會便宜了他們賴家？他有什麼打算，她多少猜得出一點，但也只有一點，不多。

「妳留在魏家。」

這點賴雲煙不怎麼意外，她也知道他不會讓她離開。「還有呢？」不僅如此吧？

「以後再說。」魏瑾泓淡淡地道。

「您可知，我是真不會為您擋刀了？」賴雲煙眼角眉梢都是笑，十六歲還只是少女的年齡，明眸皓齒的她現在看起來耀眼非凡。

「嗯。」魏瑾泓看著她的臉，眼睛沒有動。她總是能讓人一眼就看出她美得有多生動，一顰一笑，都透著讓人移不開的耀眼。她太知道自己的優勢了。

被他盯著，賴雲煙也毫不在意，都這時候了，她怕他也管不了什麼用了。她眼睛掃了掃床，對魏瑾泓又笑道：「您也知，我是無法跟您同床共枕吧？」

魏瑾泓看著她，慢慢地頷了下首。

「那麼，就如此吧。」賴雲煙垂首，甩了甩手中的帕子，狀似打量著上面的繡花，嘴中笑道：「說來，我還沒見過那個我娘親為我兄長訂下的嫂子呢！想來要是過些日子能見著，心中不知會怎生歡喜。」

「蘇大人到京後，我會攜妳上門拜見。」

「哎呀，這怎麼好意思？」賴雲煙聞言眼睛一亮，抬起頭來，拿帕掩嘴，朝魏瑾泓嬌笑。

「大人真真是個體貼的，雲煙能嫁與您，真不知是哪世修來的福氣呢！」

她這話一出，她自己身上的雞皮疙瘩都起來了，不過看著魏瑾泓突然微皺了一下眉頭，她格格地長笑了一陣，這心情便就好了一些。說來，魏瑾泓確實是想要留住她了，也是想這世與賴家化敵為友了？想得倒好，她倒要看看，魏大人在耍什麼把戲？

賴雲煙臉帶微笑地看著魏瑾泓，慢慢把心中那絲不能現在就逃離魏家的黯然給掩下了。她現在走了又如何？不過是給兄長留下了一個盡知後事的對手。就算不衝著兄長對她的情分，她不顧一切地逃離了京城，可後面沒有兄長的扶持，她又怎可能找到安生容身的地方？而兄長要是沒了，這天地之間，就真只剩她賴雲煙一個人了。

世事真是艱難，容不得人逃避，便也只有勇往直前了。

「您多吃點菜。」膳食擺好，賴雲煙便動筷給魏瑾泓挾了菜，笑意盈盈地看著魏瑾泓動筷，待他動了，她才抬手吃那已挾過了的。她也知這菜應沒下毒，不過就是做做樣子，刺刺魏瑾泓的眼，提醒一下魏瑾泓，他在她心中是什麼樣的人，總不能老讓他一直打壓她，她這個對手卻無反手之舉。雖說在他們魏家的府裡，明面上她奈何不了他，可這種捅得人苦都說不出的暗刀子，她是一刀都不會忘了捅的。

這就是重活到十六歲當新嫁娘的好處了，這魏府上下，不知有多少把柄在她手中，留在魏府，她也不怕什麼，反而是魏家的人要多擔心了。魏瑾泓也是好膽氣，要留她下來，還給賴家那麼大的好處，也不知他謀算的是哪門子她暫時算不清楚的利益。看來，在這段時日，她得好好摸清了才成。

她挾的菜，魏瑾泓一樣不差地吃了，待膳罷，杏雨端來茶與他們漱口，見魏瑾泓漱好口擱了茶杯，賴雲煙拿帕拭了嘴，問他道：「可讓妾跟您一道前去請安？」他釋了好意，她便也還之一著就是。

「嗯。」

賴雲煙便笑了起來，跟著他起了身。

等走出他們的院子，走到通往魏父、魏母的主院的廊中，見丫鬟和小廝跟得有點遠，賴雲煙回頭看了擋在杏雨、梨花前面的蒼松和翠柏一眼，便又回過頭來開玩笑地與魏瑾泓說：「我說，您就不怕我把府中上下弄得雞犬不寧？」

「妳會嗎？」

賴雲煙嬌笑了兩聲，未答。她還真不會，在不知賴、蘇兩家的婚事成與不成之前，她不會。

「說來，過個幾天，姑媽就要來請娘為她的女兒求婚事了吧？」前話未答，賴雲煙另提了他話。魏家姑媽魏秀瑩長相清秀，不過她生的那個女兒于玉珠就生得太醜，肖似她那有著招風耳的夫君于子夫，人又圓，胖嘟嘟的，要不是實在是太配不起魏家玉樹臨風的兩兄弟了，要不然，她肯定會想盡辦法把她那個女兒塞進魏府的。

魏瑾泓聞言看向她。

「您看我作甚？」賴雲煙微笑。「您放心好了，我什麼都不會做。」

魏瑾泓收回眼神，按了按未戴戒指的那手，才淡道：「做妳想做的就是。」

賴雲煙稍愣，隨即跟上他往前邁的步子，假意感慨道：「您對妾真是比以前更好了！」

魏瑾泓回首輕瞥了她一眼，見他眼中幽深的光，賴雲煙便止了嘴，休了嘴間那虛情假意的話。暫罷，算她怕他。

「用過膳了？」他們一進去請安，魏母就笑道。

「是，孩兒本是想來與您一道用的，但夫君說我成日嘰嘰喳喳的，跟隻鳴不休的小鳥一般，會討您的煩，就讓我在院中用上一頓，好讓您的耳朵得個空，好好歇息一會兒，用頓靜膳。」賴雲煙一張嘴就是胡說八道，哄得魏母拿帕掩嘴笑個不停。

「瞧瞧，看你娶了個什麼調皮的回來了！」魏母指著賴雲煙，朝魏瑾泓笑道。

魏瑾泓嘴邊有著淡笑，聞言笑意加深，朝她與賴雲煙看了一眼，對魏母溫和道：「她性子頑皮，娘親莫惱。」

「我哪會惱？歡喜都來不及！」魏母說罷，拍了拍站於她身邊的賴雲煙的手。「去吧，去坐下。」

「多謝娘。」賴雲煙福禮，這才走到了魏瑾泓身邊的側位坐下。

「說來，你也來得巧，有個事正要跟你商量。」

「娘您說。」魏瑾泓看向她道。

「你舅舅來信，說他任期明年就到了，想讓你舅母他們先回京，讓我幫他先找好宅子，日後到了京中，也好有個落腳之地。」

「嗯？舅舅要回京？」

「是。」魏母看向大兒，試探地問：「可行？」

「您與父親說過？」魏瑾泓淡淡地問道。

「這……」魏母遲疑了一下。這從何說起？他父親不想為他舅舅奔走。

「且問過父親大人吧。」魏瑾泓溫和地道。

賴雲煙聞言，在心中哼笑了幾聲。看來，魏瑾泓這次是不打算幫他那個貪官舅舅了。

要說崔平林真是個膽賊大的，當年岑北大戰，前方戰事凶險，他在後面便吞了近百萬糧草的銀子，後來被她兄長一舉揭發，元辰帝怒得差點要誅他九族；無奈魏瑾泓太會周旋，回頭從淮南給皇帝弄了上百萬兩的銀子回京，這時岑北又大勝，這才解了那次危機。

那次差一點就把魏瑾泓拖下水了，哪想魏瑾泓這個心眼多的，早有了後手，最後從他們賴家布的局裡脫身而出，只死了一個崔平林。

上世，崔平林進京之事是事後她從魏瑾泓那裡聽說的，沒想到，魏母在今日就提了出來，還當著她的面，看來她不掌家只賣乖，還是討好了魏母了。這人的心啊，想討好其實也容易，那就是妳不插手她的權力、不奪她的利益，她就會怎麼看妳怎麼順眼。

「你那兒不能提兩句？」魏母看著她這個早就看不透心思了的大兒道。

「舅父之事，且先問過父親吧，我午後便會與父親提上一提，娘且放心。」魏瑾泓朝她微笑著道。

見他答應替她提，魏母也就放心了。大兒甚得其父的心，又是皇上重用之人，他肯提一句，這事就等於成了大半了。她心下放鬆了，眉眼間也有了幾許愜意，朝他道：「好了，你且忙去吧，娘就不擾你了。」

「那孩兒告退了。」魏瑾泓起身拱手道。

賴雲煙也跟著起身，福禮後朝魏母笑道：「娘，便讓孩兒留下伺候您吧？」

「妳且隨我回吧，莫擾了娘的午休。」

「哎喲！」賴雲煙忙掩嘴，懊惱地跺腳道：「夫君，妾都忘了這事了，只想著替您伺候娘了！」賴雲煙轉頭朝魏母嬌聲道：「娘，便讓孩兒伺候您午休吧？」

「妳這皮孩兒，且隨了他回去歇著吧！」魏母笑起來，朝她揮手道：「莫跟我鬧了，鬧得我頭疼。」

「娘……」賴雲煙不依地叫道。

「走吧。」魏瑾泓看她一眼，說道一句，提腳就走。

見他提了步，賴雲煙猶豫地看了魏母一眼。

「去吧。」魏母不由得慈愛地道。

賴雲煙這才嬌羞般地咬了嘴，福了一禮，跟在了魏瑾泓身後。

等回了魏瑾泓的院子，魏瑾泓揮退了下人，抬眼看向了賴雲煙。

賴雲煙見他朝她打量個不休，她坐下嘆了口氣，便道：「您是想問我，這成日裝著累不累是吧？」說罷，她不等魏瑾泓回答，又大大地嘆了口氣。「累，妾怎不累？可再怎麼累，也比日後跟婆婆結了仇，婆婆恨不得我死了好給您的續弦挪地方強吧？」說罷，她笑意盈盈地看向了魏瑾泓，看著他這一刻完全冷下來了的臉。

賴雲煙收回眼神，垂首淺笑。她這話說來看著是仗著嘴皮子索利不饒人，但也確實是在提醒魏瑾泓，想跟賴家合手，那就得明白她是什麼人。他是圖別的也好，要另外的花招也罷，都無妨，她雖怕他，但這怕說穿了，也只是忌諱而已，在過招裡，對他的怕不過是讓她更謹慎罷了，也不是什麼壞事。

「歇著吧。」魏瑾泓看過她一眼，理了一下身上的長袖，就出門而去了。

待他走後，賴雲煙鬆了一口氣。這魏大人啊，實在過於沈得住氣了。

# 第七章

這一夜晚膳，魏景仲回來了，要舉家一起用膳。

魏景仲是天下聞名的大儒，為人說來也是正人君子之列，小妾也只有兩位，只生出了一位庶女。說來，賴雲煙當初嫁與魏瑾泓，想的是這位魏公子要是跟他爹一樣，哪怕多納幾位小妾，只要平平靜靜的，她自然也就能跟他湊合著把這世過下去。

她無法生育之後，魏瑾泓納妾，她其實也是能理解的，慢慢收回了對他的那些男女感情，覺得只要差不多，這日子還是能過下去的；反正嫁給他之前，她也沒想過真跟他恩愛一生，在這種世道，跟人做一世一雙人的想法，她從來沒有過。這在現代都是奢求的事，她可不以為在以男子為尊、三妻四妾的時代，她就能走大運遇到了。她以前的想法就是等她紅顏老去，魏瑾泓得了新的顏色，他寵著他的新美人，她當著他的正室夫人，彼此都有自己的生活範圍，她能風風光光地活著就挺好。

那時知曉自己不能生育，她也只當自己提前幾年過上了跟丈夫相敬如賓的生活，好好教養他會安排到她膝下的庶子就是。假如不是魏瑾泓縱著侍妾來打她的臉，還要娶那個殺了她母親的宋姨娘的女兒，一條一條地，最終逼得她堂堂一個正室夫人連喝口水都會被下人怠慢，她跟他也不至於鬧到她連多看他一眼都厭惡的地步。多年的青梅竹馬，幾年恩愛夫妻得來的情分，也就全沒了。

離開魏家後，她對與魏瑾泓的恩愛全無一事，一點兒也不覺得可惜；後來她甚至都想，在魏府過得屈辱的那幾年，都只是為了讓她幫她兄長與魏家鬥的，如果不知道魏家背後的那些事，她哪能知道怎麼對付他們？

魏家的膳桌上用膳依然安靜，待膳罷，丫鬟送上茶漱過口後，魏景仲跟魏瑾泓兩兄弟聊過幾句話，就讓他們走了。

一出門，魏瑾瑜就笑著朝賴雲煙拱手道：「嫂子，我與兄長談幾句話，妳看可行？」

賴雲煙掩嘴笑，朝魏瑾泓一福禮，就帶了丫鬟往魏瑾泓的院子走。

剛進了屋，就見魏瑾泓回來了。

杏雨正要去打水給賴雲煙用，見到大公子回來，猶豫地看了賴雲煙一眼。

「把大公子的水也一併打來吧。」賴雲煙朝她一頷首。

「是。」

「您還要去書房嗎？」小廝還站在門口，因此賴雲煙儘量讓自己的聲音聽起來溫柔得能掐出水來。

魏瑾泓搖了搖頭。

「那就早點歇息吧？」

「嗯。」

賴雲煙一聽，笑著搖了搖頭。還好白日歇息得夠，要不跟這魔頭待這麼個長夜，也真夠難捱的。

一番洗漱後，他們進了內屋。

賴雲煙在讓丫鬟給她多點幾盞燭火前，轉頭問了坐在案前的魏瑾泓道：「妾想多看一會兒書，可行？」

「嗯。」魏瑾泓看著手中打開的書，漫不經心地輕應了一聲。

丫鬟們不解地退下後，賴雲煙臥在軟榻上，拿起了先前看的策書，又翻閱了起來。

古人心計之深，背後的坑坑窪窪之多，賴雲煙在前世學了大半生，才覺著自己學出了點道理出來；現在有魏瑾泓這位個中翹楚在眼前杵著，賴雲煙只能感嘆自己命太壞了，再活一世，也是片刻都鬆懈不得。

這廂賴雲煙看書看得頗為認真，那廂魏瑾泓突然開了口。

「明日震嚴兄會來府中。」

「我兄長前來，可是有事？」賴雲煙抬了抬眼皮，把視線投向了魏瑾泓，眉目平靜。

魏瑾泓掃了眼她安靜了下來的眉眼，淡道：「與我說是來看看妳。」

賴雲煙聞言微笑，見魏瑾泓看她的眼睛有些漠然，她垂眼笑道：「那明日夫君可在府中？」

「在。」

「那明日就還請夫君關照一二了。」賴雲煙輕啟明眸，眼中帶笑地看向魏瑾泓。

她眼波流轉，神情從容自在，魏瑾泓看過一眼就垂下了眼皮，輕頷了下首。

那年她走後，他就知曉她不會再回來了。多年後的那次見面，不過是再次讓他明白，在她身上去求當年她對他存在過的那點感情，哪怕是片刻，都是過於妄想了。當年歡愉，真乃鏡中花，水中月，一縱即逝。

她已全忘，只有他一人有時還在惦記著那點好……

第二日賴震嚴一來，與魏父、魏母見過禮後，就隨魏瑾泓來了他的院子。

賴雲煙一見到他，給他輕福過禮後，就忍不住地拉了拉他的袖子，笑著道：「才幾日你就來看我，外人知曉了，都當你信不過夫君呢！」

賴震嚴還真是這麼想的，但被她言道了出來，不由得皺眉瞪了沒心機的她一眼，轉身對魏瑾泓拱手道：「你就莫聽我這妹子的胡言亂語了，她從小便口無遮攔，是個傻的。」

魏瑾泓微笑頷首，朝他揚手道：「請。」

賴震嚴坐上座位，見傻妹妹還輕扯著他的袖子站在他一旁，朝他傻笑，不由得惱道：「還不快快站到瑾泓邊上去！」

「雲煙知曉了。」賴雲煙輕福了下身，才笑著站到了魏瑾泓的身邊。

「給大少夫人搬張椅子過來。」魏瑾泓對蒼松道。

蒼松搬來椅子後，賴雲煙笑著就要坐下。

眼看她就要坐下，賴震嚴不禁皺眉瞪她。

賴雲煙掩嘴偷笑了兩聲，這才朝魏瑾泓福身笑道：「多謝大公子。」

見她的頑皮樣子，賴震嚴搖了搖頭，眼睛瞥向魏瑾泓，看他嘴邊帶笑，心裡這才稍稍滿意了些許。

賴雲煙見兄長狀似不經意地打量魏瑾泓，而魏瑾泓嘴邊有著溫柔的笑意，她不禁好笑。她這兄長，打小就表裡不一，翻臉無情，會當著外人說她的不是，外人要是真當真了，那才是傻了。

魏瑾泓上世就是個聰明的，當著她兄長的面，從來不給她難堪；只是，上世可能一開始他對她還真是有些喜愛的，這世怕就是裝的了。他們三個，現在個個都假得很，外人皆眼羨他們這滔天的富貴，殊不知這表裡不如一的日子，可真不是那麼好過的。

「莊子裡今早送過來一些新鮮果子，我順道給妳帶了些過來，妳吃個新鮮。」賴震嚴見賴雲煙一直在偷笑地看著他，眼睛不由得柔和了起來，朝她道。

「嗯。」賴雲煙點了點頭，她側過了點身，傾身向他那邊，笑著輕聲地說：「你啥時給我娶嫂子呢？」

「沒規矩！這是妳問的？」賴震嚴斥她道。

「啥時嘛？」賴雲煙撒嬌道。外面的事她尚且弄不出法子知道，只能從這些插科打諢中知曉一二了。她得知道形勢，才能判斷走向。

「哥，說嘛！」賴雲煙又伸手去拉他的袖子。

賴震嚴大力抽出，怒瞪了她一眼。

「這等沒規沒矩！平時教妳的禮數都哪兒去了？」

「夫君。」見兄長不上道，賴雲煙打主意打到了魏瑾泓身上，朝他嬌道。

「蘇大人現已到晉中了吧？」魏瑾泓看她一眼，溫和地與賴震嚴言道。

到了晉中？那就是不到十日就可到京中了！賴雲煙垂著頭，微笑地想道。

賴震嚴這時朝賴雲煙搖了搖頭，應了魏瑾泓的話。

「應是如此了。」

「震嚴兄有何打算？」魏瑾泓淡淡地問。

「那位七小姐，是六月及笄，想來，婚事要到那時去了。」賴震嚴道。

「真的？」賴雲煙這時小聲地驚喜出聲。「那可有找善悟大師算好日子了？」

「妳再妄自出口，我就找人打爛妳的嘴！」見小妹老插嘴，一點體統也無，賴震嚴輕拍了一下桌子，瞇眼朝賴雲煙斥道。

賴雲煙心裡叫苦不迭，她知她這兄長是說得出、做得到的人，但她要是不出口說話，怎能提醒他？她心裡叫著苦，面上卻伸手掩住了嘴，無辜地朝賴震嚴眨著眼，捂著嘴輕聲地哀求道：「兄長萬萬不要這般凶惡！」

見她還敢開口說話，賴震嚴冷哼了一聲。見她垂下臉，不敢再放肆後，這才朝魏瑾泓緩和了神色，朝他拱手道：「平日她犯了錯，你好好訓她即是，不必看我的面子。」

魏瑾泓微笑著點了頭，心下卻一片冷然。這對兄妹，一個比一個說的比唱的還好聽。

「說來，我聽聞善悟大師這幾日住在書院？」賴震嚴被提了醒，趁魏瑾泓此時正坐在了面前，他就狀似不經心地問了這句。

「是。」魏瑾泓微笑道：「明日上午正要與大師在茶室參道，不知震嚴兄明日可有閒暇？」

「自有。」賴震嚴聞言，朝他拱手笑道。

「不知能否請兄長明日前去一論？」魏瑾泓回之一禮道。

「瑾泓之邀，萬萬不敢推辭。」

賴震嚴笑了起來，平日那微瞇著的眼笑得精光陡顯。

賴雲煙偷瞄到他的臉，不禁拿帕掩嘴，悄悄地笑了起來。善悟是國師，找了他算日子，於蘇旦遠那裡就是有面子的事了，自當會了然幾分她兄長對他這泰山大人的心意。

# 第八章

這日早間請安時，賴雲煙把她那二十個小廝交出去了十五個。

「孩兒那兒也用不著這麼多小廝，院中的活兒也沒有那麼多讓他們幹，想著與其讓他們閒著，還不如給管家差使，給府裡多幫把手，您看可成？」賴雲煙笑著道。

「這……」魏母猶豫了一下。

「娘，您就答應我吧。」賴雲煙拉著她的手臂撒嬌道。

魏母一聽，立馬笑著答。「好、好、好！」

等回過頭，她聽了管家的一報，說那十幾個壯丁的月銀還是從賴雲煙那裡領，一點也無須魏府出，魏母不由得笑了笑。

「您看看，賴家出來的小姐，可不比孔家的要強些？」吉婆婆看她笑得欣慰，不由得也笑著補了一句。

當年大公子過了十三，有了說親的意思時，孔家的先透了個信過來，欲要與魏家結親。男方家未提，女方家就先提了這麼個意思，這對魏家來說，可是有面子得很。雖說大公子與賴家的小姐較為親近，但孔家的家勢比起賴家的絲毫不遜，賴家是工部尚書，可孔家是吏部尚書，乃六部之首，家勢還要稍好一點。後來因著先前的賴家小姐、現在的大少夫人那位處江南的富庶外祖家，到底是定了賴家；現下看看，確也是賴家的好，孔家的，財勢應是沒有賴家出來的足。

「還是要看以後的。」魏母笑笑道。

「是，您說的是，日久才知人心啊！」吉婆婆點頭附和道。

魏母笑而不語。來日方長，媳婦好與不好，可不是這兩、三日便能看出來的。

這幾日間，賴雲煙把幾個婆子、丫鬟、小廝都叫到了面前說了幾句話，一一見過人後，她暗地裡排了一下，就把這些人的輪換當值換了換。

春夏秋冬這四個婆子，說來前世也對她尚好，只是春婆、秋婆兩人是別人的人，夏婆與冬婆是牆頭草，太會見風使舵，賴雲煙有的是好人手用，就不打算花那個精力去馴服她們了。說白點，就這幾個婆子，都沒有讓她拉攏她們的價值。

至於小廝，留下的這五個，有兩個是不能用的，有三個恰恰好卻是能用的。不能用的，留著給賴家的人傳訊；有用的，自然也是先放著，暗地裡練著，假以時日，能用了就讓他們施以手腳。

賴雲煙心中有什麼成算，別人從她的行事中也看不出什麼端倪來。她做事向來堪稱膽大至極，前世在兄長後面出謀劃策，不知多少人放了內奸到她的莊子裡，來一個她就收一個，都放在眼皮子底下，也不怕別人打探什麼。她一路虛虛假假地對人放著招，反倒沒幾人能猜得透她的心思，後來這些人大都是自己被自己蒙了，對的猜成錯，錯的猜成對，讓賴雲煙私底下看了他們不少笑話，樂得只要心情一好，就要召集這些可愛的內奸們，召人吹竹弄笙一場，那日子過得也實在是有趣得緊。

至於那八個丫鬟，她也全放在院子的外院，讓魏瑾泓挑著用，歡喜的儘管要走當侍妾就是，她可一點兒意見也沒有。要是有丫鬟有出息點，在前院就把他絆住，與他顛鸞倒鳳一晚最好，這還能讓她睡一個好覺，免得與他共處一室，還得半夜仔細偷聽一下屋子裡的聲響，生怕那條毒蛇有個什麼動靜，害了她大好的命。

魏母那兒，得知賴雲煙毫不對她先前特意安排在正前院書房伺候的侍妾吃味，甚至連召喚一聲見見的意思也未曾有，當真是誇了賴雲煙好幾句識大體，樂得賴雲煙這晚與魏瑾泓在魏母那兒用過晚膳後，一進內院的臥屋，就對魏瑾泓笑著道：「您可聽見今兒個娘還誇我識大體了？哎喲，聽得妾簡直就是心口都開出花來了！」

她笑得眼睛亮得就像閃著光的明珠，魏瑾泓看過一眼後，就垂下了頭，坐到書案前，提起了瓷壺。倒了半杯冷水，水沒了，再也出不來了。魏瑾泓放下瓷壺，看著潔白的瓷杯，聽著她那靈動得似在空中飛舞的聲音。

「娘這般誇我，可著實讓我歡喜！夫君，改明兒您要是看中了什麼美人，儘管往院裡帶就是，我定會把她們安排得妥妥的，保證初一、十五都讓您高興！」

魏瑾泓聽罷，輕吁了一口氣，拿起茶杯慢慢地飲了口冷茶。冷水過喉，卻還是澆疼了冰冷的心口。他這時抬眼，看著她那張眉飛色舞的臉，紅唇亮眸，嬌豔又明媚，他不由得伸出雙手交疊，生生地壓著手指骨，壓得疼得狠了，才知道自己這時不是在他的夢境裡。

她當年的愛慕，真是就那麼去了。她收手收得毫不猶豫，後來出刀出得那麼乾脆，讓他不得不正視著曾經逝去的時光。從此夢中，她的臉都是猙獰的，每次都是捧腹在那兒嬌笑著。

光在夢中，她只那般多笑幾聲，都能擊垮他挺直繃緊的腰，何況是真實的現在。

魏瑾泓翹了翹嘴角，冷冷一笑，把那口水一飲而盡，放在了桌上。砰的一聲，杯子落桌，她的笑意便止了。魏瑾泓抬眼，看上了她試探地看向他，眼中還帶笑的臉。

「可是妾說錯話了？」賴雲煙狡黠無辜地眨了眨眼，朝他笑道。

「未曾。」魏瑾泓慢慢地、溫和地道。

看他還裝著，賴雲煙就放下心了。只要魏瑾泓不變臉那就行，他一變臉，她怕是得甩帕走人了。她可不想活了好幾世了，這世還得看魏瑾泓發火，他們還是表面以禮相待，暗中刻薄惡毒較好，她可沒那個心情包容他的怒火；這就跟他若有了危險一樣，她所能做的就是立馬拔腿就跑，待到了安全的地方再暗中燒油點火，或向老天爺祈求他不得好死得更快一些。

「您還要去前院嗎？」賴雲煙說罷，一臉期待地看著魏瑾泓。

魏瑾泓看著案桌，頓了一下，才抬頭與她說道：「還要去看一冊書，妳早些歇著。」

「那妾身送您。」賴雲煙收著勁站起來，努力止住眼中、嘴角的笑，盡力讓自己別表現得太過歡喜。

魏瑾泓沒再出聲，一提腳就大步往外走。

賴雲煙緊隨其後，送到門邊，不忘聲聲叮囑他道：「您莫要太勞累了，早些回屋歇息啊！」假惺惺地說過後，魏瑾泓這時已帶了站在外院門口那兒的小廝走了。

見他們走後，賴雲煙趕緊拿帕擋住了嘴，噗哧一笑，真真樂出了聲來。這人，總算是被她擠兌走了，她可算是能睡個好覺了，改明兒他要是再不識相，夜夜都要歇在她睡的屋中的話，看她怎麼對付他！

她是暫時沒本事遠走高飛，但刺刺他、讓他跟她共處一室時覺得呼吸都困難的能力，她還是有那麼幾分的。

這夜半夜，魏瑾泓還是回來了。

賴雲煙被驚醒，平緩著呼吸聽他上了床，聽了半晌，見他沒什麼動靜了，這才稍稍安心，繼續睡覺；只是這次，她不敢再熟睡了，改成了淺眠，還摸了帕子在手中，只等那邊一有那動靜，就一把將嘴掩了，把睏意擋了。她可不想在魏瑾泓面前顯露出真正的倦意，免得魏瑾泓一看她攻擊力減弱，就又不知道會出什麼鬼主意趁她防備不及時算計她。

這日子，真真是累。不過，也不是那麼乏味，往那好裡想，這個中細節裡，何嘗會缺少趣味？如她所料不錯，魏瑾泓這人重來一世，怕是要把那些最終會毀了魏家、拖他後腿的枝根旁葉給摘除了吧？如此，她可有的是熱鬧瞧了！這種當口，她不走也罷，看看熱鬧也是好的。

說來，那一世，他最終官拜丞相又如何？他不過是以一己之力上去的，能幫他的，全被他的對手們弄死了，他們賴家更是不遺餘力地讓魏家連吃口飯都得想想有沒有被下毒，等魏瑾泓一死，魏家也就垮了。

賴雲煙不知道那一世的自己是不是已經死了，不過就算死了又如何？只要她兄長還在，魏家最終會被賴家吞噬的。按她兄長的性子，他最終定會找了罪名栽到魏家人的身上，最後，一個魏家人也逃不脫吧？

曾經最風光、最負盛名的魏家人，最後成了最低賤下等的罪奴，真真是有意思極了！她現在光想想那結果，都會喜得從夢中樂醒啊……

# 第九章

這一天早上醒來，魏瑾泓去了外屋洗漱，賴雲煙讓丫鬟端了水進來，在內屋淨臉，一番梳妝打扮後出了內屋，見魏瑾泓還未走，小廝也在，賴雲煙便笑著出了聲，道：「大公子，可是要一道與娘請安？」

「不去了，妳替我向娘說一聲。」魏瑾泓接過蒼松手中的茶，輕抿了一口，淡道。

「是，那妾現下就走了？」

「嗯。」

賴雲煙朝他一福身，帶了梨花前去，讓杏雨看著屋子。

杏雨暗中得了賴雲煙的囑咐，知道這府裡，暗中有人在打她們大小姐嫁妝的主意，再看姑爺與大小姐都是分床睡的，感情也沒有以前那般好了，心中便也對這高高在上的姑爺有些暗防起來。

男人翻臉起來有多冷酷無情，她在自家親爹那兒早見過了。她爹拿了她賣身的錢討了小妾，小妾一生了孩子，他便讓那小妾把她病在床上的娘親給氣死；來府中朝她討錢不能，還把她打了個半死，若不是小姐，她便也被他打死了。

想來，現下小姐能靠得住的，確也只有嫁妝了，而這放在魏家的嫁妝，定要死死看住了才成！杏雨一直站在圓門的角落，垂首不語。

魏瑾泓走之前掃了這站在角落、不聲不響的丫鬟一眼，便帶著蒼松、翠柏去了翰林院。路上，蒼松奇怪地問：「大公子，大少夫人怎會讓那個怪裡怪氣的丫鬟伺候啊？」

「就是啊！」翠柏也奇怪地撓頭道：「跟她說話，三句答不了一句，回的那一句聲音還小得跟蚊子叫似的。」

「對對對！」蒼松連連點頭。「天天板著個臉，跟誰欠她三百兩銀子似的！我看她手腳也沒多快，大少夫人怎會帶回來這麼個丫鬟伺候？我先前還想她是有多好，才讓大少夫人求了賴大人帶回來呢！」

「哪想，不過如此。」翠柏補道。

「是，不過如此。」蒼松附和。

魏瑾泓聞言未語，臉上神色未變，帶著他們不緊不慢地往前院走去。

是有多好才讓她求了人帶回？那丫鬟也沒有多好，不過就是為了給她出口氣，明知是條死路，卻也連命都不要，定要替她出口氣罷了。她最愛的，就是這般人物。因著這兩個為她而死的丫鬟，她撇下了「以後定要看你生不如死」的話，就此離開了魏家。

他那時憤恨她的刁蠻無理、任性愚蠢，甚至他還對那個因她離開而感到痛苦的自己覺得屈辱。但，她想看他生不如死，這話卻是太過天真了。他雖曾強留下她，但那不過是看在那些年的情分上，因著那點所剩不多的單薄喜愛罷了。她覺得他會因為沒有她而生不如死？若然，她真還是當年那個拉著他的袖子、問他會不會一生一世喜愛他的天真小姑娘了。

只有待事過境遷，時隔太久後，他才明白，她當時說的完全不是他以為的那個意思，而是她早已看明白了他們的路，並設下了陷阱。她合人把能幫他的人一一折掉，剩下一些只會啃他的骨頭、吸他的血的血蛭，慢慢地看著他被這些人齊齊包圍，日夜殫精竭慮。

真是只差一步，僅僅只差一步，她就會真的如願地看到他生不如死的境地。

不日蘇旦遠便會攜家眷到了京中，最欣喜的人莫過於賴雲煙了，得知魏瑾泓過兩日會帶她拜訪蘇家後，她看著魏瑾泓都覺得順眼不少，這兩日格外慷慨大方地沒跟魏瑾泓說話，沒去擠兌他了。

少了她的話聲，魏瑾泓這幾日進了內院，便是一片靜寂無聲，偶爾瞥向賴雲煙，她看到他，就給他一個絢爛的笑。她毫不掩飾地顯示著她的大方，提醒他，想從她這裡得個好臉色，那就得做她歡喜的事。

除此之外，也再無別的了，那些曾經的溫言笑語，真是恍如隔世。

對於那個未曾謀面過的蘇七姑娘蘇明芙，賴雲煙也不知初次見面，她這個小姑子該送何禮才好？想來想去，都拿不定主意，這日就跟魏母賣了嬌，說要出府去布莊挑幾塊布，想看看京中新出的布有無幾樣新奇的，好當成見面禮送給蘇姑娘。

「妳不是有些好的？」魏母聞言便問。她這兒媳的手裡，即便是難得一見的金蠶絲綢都有好幾疋。

「我手裡的那些啊……」賴雲煙聞言，靠近魏母小聲地說：「我自己都捨不得用呢！即便是那蠶絲綢緞，我都想著等到入夏時，給您一疋做衣裳，還有一疋用來給夫君做裡裳穿，自家人都且用不過來了，就……」話至此，她便頓住了。
魏母笑了起來，道：「妳啊，怎地這般心眼小？」
「娘——」賴雲煙不依地叫道。「孩兒也是想著，只是過去看一眼而已，也不是正式見禮，這見面禮平常一點的好。」
「好好好，平常的好！」魏母笑著拍她的手。「去吧。」
賴雲煙暗笑，表面卻是嬌羞地把頭枕到魏母的肩上，道：「還是娘對我最好！」
魏母但笑不語，道她念著魏家的人，心中卻是有些許滿意的。

當日下午，賴雲煙就坐了魏府的轎子，去了京中貴婦常去的一家布莊挑了幾疋布，同時也把帶去的五千兩銀票和一封信交了出去，跟拿錢辦事的人搭上了她想要搭上的那位黃閣老的線，她還另給魏母挑了八疋布。
魏母見她快去快回，還不忘給她挑些回來，晚膳時，給賴雲煙挾了兩筷子菜，引得賴雲煙發笑不已。
她走後，吉婆婆收好布疋，回來與她笑得合不攏嘴道：「都是現下京中最時興的！有那五疋，宮中的娘娘都是在用的，奴才聽說要一兩銀子一尺呢！」吉婆婆伸出五根手指頭在魏母面前晃了晃。
魏母失笑道：「瞧瞧妳這嘴臉！」
吉婆婆笑著福腰道：「也就您的媳婦，這樣惦記著您了。」

「這有什麼？」魏母不以為然地淡淡道：「妳也不想想，她嫁的是何人？」想起那甚得皇上重用的大公子，吉婆婆便也點了頭，嘆道：「可不是？都是福氣！」

魏母微嘴角翹了翹，拿帕輕拭了下。

魏母心裡圖的是什麼，賴雲煙是再明白不過了。

魏府富貴，有那近千里的封地，還有良田無數，可這富貴是魏家的，不是崔家的。崔家以前也是大家族，可自從崔家的老太爺、魏母的祖父死後，不到十年崔家就被擠出了九大家，被時家替代了。魏母因其祖父的原因嫁給了魏家，一直對娘家甚是惦記，崔家不濟的這些年，沒少受她的照拂，其弟崔平林在淮北的差事也是後來魏家給的；但魏母到底是魏家婦，不可能把整個魏家都搬給崔家，她也沒那個膽。

所以，她這個兒媳嫁進來後，就成了魏母心中的肥羊，老想著要讓她貼補著點崔家。讓她的娘家，貼補婆婆的娘家，賴雲煙前世哭笑不得之餘，礙於情面，也是給過了魏母不少銀兩；只是獅子的胃口不好餵飽，魏母老覺得她嫁給她兒子是占了天大的便宜，就算把嫁妝全給了她也是應該的。

賴雲煙還曾譏諷地想過，她跟魏瑾泓好了那麼幾年，還真像是包養了個天價的鴨子，給魏母交了大筆所費不貲的包養費，最後鴇母卻還跟她鬧翻了臉，要吞了恩客的身家，趕恩客出門。當然，她這話也就想想罷了，萬萬不敢出口，這種級別的惡毒話，她也僅供自己自娛自樂了；不過，她現在也萬幸魏母跟崔家人一樣愛占便宜，要不然，她哪哄得了魏母出門去辦事？

這夜魏瑾泓回來時，賴雲煙就跟平時那般倚於榻上看書，見到他進了內屋，丫鬟並沒跟進來，她就連起身假惺惺的請安也免了。

「明日辰時後出門。」魏瑾泓坐下後，說了這麼一句。

「是。」賴雲煙聞言，抬頭一笑。

因要去見蘇家的七姑娘，又因知道如若兄長的這次婚事不出岔的話，魏瑾泓怕是會有所幫忙，所以她這幾天便什麼話也不對魏瑾泓說了，免得一出口就是惡言，把魏瑾泓刺激得改了主意。等蘇家姑娘嫁給她兄長後，到時會如何，便到時再說。

說來，前世的嫂子也不是太差，娘家更是不弱，但她那嫂子的行事手腕也只是一般而已，其父戶部尚書後來也因她兄長的名聲而跟她兄長鬧翻了，雖說後來沒添阻力，但也沒添助力。而在絲絲相扣、網網交織的朝廷裡，沒有助力有何其難？上世他們傾盡賴家跟他們外祖舅父任家的財力，才用銀錢砸出了一條通道，借勢讓她兄長在朋黨之爭中翻身，其中何其驚險艱難、驚心動魄，賴雲煙現今想起來都還心有餘悸。這世但凡有一點可能性，賴雲煙都不想再來一次。

「妳今天出門了？」魏瑾泓這時又說了這麼一句。

「是。」賴雲煙又笑。

「嗯。」魏瑾泓頷了下首。

他不再言語，賴雲煙也不聲張，微笑地看過他後便垂下眼，繼續看書。

# 第十章

這日在魏母那兒用過膳後，賴雲煙便隨魏瑾泓坐上了馬車。

她只知蘇家的七姑娘閨名叫蘇明芙，其他一概不知，在車上坐了一陣後，賴雲煙瞄了瞄一直垂眼靜坐的魏瑾泓，她一看，魏瑾泓便睜開了眼，看向了她。

賴雲煙笑了起來，笑道：「妾正好想找您說說話。」

「說吧。」魏瑾泓伸出修長的手指，輕拂了下身上的袍面。

見他讓她探話，賴雲煙嘴角笑意更深。「您跟蘇大人這時也應是頗有些交情了吧？」

不只蘇大人，便是後來的元辰帝，現下跟他也是有交情得很了，要不然上世他們怎麼會三番五次的都弄不死這姓魏的？這時候的元辰帝還只是貴妃娘娘的小兒子，在兄弟裡排第六，常隨其兄進出翰林院，而宮裡和翰林院都是魏瑾泓常進出的地方；賴雲煙身為一介女子，天天困在魏家，就是知後事也暫且無法施展手腳，而盡知後事的魏瑾泓能做的就頗多了。賴雲煙一想這些，更是不敢掉以輕心，所以現今連套句話，都得看魏瑾泓的表面態度才敢問。

「有一點。」魏瑾泓淡道。

「妾只知七姑娘閨名明芙，是我娘親小時跟她娘親為我兄長訂的這門親。妾長這麼大，還沒見過她一次呢！」

「蘇大人在淮南幾地當了十幾年的官，在京中沒留過多久。」魏瑾泓漫不經心地回道。

「不知這次一來，蘇大人會留多久？」賴雲煙笑道，拿眼看他。

魏瑾泓半垂著眼，神情溫和沈靜，坐在那兒真是如俊雅拔挺的松柏般，有著超然之姿。賴雲煙看著他這唬人的樣子，心中真是好笑又好氣。他太能裝，一裝就是一世，沒幾人不道他君子，害她兄長在他的相比下，再加上有了她這麼一個被魏家休出門的妹妹，不知被多少人戳著脊梁骨說了多少風涼話。不過，他再能裝又如何？就讓他裝吧，她也樂得看他打落牙齒和血吞，一點苦也不能說。

「接了皇上的調任，即會走。」

「喔。」那便是，蘇旦遠這次沒提前留在京中。賴雲煙斂了眼，垂下頭看著手中的帕子。

「會留一段時日吧？」賴雲煙看著帕子淡道，嘴邊有淺淺笑意。

「嗯，半年吧。」

現下四月，蘇姑娘是六月及笄，那麼，蘇大人是能看過小女成婚後再走了？

「真是多謝魏大人了。」賴雲煙抬臉朝魏瑾泓笑，這次笑得還有了點真意。

魏瑾泓頷首，繼而不語。

賴雲煙見他又垂下了眼靜坐，便把剛想問及蘇明芙的事擱了下去。罷了，見面就知曉她是什麼人了，到時再見機行事吧！能從魏瑾泓嘴裡得知這麼多話，也是不容易了，回頭魏大人不定要怎麼討還回去呢。

這日魏瑾泓帶了賴雲煙去見過蘇旦遠。

在見過蘇家的老太太和夫人後，她便被丫鬟請到了內院蘇七姑娘的院子說話。一見那蘇姑娘，賴雲煙便覺得她真是個漂亮的人兒，小嘴、挺翹的小鼻子，眼睛也甚是靈動，就是身子單薄，顯得孱弱了些，就算是穿了一襲粉嫩的春衫，那臉也顯得太過蒼白。

是個病姑娘。賴雲煙心裡嘆道。

「可是明芙姑娘？」未來的嫂子，也不好叫妹妹，賴雲煙上前便握了她的手，輕聲地道。

「是。」蘇明芙輕福了腰，見賴雲煙握著她的手不放，她便輕聲地道：「我手甚是冰涼，魏少夫人鬆開吧，莫涼著了。」她細聲細氣地說著。

賴雲煙聽著她嬌弱的聲音，忙拉了她到椅前坐下，道：「是我唐突了。」扶了她坐下，賴雲煙這才坐下，傾身關心地道：「聽聞妳來了幾日了，這膳食可用得習慣？」

「嗯。」蘇明芙半垂著頭，輕點了一下首。

「妳們退下，我與明芙姑娘說幾句話。」賴雲煙朝自己的丫鬟揮了下帕。

「是。」杏雨、梨花忙答道。

「妳們也退下吧。」蘇明芙道了一聲，她身後的兩個丫鬟便也答了「是」，就且退了下去。

等丫鬟一退下，賴雲煙便嘆道：「聽聞妳來，我便是在家中坐不下了，央了夫君帶我來見妳，望妳不要嫌我唐突。」

蘇明芙聽言抬頭，細細地看向了賴雲煙。

見她瞧得甚是仔細，賴雲煙便迎上了她的目光，嘴角含著溫和的笑，眼神溫柔。只要這姑娘是個好的，對她兄長好，她便一輩子都對這姑娘好。

「我聽聞，妳與妳兄長感情甚好。」蘇明芙小小聲地道。

賴雲煙尖起耳朵才聽清楚了她的話，這時便笑著道：「嗯，我娘過世得早，是兄長護我、疼我長大的；我嫁出去後，怕是家中無人天冷時提醒他穿衣，水涼了提醒他喝熱的了，雖說這些也有奴才們看著，但心底到底還是擔心著的。」

「是。」蘇明芙抿嘴一笑，看她一眼後又低下頭道：「我身子骨兒不好，不知……妳知曉與否？」

「未曾聽過，可請大夫看過？」賴雲煙忙道。

蘇明芙點頭。「瞧是瞧過了，但藥一日都斷不得。」

「真是苦了妳。」賴雲煙聞言嘆道：「且也莫怕，日後去了賴府，兄長會為妳尋遍名醫的，這身子只要精心養著，養得久了便會好。」

「你們不嫌棄就好。」蘇明芙淡淡地道。

「這話從何說起？」賴雲煙微驚。

「我這是……」蘇明芙抬頭朝賴雲煙抿嘴一笑，輕輕地說：「少夫人莫嫌我話直，我這是醜話說在前頭。」

賴雲煙見她這一言一笑，甚是像有點脾氣的人，她便伸出手拍了拍她的手臂，朝她笑道：「我說得再好聽，也是無用的，待妳嫁進去後，妳就知我兄長會有多好了。」

蘇明芙抿嘴一笑，臉頰微微有點紅了起來。「妳不嫌我說話直白，這便即好。」說罷，低下了頭，就不再出聲了。

賴雲煙又說了好些話，得了幾字的回覆，待她欲要走時，蘇明芙拉住了她的手，在她耳邊輕輕地說了句「多謝妳不嫌棄」的話，說得賴雲煙拿帕擋了嘴，過後就笑出了聲。

隨即她回握住了蘇明芙的手，也在她耳邊道：「妳會是我的好嫂子，妳便放心好了，哥哥會好好待妳的。」說罷，掏出懷中準備好的荷包，悄悄地送到蘇明芙的袖中，又在她耳邊輕道：「這是我送妳的，妳莫給別人看。」

蘇明芙便也抿嘴輕頷了下首，送了她到門邊。

賴雲煙走後，蘇明芙進了後院，見了她的祖母，請過安後，坐在了祖母的身邊。

「她是怎生說的？」蘇老太太慈愛地撫了下她的頭道。

蘇明芙聞言，臉紅了紅，搖了搖頭，未語。

「是個好的？」蘇老太太問。

蘇明芙點頭，暗中咬了咬牙，未把袖中賴雲煙給她的玉珮拿出來。那是只烏鳳墨珮，她只在傳聞中聽過，價值何止千金，賴雲煙卻給了她。如若前一月，老祖宗問，她便也拿出來了，可自得知自己的藥中被下毒後，蘇明芙便不想相信任何一個人了；老祖宗也好，繼母也罷，她都不信了，她得在這些人身邊活到她出嫁那天。

「妳是個有福氣的，善悟國師為妳作的保、算的時辰，咱們宣朝上下，也就公主能有這等榮光了。」蘇老太太拍了拍她的手，慈祥的老太太笑得眼睛都瞇了起來。

蘇明芙便羞紅了臉，頭垂得低低的。

見過蘇明芙後，賴雲煙臉上甚是神采飛揚，讓人一看就知她高興得很。

午間回去，用過午膳，她又嘰嘰喳喳地圍著魏母說了一下午的話，這內府的上下都知今兒個大少夫人見了與兄長訂親的蘇家姑娘，喜得見人說話都帶笑呢！

等魏母午休後，她回了院，下人來報，舅大人來了。

魏瑾泓不在，賴雲煙便讓人請他到外院的正廳入座，她則回了內屋，給兄長疾寫了封交代嫂子在娘家的病情的信，藏於袖中；臨走前，又讓杏雨把她用過的筆墨收放於箱中。

等到了外院的廳屋，揮退了下人，讓杏雨在外看著，賴雲煙便笑著跟兄長道：「您又來看我，可又給我捎好吃的來了？」

「怎地還這般貪嘴？」賴震嚴不快地道，手中接過了賴雲煙遞過來的信，看罷，他的臉便陰沈了下來。他沾了茶水，在桌上龍飛鳳舞地寫了「我自會處辦」這幾個字。「今日只是路過，順道來看看，這便即走，改明兒順路了，再給妳捎些莊上的果子來吧。」賴震嚴陰著臉說道，寫罷字，忍不住伸出手輕拍了拍她的頭，眼睛裡有著欣慰。他這放在掌心疼愛著長大的妹子，也終是長大了，知曉為他操心了。

「謝謝哥哥。」賴雲煙拉了拉他的袖，依賴地看著他。這時，她看了看屋外，見杏雨板著身體背著門看著院中，院子裡也無甚動靜，她這才用小得只有靠得極近才能聽得清的聲音道：「哥哥要好好的，你好了，我在這魏家才能好。」

賴震嚴聞言抿了下嘴，輕頷了下首，拿袍起身，淡然道：「我這就走了，瑾泓要是回了，幫我跟他說一下我來過。」

「是。」賴雲煙輕福一禮，送了他到門口。

賴震嚴走了幾步，回首見她站在廊下笑意盈盈地看著他，他又朝她頷了首，這才大步離去。

不知不覺中，他的妹子終是長大了。

# 第十一章

賴家與蘇家的婚事訂下來後，賴雲煙也甚是操心賴府中的事，但好在這時她兄長還是賴家名聲在外的嫡長子，而那庶子因在道途中生病，現還沒被接入京中，還沒過繼到宋姨娘的膝下，宋姨娘便是有那天大的膽子，也得在府中把她兄長的婚事辦得妥妥貼貼的。但，這也只是明面上的。宋姨娘要是底下暗渡陳倉，她也是鞭長莫及，管是管不到了，這時候，也是只能走一步，看一步了。

過了這幾天，賴雲煙這才知就算是再世為人，重來一次，有些事變了，繼而要面對的困難竟比過去少不了多少。

蘇明芙暗中被人下毒的事，及她兄長終與蘇家成婚，都改變了她所知的軌跡，往後，形勢會怎麼變，目前她也是覷不破全貌的；而她在魏家，面對著魏瑾泓，這也真是日日在與虎謀皮啊！

接下來的幾天裡，賴雲煙早晚圍著魏母團團轉，連珠寶也是送去了一套，送之前，心疼得她在屋中直抽氣，但到底還是把那套金面鑲七寶的掛飾送給了魏母；如此，她便也能打發小廝、丫鬟出門去給蘇明芙送封信，魏母看在眼中，便也不會多語。

賴雲煙暗中所做的，不只是明面上與蘇明芙寫信親近那般簡單，她還要從他人手裡買入的消息中知曉一些人事，不如此的話，還真是只能被魏大人牽著鼻子往前走了，於她很是不利。賴雲煙這幾日心中所思之事甚多，這幾日晚上往往魏瑾泓回來，都要丫鬟推幾下她才醒得過來。

這日，魏瑾泓一進內屋，丫鬟退下後，賴雲煙賴在榻上，都懶得起來了，只是朝魏瑾泓看去。魏瑾泓未朝她看來，又再坐於案桌前，自行倒了杯水。

水從瓷孔流出，還帶了點熱氣，與這些日子以來的冷水不同。「多謝。」喝過一口，魏瑾泓放下杯子，淡道了一句。

「魏大人言重了，這是您的地方，我只是吩咐了丫鬟一句。」賴雲煙拿帕擋了嘴間的哈欠，懶懶地道。

魏瑾泓未再接話，喝罷一杯水，才不緊不慢地道：「這幾日悶在府中也是悶壞了吧？」

「嗯？」賴雲煙微愣，頓時睡意全失。她眨了下眼，還是扶了榻面，拿過外袍披到身上，才對魏瑾泓笑道：「魏大人可有何事？」

「過幾日，娘就會替舅父大人去看宅子了。」魏瑾泓看向她，溫和地說道。

「您的意思是……」賴雲煙很上道地接話。她就尋思了，魏瑾泓什麼時候會從她身上討那好處去？這不，這就來了！

「城南的那處府宅不錯。」

「是。」賴雲煙頓時啞然失笑。「是不錯。」想讓崔平林住在城南？和魏府一北一南，隔得遠點兒？不僅如此吧？賴雲煙一時半刻也想不透魏瑾泓的意思，但嘴上還是允了諾。「妾定會盡力而為。」說罷，嘴角笑意更深，她看向魏瑾泓，笑道：「只是這銀子，不知是妾出，還是……」

「到時我會給妳。」魏瑾泓垂下眼，翻過書冊，止了嘴中的話。

賴雲煙掩嘴笑，得知自己不用當冤大頭，她便暢快地躺了下去，不得多時，就帶著笑，淺眠了過去。

果然，隔日魏母恍若漫不經心地提出要帶賴雲煙出府看屋的事，賴雲煙笑著答應，待看到城南那處宅子，賴雲煙心中不禁失笑。這處宅府，住一個崔平林家是綽綽有餘了。房子也不是太貴，比起北面靠近宮牆寸土寸金、平民百姓也未必買得著的房子，這邊的宅府也就值那邊半數的價錢；不過，也不便宜就是，要三萬兩銀，這基本上就是賴雲煙嫁妝單子上銀票的一半去了。

看到這處明顯比前兩處要大不少、精緻不少的院子，魏母看得稍稍仔細了些，但也未置片語。賴雲煙笑看著她裝得什麼都恍若不是太經心的樣子，真覺得她們這對婆媳也真是絕配，一個一個的，全都沒句真話，只要出現在對方視線裡，無時無刻不在裝。

「娘，我看那處宅子，算來也是好的了。」回去的馬車上，賴雲煙朝魏母笑道。

「嗯。」魏母淡笑了一下，只應了一聲。

「您看？」賴雲煙試探地問。

「再看看吧。」魏母未下決定。

什麼再看看？不就是崔平林拿不出銀錢，而魏母一時之間拿不出三萬兩之多嗎？賴雲煙好笑，面上也笑著與魏母作小女兒嬌態地耳語道：「說來，過兩月就是您的生辰了⋯⋯」

魏母笑看著她，掃她一眼，疼愛地道：「妳這頑孩子，又要做甚了？」

「孩兒只是想提前孝敬您。」賴雲煙其實覺得她這說法很是漏洞百出，但抵不住魏母的鬼迷心竅。

賴雲煙這麼一提，魏母大概也明瞭了賴雲煙的意思，她先是訝異了一下，然後搖搖頭笑道：「莫頑皮。」

賴雲煙笑著嬌道了一聲。「娘……」

魏母便笑了起來。

賴雲煙頓時在心裡好笑得很，這魏母啊，還真是占她便宜不手軟，要了她的銀子，還要裝雲淡風輕呢！兩世都一樣，占了她的便宜，還要賣乖。所幸這次，就用不著她大出血了，總算是輪到她占便宜了，因此她也就在魏母面前賣嬌賣得格外歡暢。

第二日，賴雲煙早間給魏母請安時，上繳了她的三萬兩銀，魏母還發了一頓脾氣，皺著眉頭說賴雲煙這手指太鬆，太會亂花錢了！

賴雲煙拿帕掩嘴格格亂笑，生怕自己不這樣，就會翻白眼。這位魏夫人，實在是太會得了便宜還賣乖了！

魏母的事辦妥後，魏母對賴雲煙真是好得緊，便是往日一天只一次的點心，這些時日卻是一天三頓地送了。魏母好得太過，賴雲煙在心中細究了一番後，便自個兒在房中樂了一會兒。

說來，她是為著利益留在魏府的，可真不是來與魏母當那好婆媳的，她不知魏瑾泓背後是不是還有那另一層用意——想讓魏母更歡喜她一些。而她進門不到一個月，魏母就搜刮了她這麼多嫁妝，想必以後的手會歇停一下吧？這不，魏母與她的關係為此以後便會改善一些，而她免了當那冤大頭，也就不會對魏母太計較了不是？魏瑾泓這種一箭三雕的手段，賴雲煙真是好生佩服。

想來如此下去，有他在背後給她塞銀子，崔家那兒，他再施以手腕，這魏大公子啊，也就會保全了他的母親嘍！

這魏瑾泓，果真是小看不得。這不，她這還沒輕忽呢，他就不動聲色地幹了這麼大一票，賴雲煙都想上三炷香給他表示佩服了！對手太可怕，賴雲煙是又樂又驚駭，有時恨極了，在夢中她都會磨牙，她警告自己要克制些，生怕自己一個沒留神，就乾脆一刀了斷了魏瑾泓，從此無須再面對這可怕的男人。

這日夕間，父子三人都回了府，魏家幾個主子便共用了一頓晚膳。

膳後，賴雲煙隨魏瑾泓回了院，見他進入內屋沒打算去書房後，賴雲煙便拿了書去了丫鬟們的榻處，臥在那兒看書。

她這幾日有些看魏瑾泓不順眼，可兄長又成親在即，這種當口她是不能得罪魏瑾泓的，所以這兩日，只要魏瑾泓回房歇息，她便會移到了外屋，要不然，她怕她真會夢遊，一口咬斷了魏瑾泓的喉嚨。

看了幾頁，賴雲煙就睏了，打了個哈欠。

「小姐，您就睡吧。」梨花輕聲地道，看著賴雲煙的眼睛裡有著水霧。她這小姐，實在是太可憐了，才新婚不到一月，竟連內屋都歇不得了！

「也好。」賴雲煙讓她拿走了書，好笑地看了傷心不已的梨花一眼。

這時，杏雨拿水過來與她淨臉。洗漱好，丫鬟剛把她的腳輕輕抬到榻面上，剛蓋上被沒得多時，賴雲煙已然睡了過去。

兩個丫鬟相視了一眼，梨花伸袖擦了剛掉出的淚，幫著杏雨取了另外的被面，在賴雲煙的榻下打了地鋪，守在了她的身邊入眼。

那廂在疾寫公函的魏瑾泓看外屋的燈熄了，他無情緒地翹了翹嘴角，手中筆勢未停。子夜，待公函寫完，他打開了窗戶，把冊子交給了人，便吹熄了燈，上榻入眠。

聽到有輕微響動時，賴雲煙睜開了眼，看著圓門處那道昏黃的光跡，不待多時，那屋內的燈便歇了。

賴雲煙的眼冷了下來。魏瑾泓那麼大的前院書房不去，處理事情時偏要在她的眼皮子底下，她可不覺得他這是在信任她，他大概是在警告她，在外面，他能隻手遮天，她想要有所動作，最好是先想想後果。

「完全是劣勢啊……」賴雲煙閉著眼睛想了半天，覺得自己現在確是處在挨打不能還手的境地，不由得在心中感慨著。

感慨了一聲後，嘴角卻是翹了起來。挨打又如何？跟蘇家結了親後，按蘇旦遠那種重情重義的性子，她兄長定不會再得來像戶部尚書那樣的岳家了，更別提元辰帝對蘇旦遠的敬重之情，她怎麼算，都覺得這事有利於她兄長以後的路。

只要有了實實在在的好處，便是被算計著，又如何？她不怕跟人鬥，哪怕對手太凶殘。

隔夜，當賴雲煙見他在案桌前坐下，便要起身往外時，魏瑾泓開口道：「這是解毒的藥方。」

「啊？」她拿帕擋嘴，明亮的眼睛眨啊眨。

「蘇七的。」魏瑾泓看著她，嘴間淡淡地道。

她眼波一轉，就放下帕笑了起來，那笑明豔中還稍帶有一絲驚訝。「竟是如此？」他居然有這藥方？前世可不見他透露過有關於蘇家的隻言片語，這魏大人，藏得可真夠深的。說罷，她就疾走了過來，接過了他手中的藥方。

只有這時，她走向他的腳步毫不遲緩，要不然，就是避他如毒蛇。

「這藥方，可是有用？」她看過後，便抬眼微笑看他，如若不細究，可以從她的眼中輕易看到對他的敬仰、欽佩。

她還是那樣會迷惑人。魏瑾泓忍住了閉眼不看她臉的衝動，他只有在她萬般迷惑人的時候看清了她、看透了她，才能找到辦法不重蹈覆轍。

「嗯。」他點了頭。

「那就多謝大公子了！」她朝他福禮，身姿輕盈又歡快，笑容燦爛。

魏瑾泓再看過她兩眼，才轉過了臉，垂首看向手中書冊，不再言語。他已然明瞭了，無論是處在何種境地，她總是能讓她自己過得歡喜；而他，已經離她的歡喜很久，也很遠了。見她拿著藥方輕快地走了出去，魏瑾泓的眼睛便暗沈了下來。

「找誰看看好？」得了藥方，賴雲煙坐到外屋的椅上是看了又看，然後就小心翼翼地收到了貼身的荷包裡，以只有自己聽得到的聲音喃語道。

「小姐，這是啥物？」梨花給她拭好腳，抬頭看著今兒個晚上明顯顯得高興的大小姐。

「好東西！」賴雲煙笑著眨眨眼道。

「想來是好東西，要不然小姐怎會歡喜？」杏雨淡淡地道，給賴雲煙遞過來一杯茶。

賴雲煙小抿了一口，笑著眨了眨眼。

「好了，今天就不搶妳們的床榻了，妳們自己好生歇著。」得了銀票，又得了藥方子，賴雲煙覺得自己是勢必要與蛇共處一室一番不可了，怎麼說，她也得釋放點誠意出來才成啊！

「小姐！」梨花驚喜地叫道。

「嗯？」

「妳和大公子和好了?!」梨花輕聲地歡呼道。

「我還歇在榻上。」賴雲煙好笑。

「那也總比住在外屋強啊！」梨花道。

「我們鋪了兩層軟被，不比裡屋的差！」杏雨張口，瞪了梨花一眼。

梨花吐了吐舌頭，縮了縮脖子，不敢再言語了。

「好了，妳別嚇唬這丫頭了。」賴雲煙笑著拉了拉杏雨的手，又把梨花的手拉過來合在一起，笑道：「我就妳們這兩個貼心的了，平時莫給我吵架。妳們家中底子薄，誰也幫襯不了妳們一把，妳們就得親如那姊妹般，以後也好有個依靠，可知？」

「奴婢知曉了。」賴雲煙只平平淡淡這麼一說，梨花卻掉下了淚。

杏雨則緊緊地抿住了嘴，輕點了下頭。等賴雲煙進了裡屋後，她伸手把不敢大哭、只敢默默掉淚的梨花抱入懷中，對她輕輕地說：「我把妳當親妹子，有些事說妳，也只是想妳做得好，妳莫惱我。」

梨花在她懷中哭著點頭，最後忍不住，哇哇大哭了起來。

這讓杏雨剛伸出來、欲要拍她背安慰她的手頓時僵住了，可懷中的梨花這時哭得太厲害，她不好在此時責備她，只好擔憂地朝裡屋看了看，然後無可奈何地嘆了口氣。

裡屋內，在自己案桌前的賴雲煙剛坐下就聽到了梨花的哭聲，她不由得嘆氣搖頭，自語道：「還是跟以前那般愛哭，早知就不說了。」

魏瑾泓聞言，抬頭看她一眼，得了她一個大笑臉，不由得就垂下了頭，不去看她。她太知道她的日子要怎麼過，也太明白，她要用的是什麼人；他就是太不對她所說的、所做的認真，才曾有一段時間被他們兄妹逼得節節敗退，差一點就真如了這對兄妹的願。

得了魏瑾泓的藥方子後，這方子能不能用？能用了要怎麼給出去？賴雲煙著實好生尋思了一番，但到底還是擔心著蘇明芙的身體，因此未做多慮，她還是把方子送到了兄長處。

不日，賴震嚴來了魏府，恰好魏瑾泓在府，跟賴震嚴聊了一會兒，才說有事要去書院一趟，讓賴雲煙陪著兄長再好生聊會兒。

賴雲煙一直坐在他們身邊聽他們聊些關於詩詞的雅事，聽得心中冷笑了多時，魏瑾泓提出要走時，她在心裡冷哼了一聲，卻還是揚臉，嬌笑著對魏瑾泓道：「妾知曉了，夫君慢走。」

「嗯。」魏瑾泓掃了她一眼，不在她臉上多看，就不露痕跡地朝賴震嚴道：「震嚴兄，瑾泓先告退。」

「多禮，且去。」賴震嚴也拱手沈道。

賴雲煙送了魏瑾泓到門口，魏瑾泓回眸，見在無人看到之際，她的笑顯得有點冷，便知她是當他故意在拖她兄長聊天，耗她的時間，只一眼，她回過神，那笑便又恢復到了熱情嬌美。他勾了勾嘴角，淡笑了一聲，提腳往前走。

他在臨走之前還給她冷笑了一聲?!賴雲煙差一丁點兒沒忍住，就要出口諷刺，所幸還記得這是光天化日之下，她兄長還在正屋的椅子上坐著，這才沒出口挖魏瑾泓的心肝。看他帶著站於院門前的小廝走後，賴雲煙回了屋中。

賴震嚴看她，嘴裡輕斥道：「怎麼不送他到院門口？」

「哥哥！」賴雲煙撒嬌地叫了一聲。

「妳要知禮。」

「妹妹怎地不知禮了？院門口有夫君的小廝，還有他的門客，妹妹才不走於前的！」賴雲煙不依地說道。

「如此。」賴震嚴頷首，說話間，已跟賴雲煙一來一回，把信中疑惑的事問了出來。

賴雲煙信中說明了方子是從魏瑾泓那兒得來的，也含蓄地說了蘇旦遠與魏瑾泓關係不淺。賴震嚴疑惑的是，為何這兩人關係不淺，他從不知？而蘇七姑娘的身體，她父親都不知曉，魏瑾泓是從何處知曉的？

賴雲煙只得給了最令他信服的答案，說魏、蘇兩人的關係是怎地得來的她尚且不知，但蘇七姑娘的事，魏瑾泓是從一位給蘇七姑娘把過脈的聖手嘴裡得知的，而蘇旦遠這時已知情，並暗中探查凶手。

為何將藥方給我？又一來一回間，賴震嚴還是不解，目光深沈地看著妹妹。蘇旦遠既已知真相，想來，蘇七姑娘也能保命了，為何妹妹還要把這得來的藥方給他？

為其煎的藥中，少了一味藥。賴雲煙手沾茶水寫道，嘴間則笑道：「說來，也有好些日子沒給父親大人請安了，不知父親現下身體如何？」

他們家有那宋姨娘，蘇七姑娘也有一個繼母。蘇旦遠在其妻為其生下兩兒一女逝去後，便因其長者保媒，娶了其恩師的女兒戚氏為繼室，戚氏現下無子，只有一女。蘇家又是何種風雲，外人就是再有能耐，也是所知不多的。

賴雲煙這麼一說，對蘇家形勢有個大概瞭解的賴震嚴就了然她的意思了，輕頷了下首道：「父親身體甚好，妳莫掛心。」

賴雲煙笑著回道：「如此便好。」

賴震嚴朝她看去，眉頭微皺，好一會兒才沾水寫道：莫讓瑾泓道妳偏心。

她對他事無鉅細都言道，賴震嚴恐她此舉會遭魏瑾泓不喜。魏瑾泓是個君子，但那也只是表面而已，他們這種士族家裡的子弟，要是真表裡如一，誰都會被人吞得連骨頭都不剩的。

這些年間，不知有多少士族被皇上查封了封地，得了罪名的那些族官，其家眷子弟中，拋頭露面當那娼妓的有之，凍死路邊的也有之；便是有些餘銀的，這朝失了勢，往其屋子裡潑糞的人更是有，連那最下等的奴才都可踩他們一腳，而他們的封地，不待來年，就會被皇帝封賞下去，被各族瓜分。

這種失勢、得利之間的事是瞬息萬變的，魏瑾泓要真是個儒雅的真君子，身後哪能得一群跟隨他的門生？便是自己，就算如今做了他的大舅子，有些事該拉攏他的還是得拉攏，萬不敢掉以輕心。

見兄長一臉肅穆，賴雲煙心下是又歡喜、又愴然。就是她未曾經歷過世事輪迴，也知這世上沒有太多一成不變的東西，但知兄長對她的愛護之心一如當初，賴雲煙還是忍不住有些鼻酸。

兄長不是個好人，他其實也是個有私心的人，但對她，他的手一直是軟的、是仁慈的。當年她困於魏府，他沒有辦法才看著她在這府裡日夜掙扎拚命，等有了那法子，他繼承了賴府能作主後，就算是跟魏瑾泓撕破臉，得罪了當時最風光無兩的魏太尉，他還是把她留在了賴家。因她，他的名聲更差，擔負的就更多了，家族中，也日日有那族中長者對他施壓，他卻替她頂著，從不跟她言道一聲。

對她而言，他是個那麼有擔當的男人，是世上最好的哥哥，賴雲煙最後不忍心，跟他哭鬧了幾場，終是自己去了賴府在京郊外的莊子。

想起前世他為她做的事，為他們兄妹活著所擔負的苦，許是看著兄長這時年輕的臉，此時此景格外感觸，賴雲煙心酸不已，不禁微嘟著嘴，含糊不清地說道：「我本就是偏心，因你也是最偏心我。」

賴震嚴先是沒聽明白，待把那話想過兩遍後，才明瞭她嘴間的意思，剎那，向來眼神有些陰靄暗沈的人目光便柔和了起來，只得她這一句話，他便是為她做再多又如何？

「嗯。」賴震嚴伸手摸了摸她的頭髮，道：「那我走了，妳在府中要孝敬公婆，好生伺候瑾泓，莫要再嬌氣耍小性子。」

賴雲煙聞言不禁笑了起來，跺腳道：「我哪有使小性子！」

賴震嚴嘴角翹起。「這不就是？」

「說沒有就是沒有，哥哥莫要胡說！」賴雲煙卯足了勁跺腳，嬌嗔道。

賴震嚴聞言便笑。

看到他笑出聲，賴雲煙便也跟著格格笑了起來。

見她笑得甚是歡快，賴震嚴嘴邊笑意更深，那眉眼全都放鬆了下來。

見他如此，賴雲煙還伸出手，拉著他的袖子，撒嬌般地搖了搖，道：「我沒有使小性子，哥哥你說是不是？」

她此番撒嬌，得來了她兄長一句帶笑的「莫頑皮」。

「沒有頑皮！」

賴雲煙格格笑著搖頭，引得賴震嚴笑著輕敲了敲她的頭，警告了她一下。

賴雲煙這是忍不住想對她這個兄長撒嬌，想對他好，只要能逗得他笑，哪怕只是一時，便也是好事。等過了這時，她的兄長便要自己去為他們兄妹的命運拚鬥了，到時便是疼痛萬分，她怕都是不會知曉一二的。

「哥哥，我夜觀天象，這幾日怕是冷得緊，你回去後要注意添衣，莫凍著了。」送賴震嚴出門時，賴雲煙玩笑般地道。

「又是夜觀天象？」被她以前胡亂猜對過幾次的賴震嚴好笑地看了她一眼，眉眼皆是柔意地道：「知曉了，莫擔心。」

「嗯。」賴雲煙連點了幾下頭，看著他大步走向了院門，見他站於院門前回首看她，她便給了他一個大大的笑容。

他大步離去後，賴雲煙回頭朝杏雨、梨花笑道：「快隨我去清點一下，看兄長大人給我帶何種好東西來了？挑兩樣給娘請安時捎去，看她看在我時時惦記她的分上，能不能多賞我一份點心當零嘴吃！」說罷，掩嘴笑了起來。

兩個丫鬟也被她逗得發笑，伸手掩嘴笑個不停。

那不遠處在打掃樹下落葉的老奴聽到這話，也好笑地搖了搖頭。傳言果然不假，這大少夫人啊，就是個有些貪嘴，愛吃小點心，又頑皮愛笑的！

# 第十二章

說來，賴雲煙這一月除了晚上睡得不大好，其他時辰即使是作著戲、勾心鬥角，這日子也還是過得不錯的；跟前世截然不同，前世的她這個時候還為著這府中的事忙得像隻無頭蒼蠅似的，團團亂轉。

賴雲煙也知自己前世做得不對的極多，但這次重來一回，又不得不感嘆前世的自己，傻得現在的她都想可憐自己一番；是有多傻，才會一門心思地想為著這府裡的人個個好，結果卻弄了個誰都好，就自己慘的結局，真是有些傻得可憐了。以前這魏府裡大大小小的事，她大的秉公處理，小的以情動人，還當自己是個好兒媳、好妻子、好嫂子、好主母，可最終真是哪個都沒當好。

以前便是魏丁香在自個兒屋中哭幾聲，她就算礙於魏母的情面不能過去安慰，也會送點東西過去，當是安慰；現下，魏丁香跟她在花園裡散步偶遇了幾次，她也只是每次都親親熱熱地拉了她的手，說要帶她去跟魏母請安，嚇得魏丁香再也不跟她在園中偶遇了，賴雲煙前去花園，自也是自在得很。

但上次散步，賴雲煙沒再碰上愛跟她玩「不巧碰見了」的魏丁香，這次進園中剛逛一會兒，卻碰到了魏家的二公子——魏瑾瑜。

「瑾瑜見過大嫂。」

魏瑾瑜冷不丁地這麼一喊，讓賴雲煙左右看了看，見他身後站著小廝，自己身後還站著丫鬟，她不禁暗舒了一口氣。這光天化日的，也不知魏瑾瑜是來幹麼的？最好是單純過來打個招呼而已。

魏瑾瑜這人啊，也沒什麼不好，就是逕自覺得賴畫月才是他大哥的真愛，老帶領著他那群狐朋狗友在外鼓吹他兄長與賴畫月之間的美好愛情，並宣揚姊妹共事一夫是美德，順帶還暗喻賴畫月是為姊犧牲，品德高尚，誰叫她姊生不出？她只能為了賴、魏兩家的情誼而上了。他透出去的這層意思可真夠不要臉的，外人不知她無法生育是為了救魏瑾泓，可他是魏家人，能不知嗎？她臥病在床時，這小叔子卻在外頭使了老勁地噁心她，賴雲煙就是在那時，才算是徹底服了魏家人。

是怎樣的狼心狗肺，才會還在她重病、心灰意冷之際，她那位青梅竹馬搞上了她殺母仇人的女兒，而她那位小叔則唯恐氣不死她般，在外到處向她放冷箭？

後來賴雲煙搞明白了魏瑾瑜為何如此，她也就釋懷了。魏瑾瑜的頭腦真是不及他大哥，當時他不過就是被他迷戀的青樓頭牌洗了腦，相信真愛無敵罷了。他相信他大哥跟庶女的愛情無敵，而他跟青樓頭牌的愛情也無敵，他自以為因此討好了大哥，就能把青樓女子納進門。

魏瑾瑜放她冷箭那時，她真是恨他恨得要死，但離開魏家後，賴、魏兩家形勢嚴峻時，賴雲煙卻是喜愛他喜愛得要死。託魏瑾瑜喜愛青樓女子的福，她兄長可沒少拿這個作文章，在封地之爭裡，靠這個取得了決定性的勝利。

後來青樓女子得了能去外地安身立命的好處，立馬就幫著賴家反捅了魏家一刀，她千里迢迢而去，魏瑾瑜則日日買醉，這也確實逗樂了賴雲煙。魏家出的這個真愛無敵的情聖，那些年間可沒少給她添樂子，算來，也算是功過相抵了。

所以，賴雲煙見著他，儘管覺得這人不怎麼樣，但不去想先前的事，光想後來他給魏家添的亂、給她添的樂趣，她確實也還是有幾許高興的，言語之間也帶了幾分笑意。「小叔也前來散步？」

「園中的花兒開得正豔，瑾瑜便來走幾步、賞幾眼，飽飽眼福。」魏瑾瑜笑道。

這時，他身後的小廝朝賴雲煙行禮，杏雨她們也朝魏瑾瑜行過禮後，賴雲煙才輕輕頷首，笑道：「那小叔慢賞。」說罷，就提腳從他身邊走過。

魏瑾瑜見她帶了丫鬟往前走，不由得挑了挑眉，拿著扇子敲了敲手板心，就又追上了賴雲煙，走到她身邊笑道：「嫂子，我有點事想問妳。」

「有事？」賴雲煙頓住腳步，訝異道。

「是。」

「何事？」

「不知當問不當問……」魏瑾瑜猶豫道。

問話還跟我拿喬？賴雲煙心中好笑，面上也笑道：「那就不問了吧。」她掩嘴笑了兩聲，就又提步而走。

見她絲毫猶豫都未曾有，就這般離去，本只待她客氣地說一句「問吧」，就打算把話問出來的魏瑾瑜驀地有些發愣，直到她走遠後，他才有點發傻地問身邊的貼身小廝。「我這大嫂是不是聽不懂我說的話？」

小廝撓撓頭，小聲地說：「大少夫人這樣說好像也沒什麼錯。」二公子想問話就問話唄，還說什麼當問不當問？他這個問話的人都不知道當問不當問了，大少夫人身為大公子的夫人、他的嫂子，自當避嫌地說不當問了。

「你說的是什麼話？」魏瑾瑜聽罷，毫不客氣地用扇子敲打了一下他的頭，笑罵道：「本公子說話，什麼時候輪到你插嘴了！」

不就是你剛剛問我的嗎？小廝癟癟嘴，卻只敢在心中腹誹，萬萬不敢嘴上再答這公子了，免得又挨一扇。

魏瑾瑜要問她什麼話，賴雲煙猜不出來，也沒興趣猜，這種人，能有什麼好事找上她？再說，如有必要，她這小叔子自會另尋機會找上門把話問了。她不急，到時要是有那閒暇和心情，她就逗上他幾下，權當給自己解解悶，就如上世後來拿魏瑾瑜消遣一般。

仔細說來，世事還真是一直在因果輪迴的，魏瑾瑜盡情拿她消遣過後，就輪到她盡情消遣他了。這重生，也沒白重生，樂子一直在，就看她有沒有一直發現的眼力和心情了。如此一想，擅長自我安慰的賴雲煙心情就又好上了兩分，夕間去給魏母請安時，又說了好幾番玩笑話，逗得魏母笑得人仰馬翻。

要說有些女人的心情，實則也是極好控制的，只要滿足了她一時的貪慾，這人就會萬分的好說話，即便是最怨天怨地的人，也能有幾個好臉色給人看；魏母就是如此，她得了處大宅府，這幾天那眉眼都舒展了不少，神情間有著放鬆的愜意。

賴雲煙此時聽著丫鬟嚼舌根，說魏景仲這幾天來，天天都歇在那位正室夫人的屋中呢！

心靈得到滿足、有了滋潤的女人，就是不一樣。看著突然變年輕了幾分，也美貌了幾分的魏夫人，魏少夫人心中感慨道，連她這個仇人，看著突然變得美好了幾分的魏夫人，也都覺得順眼了不少呢！

賴雲煙這番用過晚膳回來後，等到亥時，她打了個哈欠，欲要放下手中書就寢時，昨夜未回的魏瑾泓突然回了。

門吱呀一聲，聽到他的小廝在輕聲問話的聲音，賴雲煙腦間的睏意頓時自動自發地消散了，速度快得連她自己都覺得好笑。仇人見面分外眼紅，跟仇人見面分外精神這話，想來都是同道中話。

*沒有滋潤的女人就是這樣了，心裡沒有幾句好話，全是惡毒刻薄的，對自己都尚且如此，何況是對別人？魏大人你最好是別惹我，要不然就好生受著吧！*

賴雲煙笑著暗思了幾句後，從書案前站起，坐到了榻上，半倚著榻椅看書。

不多時，在外洗漱好了的魏瑾泓進了裡屋，杏雨隨即過來，在門口問賴雲煙有沒有吩咐，被賴雲煙打發了回去。

魏瑾泓進門就看了臥在榻面的賴雲煙一眼，見她烏黑長髮披散在寬大的青袍之上，那張少女的臉尤顯更小了。她年過四十之後，聽說最愛著青袍，青者為道者之袍，男女皆是，那時他還當她要出家修道，但看她又出了幾次手，他就知她這輩子就算修道，修的也是魔道。不過，這是他第一次看她穿青袍，就是不知再過幾十年，她穿這袍子，會是何模樣？
「魏大人，可是有事？」感覺到魏瑾泓不停打量她的眼神，賴雲煙看著手上的書笑問道。
「日間妳見過瑾瑜了？」
「嗯。」
「他跟妳說了什麼？」
「魏大人不知？」賴雲煙放下手，朝魏瑾泓笑著看去。她就不信，盡知前事的魏瑾泓不會在有她在的魏府裡放眼線。
「他問何話，妳都答不知。」
「這是要求？」
「嗯。」魏瑾泓輕頷了下首。
「那，這就算您欠我一次？」
「嗯。」
「那妾心中有數了。」賴雲煙朝他笑道。
比起逗弄魏瑾瑜的小樂趣，占他大哥的便宜可是有用得多了，賴雲煙剎那就拋棄了前者。
「瑾瑜只是性子軟了一些。」魏瑾泓突然開口說了這麼一句。
怎麼料都沒料到他會說這種話的賴雲煙，這次著實是真的驚訝了一下。她微張了嘴，不可思議地頓了一下，隨後哭笑不得地跟魏瑾泓道：「您還不如說，他跟您，還有您母親，不愧為一家人。」荒唐，無恥，不要臉，他們這三位，這三樣皆占全了。

魏瑾泓看她一眼，垂首不語。

見他不搭話，賴雲煙也不好再就勢說下去，就笑著搖了搖頭，收回了眼神，總有那麼些人，缺乏自知之明啊！

這日的清晨，風吹得窗戶噹啷作響，淺眠的賴雲煙沒一會兒就醒了過來，聽著狂風吹了一陣，大雨即刻傾盆。重來的這一世變化良多，有些東西卻還是未變的，例如天氣。

前世的這時，哪怕那時她已活了兩世，卻還是天真懵懂得很，很多事都不懂，太多事自以為是。後來賴雲煙回想過往時，也曾想過，在魏家的那些年月，魏家人是作了惡，但自己又何嘗不是做錯了事？喜歡錯了人、信錯了人，這些都是她看錯了人，便會有的代價。

而世事因果輪迴，魏家人沒饒過她，她後來便也沒饒過他們。

離開魏府後，前面的那段時日，說來也是痛苦的，她要重建信心好好過日子，學會坦然，學會對前仇舊恨一笑置之，那過程很不容易，但她還是讓自己做到了，後來過得也算不錯。她去過遙遠的江南，還去塞北看過馬群，她做了很多別的內宅婦人一生都未做過的事，哪怕最後是笑著失足死了，她確也是暢意的。

她爬出魏府，獲得了新生，也得到了不一樣的人生，有了另樣的歡喜難過，不枉一生。

聽了一陣狂風大雨後，賴雲煙自重生以來，良久未平靜過的心，便真正安然了幾分。

重生於魏家，相等於就是重溫惡夢，但她說來確也不是過去的那個賴雲煙了，在這府裡哪還會活得跟前世一樣慘烈？便是現下，也比當年好多了，就是日日作戲，作得有些辛苦罷了。

賴雲煙微有點疲倦地看著棱窗，看了一會兒後，有人起了身，站到了棱窗前，推開了窗。一陣冷風倏地伴著雨吹了進來，離窗甚近的賴雲煙感覺到雨水飄到了她臉上，先是涼涼的，然後逐漸轉為冰冷。

魏瑾泓回頭看她，賴雲煙沒有再笑，只是用平靜又帶有一點倦意的眼睛回視著他。這一刻，她毫無掩飾。

看著她有些疲憊的眼神，魏瑾泓站於棱窗前，淡淡地問：「妳很累？」

賴雲煙沒有回答他，她轉過眼神，看著窗外，平靜，甚至接近溫和地道：「是，魏大人。和你一樣，因思慮而不眠，因慾望得不到滿足而痛苦，因被人傷了心而憎恨，您有過的，我都有過。人一輩子這樣活下來，總有累的時候。」沒有什麼好問的，他有累的時候，她也有累的時候。

他總當他傷害過她後，她下一刻就能爬到他的身邊安撫他，還能繼續愛他，那才是他想要的魏家婦，他想要的賴雲煙，若不如此，他就會讓她看清現狀——沒有他，她的下場會如何。

魏瑾泓當年拿休書過來給她時，當面問她可有悔意？他道她離開他，她從此不能再婚嫁，沒人會娶一個太尉的下堂婦，而她膝下無子，更是連那送終的人也不會有。

他當她離開他後，便從此再無歡愉。那時賴雲煙面對著那樣的魏瑾泓，心中滿是傷感。她曾愛過的人，是真的沒有明白過，她是個什麼樣的人；或者說，在那場恩愛裡，只有她一直在付出愛意、付出貼心、付出努力。在他眼裡，這些都是他該得的，而後來她的傷心難過於他無益，是她必須要摒棄的；她的七情六慾，只要是不被他歡喜的，那就是不應該的，是她的任性和無理。

他們肌膚曾那麼相貼過又如何？軀體那般熾烈交纏過也如何？說來，這些只能說他們當了一陣子恩愛的陌生人。

後來她還是沒有學會這個世道裡婦人的容忍，想去過更好的日子，拚命要了個散場，自以為海闊天空，卻在散場之時，得了他的憐憫。就在那一天，她再明白不過，她跟魏瑾泓之間是絕無一點可能了。他們是如此完全不同的兩個人，中間隔著太多不可逾越的鴻溝，而他對她的輕視與包藏禍心都不能惹怒她了。

「雨季來了。」魏瑾泓聽了她的話，撇過頭，看著窗外的大雨。

風把雨吹進了屋子，沾濕了他的裡袍，風隨之攜雨吹到了賴雲煙的身邊，有一滴雨水，滴落在了賴雲煙的眼角，那一刻就好似她剛剛掉下的眼淚。

「是啊，雨季來了。」賴雲煙附應，語氣淡然，不似此前魏瑾泓的話意那般有著懷念。

「我記得——」魏瑾泓說到這兒，語氣間帶有點淡笑，他轉過頭，正要把話說下去的時候，對上了賴雲煙看著他的淡漠眼神，裡面有著不以為然的了然。

是，聰明如她，怎會不知他心中對她的眷戀？她一直拿這個當武器在用著，她明知他最歡喜她的嬌笑嗔怪，她便天天拿此作怪。

她……

魏瑾泓突然有些站不下去了，他走至她身前的那張椅子坐了下去。這時她手一動，他心中便隨著一動，朝她看去，見她只是拿過她的外袍，蓋在她案上的書冊上，免於它們被雨水沾染。

「妳還是這般愛惜書。」魏瑾泓看著她白皙的長指道。

「我愛惜能讓我歡喜的。」賴雲煙笑了笑，回過頭看著魏瑾泓，平靜地道：「那些年已經過去很多年了，您就無須拿出來說了。」

他再歡喜她，曾也還是一刀一刀地往她身上捅，他後來再對她有所懷念，就是一邊寫著信給她，另一邊也沒阻攔他凶狠地攻擊她。便是現在，他對過往有所眷戀，可這裡面，何嘗不是透著算計？他想讓她再為了他，當那白工吧？助他清理魏府，輔他官路，或許還有許許多多更離譜的吧？她為了情愛，昏頭昏腦一次就足夠了，再來一次，便是那聖人，怕也是消受不起。

魏大人那些所謂對她的感情，也太過於廉價了，有時廉價到，她都後悔曾愛過他。他道她的任性、不識大體是他的恥辱，魏大人大概永遠也不會知曉，在她沒釋懷之前，她也曾因喜愛過這樣的男人而覺得恥辱過。他什麼也沒給她，連這個世道該給嫡妻的那點尊重、體面，他也未曾給過。

「天道五年，不是我派的探子刺殺妳。」魏瑾泓捏緊袖中的拳頭，看著地上積的雨水道。

「我知曉。」賴雲煙坐起身，遠離了那雨水一些，任風吹亂了她的頭髮。

「是嗎？」魏瑾泓抬頭看她。那場風雨，連元辰帝都道，是他要讓她隨馬車墜入深淵。

「魏大人，我不是靠著無知站於賴家的。」魏瑾泓眼神冰冷地看著她，賴雲煙也鎮定地回視著他的眼神。「那時想讓我死的，不止您一人，誰動了我馬車的手腳，我要是查不出來，您道我能活著等到您死的那天？」

「我還當妳是。」魏瑾泓抬過眼，看著她的黑髮在風中狂舞，神情溫和地看著她。「說來，是我誤殺了江大人。」

江鎮遠當年來找他說她的事情，說他不僅坐視妻子在府裡受辱不管，甚至還責怪她不守婦德，是如何的不君子。他的族弟在一旁聽了話之後，在盛怒之下長劍一偏，刺中了江鎮遠的胸口，讓江鎮遠當場斃命。說來，這確是他的錯，可他當時沒想過她會因此怎麼看他，便也沒多解釋。事後，他也因此失去了他那孤傲的族弟，他的族弟在得知江鎮遠竟是個為民請命的清官後，便在不久後自我了結了。

賴雲煙聞言笑了一聲。「您太客氣了。」

她本可回得惡毒一些，但她突然不想說了。她伸手拭過臉邊的水漬，閉上了眼，想讓如被毒蛇咬了一口的心好受點。

魏瑾泓看著她拭去眼淚，眼睛猛地往內一縮，心中頓時一片刺疼。

江鎮遠，果然與她情投意合！

# 第十三章

就算事到如今，賴雲煙依舊清晰地記得那天上午，他們在京郊的那座茶亭飲過茶，江鎮遠文質彬彬地朝她一拱手，與她笑道：「阿煙，就此一別了。」

賴雲煙那時只當他要去江南查案，就與他輕福一禮，笑道：「君且前去，待來年，阿煙再與你煮茶品茗。」

江鎮遠看著她瀟灑一笑，就此離去。

隔了兩日，他的書僮送來一封信，信箋上寫道：

士為知己者死。

他就這麼捍衛她的生死與尊嚴去了。賴雲煙坐於茶亭半月，往後的每年，在他離去到死亡的那三天，她會在茶亭煮茶，靜等他來品茗，其他時日，她就當作自己遺忘了那個地方。

世人都當他們暗通款曲，而那種失去摯友的疼痛，她也只有跟兄長說過兩次，但兄長都道他們互生愛慕，卻礙於世俗不能結合，更是怨憎魏瑾泓的卑鄙。便是最敬愛的兄長，也不能完全理解她與江鎮遠那種不遜於情愛的情誼，此後，賴雲煙也就不再為此解釋什麼了。

而他，江鎮遠三個字，時間長了，她也不怎麼再想起了，一想起，心就會疼得無法呼吸。

雨下得越來越大，她的頭髮、臉上，全沾上了冷雨。賴雲煙覺得分外的冷，她張開眼，赤足下了地，拖著長被去了箱籠處，拿出長袍披上；她未去看隱於一角靜坐的魏瑾泓，逕自哼著江鎮遠所作的那首曲子，赤著足去了外屋。

梨花正端著水盆進屋，看到拖著濕髮、長袍，赤足走著的大小姐，她受驚般地「啊」了一聲，手中水盆掉落在地上，發出了沈悶的砰啪響。

賴雲煙朝地上看去，見地上的水不是熱水，落地的水也只濕了梨花的鞋面，便抬起頭，笑意盈盈地看著她。「去換了鞋吧。」她又看了看自己的腳，然後對隨後進門來、待在原地的杏雨笑道：「妳去把我的烏木箏拿來。」

「小姐……」杏雨擔心地看著她。

「去吧。」賴雲煙坐於案前，把上面擺著的《詩經》等書挪到了一旁，等一會兒好放箏。

杏雨拿來了箏，梨花則拿了鞋與她穿上。

她們跪於她身後與她拭髮，賴雲煙彈弄起了箏。

那撥弄的幾根弦，一下響得比一下愴然。

許是外面狂風大作，冷雨噼啪，平添了幾分蕭瑟滄桑，善感的梨花邊擦濕髮邊哭，到後頭竟哭到無法自抑。

賴雲煙停了手，往後看去，好笑地看著哭得一塌糊塗的梨花。

「小姐，梨花不知為何，心裡難受……」弄不懂自己心中究竟為何難受的梨花哭著道。

賴雲煙聞言悶笑了幾聲。

杏雨這時放下手中乾布，去拿了傷藥與淨布過來，給賴雲煙包紮冒出血的手指。

十根手指頭，竟傷了六根。

賴雲煙看著自己只彈一曲就傷了六成的柔弱手指，溫和笑著與丫鬟們嘆道：「我還真是不中用，弄不了太風雅的事，回頭還是找樂師彈奏一段吧。」

梨花又哭了。

這時，圓門邊，有了輕微的腳步聲。

一身濕衣的魏瑾泓站在門口，淡道：「都出去。」

他聲音乍一聽，跟平時無甚區別，但言畢，整個屋子裡的空氣都要比剛剛顯冷了一點。

梨花抬眼看向他，看著大公子跟平時完全迥異的眼神，竟就這麼打了個冷顫。

「下去吧。」待杏雨給她包好最後一根手指，賴雲煙朝她們笑著道。

「大小姐。」杏雨輕叫了她一聲。

賴雲煙繼續溫和地與她說：「帶梨花下去，重打溫水過來吧。」

「是。」杏雨拉了欲要開口說話的梨花的手，帶了她下去。

她們走到門邊時，魏瑾泓頭也不回，稍揚高了一個聲調，叫了一聲。「蒼松。」

「小的在。」

「沒我的吩咐，誰也不許進來。」

「奴才遵令。」

蒼松的聲音響過後，魏瑾泓大力一掀袍，盤腿坐在了賴雲煙的案前，袍子弄濕了地上暗紅的毯子。

賴雲煙笑看著他。

他不語，冷然地回視著她。

良久，賴雲煙輕嘆了口氣。「您找到他了？」

魏瑾泓閉眼，輕頷了下首。

「他現在是什麼樣的？」賴雲煙輕輕地問。

前世他三十而立之年，才至京中趕考。賴雲煙聽他說過，他十六歲便離家遊歷大山，縱情山水十餘載，經歷無常世事，才來了這京中。他想當刑部尚書，因他曾受人之託，想查幾樁冤案，他對人許了諾，便就來了京中實現他的諾言；他是個好官，更是一個真正品德高尚的君子。

他這時，恰好十六歲，正是他出家門縱情山水的年齡。

「恰是年少。」魏瑾泓抬眼，看著她面前的箏。

「想來，很是意氣風發吧？」想像著還是少年的江鎮遠嘴角含笑，便是對那老翁、稚子都要彎腰作揖的有禮模樣，賴雲煙不禁笑了起來。

魏瑾泓死死盯著那箏的一角，抿著嘴，沒有言語。

「您要什麼？」笑罷，賴雲煙主動開了口。這個時候提起他，能有什麼好事？他捏了她那麼多七寸，困在這後宅院落的她，哪是他的對手？賴雲煙苦笑地看著被她問了話後卻還是抿嘴不語的魏瑾泓，道：「您說吧，做得到的、做不到的，妾都會去做。」

是她欠他的，她不能亂了他這世的路。等到他三十歲進京趕考時，到時，她就遠遠地看著他，讓他好好地當他的刑部尚書吧，這一世，她是不想他為她死了；他那般真正遺世獨立、世間少有的君子，不該再遇上她這等背負太多負面事物的人，他為她做的，那世已經足夠了，她不能再拖他下水。

「妳就這般喜愛他？」魏瑾泓抬起頭，拿過擱置在她面前的溫茶，飲了半口，看著她道。喜愛他，喜愛到為他主動示弱的程度？她不是最有骨氣的嗎？

他語中難得地帶了刺，賴雲煙卻是笑而不語。她微笑地看著魏瑾泓，等著他提要求。

「要是，讓他一生都縱於山水之間，如何？還是讓他原本是什麼樣的，便是何樣的就好，您看如何？」

「若不？」

「若不，您不死，我不休。」賴雲煙朝冰冷的手哈了口氣，仔細地看著那包了布的六指，漫不經心地道：「他若原本是何樣，以後也會是那樣，那麼，他進京後，如果我還活著，我便不幫他就是。」前世江鎮遠入京，她是扶過他幾把，幫他在京中立足的，這世，想來也是不能了。

「妳不會與他見面？從此一面都不見？」魏瑾泓從她的話間聽出了重點。

「嗯。」賴雲煙點頭，平靜地看向他。

魏瑾泓看向她的臉，只一眼，他就撇過視線，放在了她胸前的長髮上。「那就如此。」

「您的要求？」

「沒有別的要求。」

她是有多喜愛他，才委曲求全得這般絲毫不猶豫！魏瑾泓起身，打開門，走進了雨中，站在那兒淋著大雨，待熄了胸中的怒火，才平靜地走回了裡屋，自己尋衣、更衣。

當年，只要有一次，她能像這般為他忍一次、委屈一次，他們就不會走到最後那一步。

不日，賴雲煙在給魏母請完安回去的路中，被人堵住了。

「大嫂。」魏瑾瑜給她拱了手，笑道。

「小叔。」

「大嫂叫我瑾瑜即好。」魏瑾瑜忙道。

賴雲煙笑而不語。

「瑾瑜有件事想問問大嫂。」

「喔。」

「大嫂……」

賴雲煙回過頭看了看身後的丫鬟，再看看魏瑾瑜，見遠處有路過的婆子往這邊看來，她笑道：「此處說話不便，去娘那兒坐著說吧。」說著，就欲要抬腳，卻被魏瑾瑜阻攔了下來。

「就幾句話，不長談，在此就好。」

「是何話？」賴雲煙訝異道。

「瑾瑜想問問，妳跟祝家的五姑娘，是不是交情甚好？」

這世他是看上慧芳了？被魏家的人盯上，祝家是倒了什麼大楣了？思及魏瑾泓讓她說的「不知」，賴雲煙半信半疑地腹誹了一番。什麼人都沒看上，偏生看上了祝家最好的小姐？魏瑾瑜這世的眼光怎就提高了這麼多？

「我與五姑娘啊，這交情還算不錯。」賴雲煙沒撒這個謊，她確實與祝慧芳交情很好，眾所皆知的事不好瞎說。

「如此。」魏瑾瑜精神一振。「大嫂可知那五姑娘最喜何物？」

這情聖，又要出手了？賴雲煙這時就明瞭魏瑾泓為何讓她說「不知」了。魏瑾瑜要是就這麼出手，也許青樓女子會歡喜有這麼個冤大頭，但要是換到祝家的祝五姑娘身上，她敢肯定，這私禮尚在下人手中，就會讓人抬到族長面前了，到時候，魏家可有得是跟祝家解釋的了。賴雲煙輕易不對人心生佩服之感，可魏瑾瑜總是能輕易打破她的這種堅持，她實在太佩服魏瑾瑜這種顧頭不顧尾的作風了！

「這個我就不知了。」她好笑地回道魏瑾瑜的話，看著眼前這個跟其兄有三分肖似的少年，她是真要看看，魏瑾泓力挽狂瀾，能把魏瑾瑜挽回成個什麼人？有得是好戲看了。

「真不知？」魏瑾瑜剎那有些失望，眼睛狐疑地看著賴雲煙。

「是不知。」賴雲煙不緊不慢地頷首。

見她毫無張口之意，魏瑾瑜皺了皺眉，隨即拱手淡道：「如此便罷。」說罷，不待賴雲煙有什麼話，轉身就走。走到迴廊轉彎那處，他頓了下腳步，破口就對著身後的小廝大罵。「著急去作死啊？你踩著本公子的腳了！」

小廝連連告罪，跪下給他磕了頭。

魏瑾瑜哼了一聲，不耐煩地甩了甩袖，提腳大步離去。

賴雲煙笑看著魏二公子離去，像是渾然不覺魏二公子的那場火是發給她看的，等人走後，她回過頭，帶著丫鬟往魏母的屋子走。「我還有點事，想跟娘說說，不知現下她可是忙上了？」

賴雲煙一進廳屋，魏母便訝異道：「怎地折回來了？」

「孩兒有事想跟娘說。」

「妳們先下去。」

站於堂下的管事婆子應了聲「是」。

她們退下去後，賴雲煙在魏母的示意下，挨著她坐了下去。

「是什麼事？」魏母溫和地問。

「剛才，小叔找我問了兩句話，孩兒覺著，應要來告訴您。」

「是何話？」魏母笑笑道，嘴角卻無意識地抿起。魏家的二公子，讀書是比不上其兄長了，但這玩樂，倒是領先於其兄不少，還只是十五歲的年齡，就已經是眾多妓館的座上貴客了！魏母緊張得很吶！

「問我可是與祝五姑娘交情好，還問她最喜何物。」賴雲煙在她耳邊輕輕地道。

「荒唐！」魏母臉色陡變。

賴雲煙垂首不語。

「雲煙。」

「娘。」賴雲煙抬頭，看著魏母道。

「這事，妳暫且不用告訴瑾泓，由我來說。」魏母看著她，淡淡地道。

「孩兒知曉了。」

「話要聽到心裡頭。」魏母看著她的恭敬貌，稍有些滿意。

賴雲煙聞言起身，更是恭敬地垂首，對她福了一禮道：「孩兒定能聽從娘的意思，請娘放心。」

見九大家三首之一的賴家大小姐也必須對她畢恭畢敬，不敢違抗一分，魏母乍聞不肖子看上祝家姑娘而陡怒的心情便好受了兩分。

祝家嫡長孫娶了時家的嫡長女，而時家恰是把崔家擠下去的那家，是踩在了崔家的上面才進了御賜的九大家之列！而魏家與崔家是姻親，與祝、時兩家的關係向來說不上壞，但也說不上好。她那不肖子，真是糊塗，什麼人不看上，偏看上祝家的姑娘，這禮物一送到祝家，依祝家人的性子，定會捅到家中老爺面前，到時這逆子肯定會被他的父親打死！

魏母心中是又氣又怒，但面上神情不變，對賴雲煙笑道：「如此便好，下去歇息著去吧。」

「那孩兒就此退下了。」賴雲煙又輕福一禮，這才離去。

賴雲煙剛回到屋中，魏母那兒就差人送來了點心。

她先賞了送點心的婆子一點，待她離去，又讓丫鬟試了毒後，留到下午再吃。

她賞給婆子那點只夠一、兩口的點心，東西少，但意思多。於魏母那兒，是她看重魏母的人；於自己，也是找了魏母身邊的人試試毒。以魏大人對家人的仁心，定是捨不得傷他母親身邊的老人。賴雲煙不怕魏瑾泓讓她暴斃，但還是有些怕他下慢性毒，要是待魏大人利用得她差不多了，肯定會一腳踢開她，到時候他前路掃淨，又剷除了她這個眼中釘、心中刺，那日子可就是過得太好了。她荒唐的重來一世，可不是為了犧牲自己，讓他來過好日子的。

這日夕間，魏母差人來告知賴雲煙，不必前去請安了，晚膳也在屋中用就好，又另道她要好生歇著。

這種貼心的婆母，賴雲煙決定等新婚三月一過，可以接各家內眷的帖子到處走動時，她就替她這婆婆吹噓一番去！

五月的天已然黑得晚了，廚房送來的飯菜賴雲煙只輕嚐了幾口，丫鬟都道她胃口不好，拿了茶具給她，讓她泡茶，她們把菜端下去，便把剩菜吃了。

梨花食量大，一人能頂平常丫鬟兩、三人的分量，賴雲煙也捨不得短她的吃的，只是看她什麼都吃，心中也是有些擔心，這魏府，沒她什麼人，太不安全，她得往廚房裡插人了。

賴雲煙思忖了一番，著手寫了信，寫到一半，院中有了聲響，很快地杏雨就在圓門前報，道大公子回來了。聞言，她不緊不慢地把寫了一半、墨汁未乾的信塗了滿紙的墨汁，折好，放入了案下疊放的書中夾上，這才又提筆，慢慢作起了畫。

「大公子。」

「大公子。」

丫鬟們請過安後，傳來了他的小廝們的聲音。賴雲煙畫了半枝梅，就擱到一邊，另作了一張，待完成三張半成品後，魏瑾泓就進了內屋。

「大小姐。」杏雨在門邊輕叫了一聲。

「端壺熱茶過來。」

「是。」

賴雲煙拿過桌上的茶杯，輕抿了一口，才抬頭與坐於案前的魏瑾泓道：「大人今日回來得尚早。」

「嗯。」魏瑾泓看了眼她案桌上的茶具，又看過她擱置在一旁的畫紙，輕應了一聲。他們的案桌隔得不是太遠，他還能看到她在紙上畫的是梅枝。「為何只作一半？」

「覺著不好。」

魏瑾泓微笑了一下，又轉過話題說：「後日去蘇大人家。」

「多謝大人。」賴雲煙提筆，在花朵中點綴了幾筆梅蕊，才抬頭笑著與魏瑾泓道：「二公子的事，大人可是知曉？」

魏瑾泓「嗯」了一聲。

見他不多語，賴雲煙好笑地搖了搖頭，輕笑道：「祝五姑娘？」她搖頭笑著再次提筆，這次一筆揮去，樹椏上，梅花朵朵開得甚是嬌豔。九大家裡，嫁得最好、與她交情恰恰是最好的祝五姑娘？但願魏瑾泓不是要撬岑南王的牆腳，若是魏瑾泓打算把後來的岑南王妃都要弄進魏府這座地獄的話，她真的得親手下毒弄死這偽君子了。

「我與祝大前些日子在茶樓飲茶，瑾瑜恰好就在，五姑娘去往布莊路上，停下與祝大請安之時，被他看到了。」

「是嗎？」

魏瑾泓言盡於此，便不再解釋。

賴雲煙擱了筆，白天未在魏家人面前露出的神色這時爬上了她的臉孔，她抬起頭，看著魏瑾泓，勾起嘴角，冷冷地道：「您打何主意，我都接招，我兄長也好，鎮遠也罷，還有慧芳，您可以一個一個都動手，但您給我記著了，現在元辰帝還沒登基，離您隻手遮天的時候還遠得很呢！」

再來一世，這男人更是吃人不吐骨頭了。

第二日，賴雲煙便另找了他法，把寫就的信送了出去。瞭解這魏府的，不僅是魏瑾泓。

臨到去蘇大人府中之日，半路過橋面時，河中突躍刺客，賴雲煙驚叫出聲，索利地縮成一團，躲在了坐榻下方。刀劍無情，刀刀都往車裡刺，賴雲煙乘隙滾下了車廂，顧不得落地的那刻頭都撞出了血，立馬鑽入了車底。

這時，她聽到上面傳來刀劍相交及侍衛的吼聲，她摸了摸出血的頭，暗吁了口氣。其實想來，魏瑾泓應是也知這一齣是她弄的，就算之前不知，現下他也心中有數了，他熟知她的手法。

魏瑾泓拿捏著她的七寸在警告她，她這次也不過是提醒一下魏大人，她離束手就擒的地步還遠得很。十個刺客，花了她一大筆銀子，用的還是魏瑾泓給她的。

一陣廝殺後，有人朝車底伸出了手，那手五指修長，節骨有力。賴雲煙就著他的手被他拉了出去，見魏瑾泓胸上有著血跡，明顯有刀痕，她暗中狠狠地掐了自己兩把，隨後撲到他的懷裡，驚聲泣道：「夫君——」隨即，她埋首不動，抖動肩膀，不敢抬頭。她實在是哭不出來，只好把頭直往魏瑾泓的傷口撞，撞得魏瑾泓的血往外噴，也糊了自己一臉的血，等一會兒好嚇人。

「好了。」魏瑾泓輕聲地道，手卻緊緊地定住了賴雲煙的頭。

刺客見差不多了，打不贏人也殺不死人，就撤走了。

這種見好就收的風格，一直都是賴雲煙的行事手法。魏瑾泓懷抱著這個似要把他的傷口撞出一個大窟窿的女人，忍了又忍，才沒把她一腳踢到河下去，這女人，真是恨不得他死。

她的假假真真裡，唯有讓他去死這一事，才是最真的。

# 第十四章

一場大戰回來，魏府雞飛狗跳。

賴雲煙撲完魏瑾泓的懷後，稍把傷口處理了一下，一路都捨不得擦乾臉上的血，哪怕身後的丫鬟急得快瘋了，她也趕了她們去坐奴僕車。

她一回到魏府，立馬滿臉血漬、一身污髒地又撲到魏母的懷裡大哭，哭著時，她暗中仔細地瞄了瞄魏母身上的衣裳，見是好衣裳，心裡總算為自己好受了點。頭雖是磕破了，代價大了點，但總算是讓魏瑾泓不好過，也毀了魏母一件好衣裳，也算是彌補了她受到的一小半的傷害了。

魏母焦心著大兒的傷，可兒媳卻抱著她歇斯底里地哭個不停，她忍了又忍，最終沒有忍住，強硬地扯開她，推她到了吉婆婆的手中，朝著被人抬著的大兒奔去，途中忍不住泣道：「瑾泓，你這是怎地了？傷得可重？」

「娘——」賴雲煙見魏母受驚不輕，腳步踉蹌，忙尖聲淒厲地大叫了一聲，就跟魏瑾泓已死了一般。

心神不寧的魏母被她這麼一喊，腳步頓時一軟，跌在了地上。

賴雲煙嗚咽著，也隨之跪在了地上，悲切絕望地叫道：「夫君——」

她這一喊，魏母瞬間覺得天昏地暗，就這麼昏了過去。

「娘——」賴雲煙用盡全身力氣又大叫了一聲，心中只恨自己聲音不夠大，魏府占地太大了，別人家的府第根本聽不到他們這邊內院的聲音，她能嚇嚇的，也就這府裡的人了。

魏瑾泓現下失血過多，她上馬車後，才發現魏瑾泓不只胸口有一刀，大腿處也有。護衛為他包紮上馬車後，她趁魏瑾泓在調節氣息時，坐於他身前，掀開了他的袍子，抬起腳就連踩了他數腳，直到魏瑾泓抓住了她的腳，冷冷地盯了她一眼，她才重新坐好。所以，魏瑾泓這時進的氣，絕不會有出的氣多。

賴雲煙的這一聲「娘」，把魏府的奴才嚇得好幾個都摔倒在了地上，有人在驚慌叫著「快去請老爺」。

這廂，杏雨、梨花也隨後進了府，剛進後院的門，就聽到她們大小姐的悲叫聲，梨花剎那哭天喊地地大叫。「大小姐，我苦命的大小姐啊——」

「梨花、杏雨——」她們一來，賴雲煙精神一振，立馬像死了全家人一樣地哀叫出聲，隨即，兩眼一閉，也讓自己昏了過去。

好了，她的丫鬟來了，她可以安心地昏過去了，就讓這一府的人，自個兒折騰去吧！

賴雲煙睡了個大覺，一覺醒來，神清氣爽，偏偏這時她不能像前世那般，找人來吹竹弄笙一番，醒來後她還不能睜眼，還要暗中醞釀情緒，讓自己等一會兒的語氣淒然點。

差不多了。她睜開眼，就看到了魏母的心腹，吉婆子。

「吉婆婆，夫君、夫君怎樣了……」賴雲煙虛弱無比地掙扎著，撐著床面坐起來，聲音泣中帶悲。她在被中連掐了自己數把，想了最傷心的事，才把眼淚流了出來。

「大少夫人……」吉婆婆眼中也帶淚。「您快好生歇著吧，大公子沒有事。」她扶了賴雲煙躺下，轉頭對著賴雲煙的丫鬟虎著臉道：「還不快去請大夫進來給少夫人瞧瞧！」

賴雲煙朝丫鬟看去，見梨花、杏雨的臉都是腫的，她頓時一呆，而在眼光未冷下之前，她把臉對著了床榻的裡側，拿帕遮在了眼睛處。

誰人打了她的丫鬟？

大夫給賴雲煙看了脈，說她要靜養一段時日。

過了兩日，賴雲煙下了地，這其間，魏姑媽、魏丁香都來了屋中探望賴雲煙。

賴雲煙有先見之明，早就讓丫鬟把她值錢的東西都收了起來，檯面上擺的都是她列著清單讓魏瑾泓給她拿來的，她的嫁妝，早前就讓她收得妥妥的了。這次魏姑媽的眼睛往哪兒多看了幾眼，她就大方地把東西送給了魏姑媽，樂得魏姑媽第一天來了後，第二天她又來了。

賴雲煙也從梨花的口中問出，她們的臉是吉婆婆打的，魏母下的令。

怕是她不能拿魏瑾泓的護衛出氣，就拿她的丫鬟出氣了；許也還有別的原因，但這次，魏母越過她，連過問一聲都不曾就處置她的下人，確實是打了她的臉了，且這一巴掌把她的臉打得又凶又狠。

賴雲煙自覺不是什麼好心的人，在第三日賴震嚴來探望她之時，見吉婆婆杵在她的屋內不動，賴雲煙的臉便也冷了下來。

「知曉的，是知我嚇得驚了魂，不知曉的，還當我不受婆母歡喜……」賴雲煙瞥過盯梢的吉婆婆一眼後，輕聲地與兄長用細不可聞的聲音哭道。

賴震嚴朝婆子看去，漫不經心地展開手中摺扇看了兩眼，才道：「這幾日，就一個婆子看著妳？」

「還有大夫、杏雨他們，婆子、丫鬟們也在外面聽著差遣。」賴雲煙忙道，拿帕拭淚。「我只是甚是擔憂夫君的傷，昨夜去瞧時，娘說夫君睡了，我……」說至此，失聲哭了起來。

「如此。」賴震嚴頷首。他頓了一下，又問道：「魏夫人呢？」

賴雲煙輕垂下了頭，拭淚不語。

「梨花。」賴震嚴轉頭，對臉還有些腫的丫鬟道：「去叫府裡的車伕把車趕到後門口。」

「是！」梨花忙應了一聲。

「讓虎尾和妳一道去。」

「是。」

「杏雨，給大小姐穿好衣。」

「是。」

「妳有傷在身，瑾泓也是，他自當比妳重要，就讓魏夫人先好好照顧著他吧；妳且隨我回娘家養好了傷，到時我再送妳回府來。」賴震嚴回頭朝賴雲煙道。

「啊？」著實沒料到他會這樣說的賴雲煙有些微愣，她還以為，兄長頂多為她出出氣罷了，回娘家，這事太大了吧？

「穿衣吧。」隨即，賴震嚴就起身抬腳出門。

他走到門口，見到發愣的婆子不動，他揚眉，道：「還要妳個老婆子伺候？」

他語帶不屑，吉婆婆忙福了一禮。

見她又只是福禮，沒有跪拜，賴震嚴搖搖頭，走了出去。這魏家的人，太托大了，他不幫她立威，日後她在這府中，就真要被人看不起了。

賴雲煙出府後，還有些雲裡霧裡。前世她在魏府中，什麼事都是一肩擔，萬不敢因魏家的事給兄長找麻煩；沒料，這世兄長卻為她出了這個頭，真真是……真是人再多活幾世，總有些事也還是料不準的。

「哥哥……」賴雲煙頭綁著布巾，靠向了賴震嚴的肩。

「有外人在時，萬不可如此。」她病著，賴震嚴不忍苛責她，但還是囑咐道。

「你不跟大公子言語一聲？」

「我已去看過他。」賴震嚴淡淡地道。

「可是，蘇大人那兒？」賴雲煙提醒道。

「我很快就要與七姑娘成親了，蘇大人便是我的岳父大人，蘇大人甚得帝心，前途甚廣，這時還能毀我的婚不成？」說到此，賴震嚴冷冷地笑了。「我聽說，是她把妳推到婆子手中的？」

「哥。」

「送她的東西，真是白送了！不帶妳管家就罷了，還要妳的頭面？真是要臉！妳送了她頭面，她可有給妳還禮？」

賴雲煙垂首，輕搖了頭。

賴震嚴不屑地笑了一聲，又道：「而一個婆子，在妳的院子裡，居然不給我磕頭？崔家出來的人，果然就那般的樣了！」

賴雲煙聞言不禁啞然，她這兄長，因與祝家、時家都交好，前世也是夠不喜歡崔家的人的；因魏崔氏是她的婆母，他才一直維持著表面的恭敬，沒料這世，他這麼早就透露出對崔氏的不屑來了。果然是事變了，人的應對也就變了。

「她是大公子的母親。」賴雲煙輕道了一句，提醒了他一下。

「母親又如何？我們賴家與他們魏家同位列九家之首，又不是他們魏家的奴才！」賴震嚴說罷此言，也覺得自己的話過於偏激了些，於是緩和了臉色，對她道：「不能讓她下妳的臉，得讓她知曉，妳是什麼身分。」

賴雲煙聞言有一點鼻酸。「這也是哥哥疼我……」雖說世家裡，嫁出去的女兒絕沒有潑出去的水一說，但像兄長這樣明面上替她撐腰的，畢竟還是少。「父親那兒，你要如何說？」賴雲煙畢竟不再是以前的那個賴雲煙了，還以為在現下的賴家裡，她兄長說什麼就是什麼；父親這個時候，已經是很不喜兄長了，要不然，怎會有庶子的到來？怎會要扶持庶子進官場？

「只說接妳回來養兩天傷，他有何話可說？」賴震嚴輕瞥一眼此時垂下眼、似是在刻意平靜的小妹。「賴家的臉面，他也是要的。」

「是呢……」賴雲煙輕輕頷首嘆道。

「妳又擔心什麼？」賴震嚴好笑地輕拍了拍她的頭，道：「萬事還有我。」

賴雲煙一開始沒有回答，過了一會兒才輕輕地說：「雲煙知曉哥哥厲害，但還是怕你受委屈，怕沒人心疼你；還好，我就快有嫂子了，她是個好的，會照顧妥哥哥的。」

賴震嚴翹起嘴角，伸出手攬住她，讓她靠著他的肩。

賴雲煙靠在他的肩上，輕吁了一口氣。

馬車內，兄妹相繼無聲，但此時兩人心裡都無比明白，他們會繼續相依為命，哪怕只過得兩、三日，魏家就會來人接走她，她又不在他的身邊了。

賴雲煙前腳進的賴府，後腳就有人來報，魏府的大公子來了。

賴震嚴讓賴雲煙好生回院子休息，他去了前堂待客。

不多時，梨花來報，說賴父也回來了。

賴雲煙當下就讓杏雨把剛解開的包袱再放幾件衣裳進去，重新紮上。

「小姐？」梨花稍有不解。

「歇會兒就回魏府吧。」賴雲煙指著從包袱裡拿出來的兩個盒子，對丫鬟們再叮囑道：「一個字都不許跟人透露，記住了？」

「記住了。」杏雨、梨花輕福了一禮。

沒過多久，賴震嚴就陰沈著臉來了她的院子，在他開口之前，賴雲煙朝他搖了搖頭，示意他什麼都不用說。

讓丫鬟守在門外，她拉了他的袖子，進了內屋，打開暗箱，把剛放置進去的兩個盒子拿出來，拿鑰匙打開蓋子，抬臉與賴震嚴道：「這是娘留給我們的，你把它們都給了我。」最價值萬金的，她都帶了回來。

「這是何意？」賴震嚴皺眉。

「家中有婆母。」賴雲煙淺言了一句，待賴震嚴了會個中意思後，她又淡道：「說來你把頭面都給了我，算是我的，但在雲煙心中，這也是你的，所以先放回你處也是可行的，哥哥回頭再給我就是，只要莫讓旁人得去了就好。」

「魏夫人在打妳嫁妝的主意？」賴震嚴的聲音這時陰冷至極。

「哥哥，她背後還有個癩狗扶不上牆的崔家。」賴雲煙把盒蓋蓋上，重新上鎖，把小匙放到了賴震嚴的手中，又抬臉認真地看著他道：「你不要擔心我，我知怎麼應付她。」

賴震嚴把鑰匙合在手心，重重地捏了捏，才抿嘴輕頷了下首。她能有什麼法子應付？他不過剛帶她回來，魏家的人就能接走她，連他們父親都站在魏家那邊，她這次回去，在那個府中，怕是更難了。

「哥哥。」看著兄長垂著眼，一臉不符合他年齡的陰沈，賴雲煙的心有些悶疼。她拉著他的袖子搖了搖，笑道：「雲煙是真有法子，你只要把我的珠寶藏好了就行，算來，雲煙這次也沒有白回來。」不回來，這兩盒價值連城的珠寶放在魏家，她著實是吃不香、睡不好。

「大公子、小姐。」門邊，響起了杏雨小聲的喊聲。

「何事？」賴雲煙開了口。

「前面來請人了。」

賴雲煙嘆息，竟是連多說幾句的時間都沒有。「走吧，哥哥。」賴雲煙拉了拉兄長的袖子，與他輕言道。

看著她嬌俏的臉，賴震嚴差點捏碎自己的拳頭。他走到椅子邊，坐下深吸了幾口氣，才站起淡道：「走吧。」

賴雲煙輕福一禮，跟在了他的身後。

# 第十五章

在未出院子前，賴雲煙與賴震嚴道：「哥哥，如若父親說我的不是，你萬不可心疼我。」他成親在即，這時，不能與賴遊對著幹。

賴震嚴頷首，臉色微有些冷。

不過他平時也是這樣，讓人看不出什麼來。

一進正堂，賴雲煙就朝賴遊下了跪禮，道：「雲煙拜見父親，給父親請安。」

賴遊頓了一會兒，才道：「起。」

「多謝父親。」賴雲煙站起，又朝魏瑾泓福禮，道：「妾身給夫君請安。」

「多禮。」魏瑾泓起身，虛扶了她一下。

賴雲煙看著地上，淺笑了一下，輕移腳步，站在了他的身後。

見她尚還懂進退，賴遊的臉色也稍好看了些，不過嘴上還是難掩訓斥。「沒經公婆、丈夫允許，是誰讓妳回的娘家？」

賴雲煙垂首不語。

正堂裡，一時之間也沒有別的聲響。

靜了一會兒，賴遊見魏瑾泓朝他拱手，他輕撫了下長鬚，道：「賢婿有話且說。」

「岳父大人。」魏瑾泓這時微笑道：「這並非雲煙的不是，是我這幾日輕疏了雲煙，被震嚴兄誤會了。」

聞言，賴雲煙輕皺了下眉。誤會？好一個魏大人，在她父親面前拖她兄長下水！他現在是結了她的仇不夠，還想結下她兄長的仇吧？他上輩子跟她兄長鬥了半輩子，看來還是不夠知曉她兄長愛記仇的厲害。

「你遭遇刺客，身受重傷，陛下都掛心，尚臥病在床，何來輕疏之說？」賴遊撫鬚搖頭道。

這話說的，不像她的親父，倒像是魏瑾泓的親爹了。賴雲煙微微抬臉，朝兄長落坐的方向看去，見他端著茶杯，平靜從容地吹著熱茶，她這才稍稍安下了心，不發火就好。

「岳父大人言重了，瑾泓只是輕傷。」

「輕傷也是要好生養著的。」

「多謝岳父大人關心。」

「正逢午時，賢婿用過午膳再走吧？」

「岳父大人好意，瑾泓自當遵從。」魏瑾泓起身，朝他拱手一禮，溫聲道。

自又是一番傳膳、擺膳。

賴雲煙一直站於他們身後伺候，等他們用過膳了，她才去了後堂吃丫鬟端上來的飯菜。她只嚐了一口，就擱下了筷。

「小姐，可是不合胃口？」擺菜的丫鬟站於她身後問道。

賴雲煙拿帕掩嘴，把菜小心地吐到帕中，才抬頭對丫鬟淡淡地道：「沒胃口。」

說罷，走到門邊，對站於門邊的梨花她們說：「包袱可是收拾好了？」

「收拾好了。」
「那就走吧。」
「小姐不用膳了？」梨花問。
「別讓夫君久等了。」賴雲煙滿是疲憊地嘆了口氣，撫著額頭，讓她們扶著她往前走。
到了正堂，見她這麼快就回來，正在品茗的三人，對女兒此舉比較滿意的賴遊輕頷了下首，魏瑾泓嘴邊則依舊含著微笑，只有賴震嚴，看著手中的杯子，連眼皮都沒抬，垂首不語。
與父兄道別後，和魏瑾泓上了馬車，等馬車行了一段路，賴雲煙才把頭靠在了後面，嘴角含笑地看了魏瑾泓一眼，就閉上了眼。
見她拒絕交談，魏瑾泓也垂下了眼，靜坐無聲。
兩人一路安靜地回了魏府，魏瑾泓帶賴雲煙回了他的院子，在她坐下後，揮退了下人，對她開口道：「娘說讓吉婆婆在我們屋中伺候我們。」
「喔。」賴雲煙一點兒也不急，笑著看他。
如果魏瑾泓說此話的意思是威脅她，那她還真是一點兒也不怕。他母親現下有多荒唐，以後就會有多慘，魏瑾泓這個當兒子的都不怕，她怕什麼？
見她雲淡風輕，魏瑾泓笑了笑，過了一會兒，他又道：「我謝了她的好意，我們院子裡，有妳的人伺候就可了。」
「為此，魏大人不是想讓我謝您一番吧？」賴雲煙好笑地看著他。

「雲煙。」魏瑾泓突然叫了她一聲。

賴雲煙不動如山地看著他，眼神漠然。

她跟他重來的這一世，本該是各走各路的好，他們也可以協議好，不再為敵，可怎麼就又走到了這步？他算計她，她也不想讓他好過。

「妳無須盡想著我全是壞意。」魏瑾泓靜靜地看著她。「待妳兄長成親後，我們再來談，可行？」

又是她兄長。他自如地拿捏著她，還一臉正人君子、道貌岸然的噁心樣。賴雲煙真覺得當初自己是瞎了眼，才會相信這樣的一個人能保護她。

賴雲煙輕笑了一聲。「好。」

談就談吧，魏瑾泓算計他的，她亮她的爪牙就是，大不了，魚死網破；只要能弄死他，不禍害兄長、知己、朋友，賴雲煙不介意代價大點。

在賴家吃的那口飯菜裡，賴雲煙吃出了上世吃過的、宋姨娘給她餵的慢性毒的味道來。

那味本就是不輕易嚐得出來的，如若不是她上世吃得多，知曉其中的微妙，也不會剛入口就知不對；而且這比前世她吃的味要重太多，也許是人手生，多放了，也許是故意多放一點好讓回魏家的她出醜的，那味重得賴雲煙根本就嚥不下口。

這慢性毒叫百日癲，下得重一點，人就會渾身抽搐、口吐白沫，跟發羊癲瘋一樣。這藥吃得久了，就會真跟羊癲瘋一樣，隔三差五就發作一會兒，人也會漸漸喪失智力，成為白癡，最終抽揷而亡。

她只含了一時便吐了出來，回來後也還是有點昏頭昏腦，與魏瑾泓談過話，他走後，賴雲煙才讓丫鬟去取大壺的水來。

她剛在榻上歇一會兒，魏母那邊就來人請她了。

賴雲煙去了請安，魏母撫著她的手半會，才淡淡地道了一聲。「我兒，委屈妳了。」

「哪來的委屈？」魏母的聲音淡了，賴雲煙聲音裡的熱情也不再。她也懶得裝那麼多了，委屈自己幹什麼？橫豎她都沒想過要魏母喜歡她分毫。

見她不卑不亢，態度與過去迥異，魏母抬眼，慢慢地看向了她。

賴雲煙迎上她的目光，對視一會兒，才垂下了眼，嘴角含笑。

「回吧。」魏母突然說道。

「兒媳告退。」賴雲煙大大方方地起身，輕福了一禮。

「早上、晚間記得按時過來請安。」

賴雲煙走到門邊時，從背後聽到了魏母悠悠說出的這句話。

「兒媳知曉了。」賴雲煙頓了一下，終是沒有回身。

魏母想折騰她？那也好。

當晚，魏母讓賴雲煙伺候著用了晚膳，讓賴雲煙坐下用膳不到一會兒，她就擱了筷。

賴雲煙在吃了幾口米飯後，也隨之擱筷。

魏母喝過茶，便讓賴雲煙退了下去。

賴雲煙一回到屋裡，又是喝水。料想魏瑾泓差不多要回來的時候，她讓丫鬟收拾了水壺下去，又另拿了一壺溫水。

半夜過去，她起身上了三趟恭房。

許是餓的，她還是頭昏眼花得很。

第三趟回來時，賴雲煙覺得自己口腔內沾染的那點微毒也是清得差不多了，於是她沒回內屋，去了丫鬟的榻處，找杏雨要了點零嘴吃。

丫鬟留下的吃的零嘴不多，賴雲煙還是就著昏黃的燈，把那一點點心吃完了。杏雨端來了茶水讓她喝，梨花則跪在賴雲煙的腳邊，抱著她的雙腿，把頭靠在了上面，一滴一滴地掉眼淚。

「好了，別哭了。」喝過茶水，賴雲煙覺得好受多了，她伸手撫了撫梨花的頭髮，笑道。

「奴婢知曉了。」梨花伸手擦過眼淚，勉強笑道。她還當只有她們這種奴才，才會餓得半夜起來偷偷吃食，從沒想到，她們小姐也有這樣的一天。

「小姐為何要喝這麼多水？」杏雨也跪了下來，抬頭輕聲地問賴雲煙。

「家中嚐的那口菜，有毒。」賴雲煙沒有隱瞞她們。

「是誰？」梨花呆得眼睛都要瞪出來了，只有杏雨還在問。

「總是有人。」賴雲煙笑笑，伸出手拍了拍她們的肩。「妳們以後注意著點，這府、那裡，都不乾淨，妳們就多留個心眼吧。」說罷，欲要起身。「好了，我進去了。」

她進了內屋，留下兩個丫鬟讓她們想去，有些事，她也得現在就教她們辨認了，讓她們陪她走過這一段；等日後她安排了路，讓她們出去過新生活，希望她們能把自己的日子過得和和美美的，不要像她一樣，兩世都不得真正的安寧。

「妳中了毒？」

內屋的燈是亮的，賴雲煙進去後，魏瑾泓已衣冠整齊地坐於他的書桌前。

賴雲煙披袍坐於自己的書案前，輕笑道：「死不了，大人放心。」

魏瑾泓垂首，過了一會兒才抬頭道：「是在賴府？」

賴雲煙又給自己倒了杯水，再喝了一口，漫不經心地「嗯」了一聲。

「宋姨娘妳要如何處置？」魏瑾泓突然多話了起來。

「我要如何？」賴雲煙微笑地看著他。「魏大人不怕我對付您的岳母大人？」

魏瑾泓這一刻的臉真正地沈了下來，難看至極。

賴雲煙好整以暇地看著他，完全不怕他發火。她說話確實刻薄惡毒，但魏瑾泓也就配有一個當妾的岳母了，他這樣的人，能高貴到哪裡去？

見他不再言語，賴雲煙堵了他的話後，就起身上榻了，她很累，累得不想在這時候再聽魏瑾泓那些貓哭耗子的假好心話。

第二日，早晚的安，魏瑾泓都與賴雲煙一道。

賴雲煙也用了兩頓好膳，但這也沒阻擋了她寫信出府。

過不了幾日，魏瑾泓身上的傷養好了，早出晚歸，但早晚的安仍都與賴雲煙一道去請。

如此半月，賴雲煙前去請安時，魏母也不留她伺候了，也不留她用膳，讓她自回院中用膳，有點眼不見為淨的意思。

而魏瑾泓像是知曉他母親不會為難她了一樣，也不再陪賴雲煙早晚請安，每天又再早出晚歸，有時一連幾天也不回來。

這時，魏府中的下人也知道夫人對大少夫人不待見，連見都不願意見她，沒之前那般得夫人的歡喜了；不過也只是私下說說，明面上對賴雲煙還是恭敬有禮。

賴雲煙覺得有這些，對她而言，就夠了。

這時已到六月，蘇明芙要行及笄禮了，蘇府送來了帖子，請魏夫人攜大兒媳過去觀禮。賴雲煙知道帖子送到了魏母那處去，但她請安時，魏母沒與她提起過，也沒人來告知她，她也就當不知曉此事。魏母欲要給她立威的心，其實還沒散。賴雲煙也知魏瑾泓與魏母肯定談過話了，但人要是這麼容易改變，尤其是劣根性，這世上就滿是完人了。這魏大人啊，想要改變他們魏家的人、改變他們的命運，那沒比登天的難處少多少。

六月初七，蘇明芙及笄那天到了。這天賴雲煙去給魏母請安，回院後不多時，魏母來人請賴雲煙同去蘇府，賴雲煙迅速走到門邊，卻被下人告知，夫人等了一會兒，走了。賴雲煙笑笑，慢慢地走了回去，一路上幾個下人偷偷看她，她也似毫無所覺。

魏母回來後，賴雲煙去給她請安時，魏母像無事人一般地與她笑著說道了幾句，就讓她回院安生用膳，打發了她走。

膳食擺上來時，魏瑾泓也回來了。

他坐於桌前，讓下人再添了一雙碗筷，下人拿上後，他看了桌上精緻的七菜二湯一眼，抬頭看向了賴雲煙。「為何這次不問我了？」他道，平時總是亮著帶笑的眼睛沈了下來，同時沈下來的，還有他嘴角的溫和笑意。

「七姑娘的事？」

魏瑾泓看著她。

「她是我嫂子，總有見得著的時候。」賴雲煙淡淡地道，眼睛看向了菜餚，見魏瑾泓拿筷挾菜，她這才動了筷。

「妳動崔家人的事，我攔了下來。」魏瑾泓在她吃過半碗飯後，又道。

賴雲煙「嗯」了一聲，繼續吃飯。這麼久都沒消息，也沒見魏母失色，想來，也確是魏大人這火山孝子救了火；她不意外，她有得手的時候，也會有失手的時候，勝敗乃兵家常事。

她不為所動，魏瑾泓也不再言語。

用過膳，上了茶後，魏瑾泓讓下人退了下去。

見他又是有話要跟她說，賴雲煙搖了搖頭。她進了內屋，沒有屈腿坐於案桌前，而是坐到了椅上，背靠著躺椅，手支著頭，舒服地靠著。

「娘說妳身體不適，就未前去了。」魏瑾泓坐於案桌前，給自己倒了杯冷水，輕抿了一口。

賴雲煙眼睛掠過他，道：「倒是給我找了個好理由，魏大人是想我放過她？」

魏瑾泓未語。

「那就是了。」賴雲煙笑了笑，又道：「魏大人腿上的傷不疼了？」好了傷疤便忘了疼，魏瑾泓以前的這本事，沒想現在還有。

「震嚴兄再兩個月就要成親了。」魏瑾泓轉了下手中的杯子，溫和地道：「江大人這時正遊歷黃山。」

賴雲煙以為自己活了三世，算來也是一大把年紀的人了，定力肯定要比一般人好上許多，但聽到魏瑾泓的這句話後，她的牙齒還是忍不住地上下顫著。

「我說了這些話，妳才會聽我的，是嗎？」魏瑾泓朝賴雲煙笑了笑。他再怎麼努力對她釋放好意，她也當狼心狗肺，非得逼他說重話，上世如此，這世也如此。他以為重來一世，他對她克制容忍，在那麼多年後，她總會知曉一點他的心意。

可是沒用。魏瑾泓笑帶悲意地看著她。

賴雲煙回視著他，努力讓自己平靜了下來。好長的一會兒，心中的怒火全部壓抑了下去後，她笑著對魏瑾泓說：「恭喜魏大人，這次您又贏了。」說罷，又笑了兩聲，道：「您母親真是好福氣，生了您這樣一個能幹、又貼心她的兒子。」

# 第十六章

六月末，賴雲煙成婚三月的時日還是未過，不能出門。

以前丫鬟還能出個門，現在也不能了。

賴震嚴這天來看她，她才知，兄長來看她，也被魏母推說她身體不好，要靜養，就沒讓他過來看她。

「外面都把我傳成病美人了吧？」賴雲煙笑著與兄長調侃自己道。

「慧芳說，她給妳送了幾次信，妳一封也未回。」

賴雲煙笑笑不語。

「信呢？」賴震嚴看著她問。

兄長眉眼間盡是陰霾，賴雲煙也仔細地看他，問道：「哥哥，最近可是出了事？」

她現在一步都動不得，明線因魏母而不能再出去，暗線用了兩次了，怕被魏瑾泓順藤摸瓜查出來，她這段時日也沒動，因此外面的事她一概不知。

「我問妳信的事！」

「我問哥哥外面的事。」無視賴震嚴的厲聲，賴雲煙跟他強上了。

「多嘴，休得無禮！」賴震嚴拍桌。

他們這次談話，都不像前幾次那般謹慎，而是火冒三丈，什麼話都從嘴裡說了出來。

可見，他們都過得不好。

賴雲煙因他的發火而沈默了下來，賴震嚴自知自己的語氣過於嚴厲，他冷著臉僵在那兒，一時也沒有再說話。

「信沒有收到。」賴雲煙先退了一步，她本不想兄長再擔憂她的事，可想來，是瞞不住的。他心重，什麼事都看在眼裡，不說並不表示他不知曉。

「我料也是如此。」家中骯髒，賴震嚴料想魏府也好不到哪裡去。他這時本沒心力再管妹妹的事，可一想到前幾次她依賴地看著他的眼神，他這心就萬萬放不下去，沒有他近在眼前看著，她會如何？怕也是像他們的娘親那樣，花容正好，卻驀然凋謝了。

「慧芳那等心胸，必會知曉我的難處，不會與我生氣的，哥哥不要為我擔心。」賴雲煙笑笑，輕聲地道。

「嗯。」賴震嚴頷首道。

「待三月一到，我就去拜見她。」宣朝規矩，新婦三月後，就可與各家內宅走動。

「還有七日。」賴震嚴算了算時間。

「是。」

「在外，不要說人的不是，那只會是妳的不是。」賴震嚴抿著嘴，輕聲且冷淡地說出了這句話。

「雲煙知曉。」賴雲煙笑了起來。他替她，連親娘的心都操了，他那麼好，她怎麼捨得讓他為難。「哥哥。」

「嗯？」

「外面的事。」賴雲煙提醒道。

「與妳無關，不必知曉。」賴震嚴緩和了神色，對她道：「瑾泓這幾日忙於朝廷上的事，不能久留於內宅，妳自己多注意些。」

聞言，賴雲煙拿帕的手一緊，看向他輕聲地道：「夫君跟你說過什麼？」

「他說等些時日，等妳與他有了孩子後，他再多抽些時日陪陪妳，妳就會好過了。」賴震嚴說到此，欣慰地一笑，眼睛若有還無地掠過了妹妹的肚子。

賴雲煙坐在那兒，用了她所有的克制力，才沒有諷刺地笑出聲來。孩子？魏瑾泓真是打得好一番如意算盤！可偏偏，這世他先於她，拉攏上了她的兄長。

上次在賴府，她還當他犯蠢，言語不妥得罪了她兄長，哪想，那只是盲蔽了她，私下裡，他不知跟她的兄長說了多少天花亂墜的話！她這才回過神來，怕是已然來不及了吧？她現在若把所有的一切都和盤托出，不論兄長相不相信，都會給他造成麻煩。魏大人真是好算計，讓她困在進退不得的地步，眼看著他步步緊逼！

「你放心，有我在。」賴震嚴說到這時，又看向了賴雲煙的肚子，眼睛柔和了下來。「我的小外甥，也是有靠山的人，誰都欺不了你們去。」

賴雲煙勉強地笑笑，迅速垂下了頭，不想讓兄長看到她眼睛裡的不屑。

賴震嚴走後，賴雲煙一直盯著魏瑾泓案上的水壺，沒有移開眼睛，好半晌，才長舒了口氣。

她是真想下毒，只是，要是真毒死了他，也不算虧本，但要是沒死成，吃虧的就是她了。到底，還是不妥，這辦法還是不行。

夕間，魏瑾泓回來得早，在屋中靜坐了半會，就與賴雲煙一起去了魏母那兒請安。

「我看看，天天養著，怎麼就清減了呢？」當著兒子的面，魏母拉著賴雲煙的手，親熱地道。

賴雲煙垂著頭不語。

「我聽說，給妳送去的膳食，妳所吃不多，是不是不合胃口？不合胃口就和娘說，我叫他們把我的給妳。」魏母笑道。

賴雲煙笑了笑，不語。

見她一句話都不回，魏母搖著頭與魏瑾泓道：「你的身子都養好了，沒想，雲煙的還沒有，現在這病弱的樣子，都沒以前機靈了，我看著可心疼了。我看還是朝宮裡遞個牌子，請宮裡的聖醫來給雲煙把把脈才好，我才安心。」

魏瑾泓溫聲回道：「請娘寬心，她再休養段時日也就好了。」

「唉，還是請吧，早些養好，也好早些生孩子。」魏母的眼睛掃過賴雲煙的肚子，憂慮地道。

「孩兒到時跟宮裡的人提提。」

「這是婦人之事，要不，還是我給蘭貴妃遞個牌子？」魏母試探地問。

賴雲煙聽到她這話，翹起了嘴角。這魏夫人，怕不是要去見蘭貴妃給她請太醫，而是想專程進宮為崔家說好話的吧？蘭貴妃是九大家中蔡家的蔡家女，蔡家向來行事低調，又貴為皇親國戚，蔡家雖與魏家交情甚篤，但沒有魏家當權人的首肯，出面去與蔡家提，她敢跟蘭貴妃遞個牌子試試？拿她當筏子，去見蘭貴妃，前世的事，這世是提前來了，魏母一如既往地好生厲害，想必她這一去，任期到了的崔平林又會有個好前程了吧？

「夫君。」想至此，賴雲煙抬起臉，滿眼期待地看著他，仔細地看著他的臉。

魏瑾泓嘴裡淡淡地道：「陛下正在清查通縣案，下旨禁止與後宮的來往。」

清查通縣案？賴雲煙的眼睛劇烈一縮，隨即迅速反應過來，垂下眼，低下了頭，掩下了眼裡的震驚。這通縣案，不是六年後才發生的事嗎？

通縣案的真相，是清平公主的駙馬在公主的封地裡亂馬踩死了當朝老郡王的獨孫，令人埋在了通縣的一座山中。不料，卻有人報給了老郡王，老郡王上稟給了皇上，皇上令刑部查案，清平駙馬那邊推出了一位武官為替罪羊，刑部就匆匆了結了此案。一邊是皇上的親生女兒，一邊是皇上的老王叔，刑部還是站在了公主那邊。老郡王不服，每次臨朝，都會跟皇帝糾纏此事，等現在的洪平帝死去，元辰帝登基了，才有了徹查通縣案這一事發生；而現在，整整提前了六年！

魏瑾泓這是幹什麼？想把魏、賴兩家的封地之爭提前解決？這次他是打算跟賴家爭清平公主的封地，還是不爭？爭了，得了這塊封地，就不用再跟賴家爭了？他做的是這個打算嗎？賴雲煙腦海中思潮起伏。

這廂魏母驚訝地道：「不是已結案了嗎？那個踩死老郡王孫子的六品武官不是被行刑了？怎

麼還在查？」

「其中怕是另有隱情。」魏瑾泓淡道，看了母親一眼。

魏母知不能再問，就收回了眼神，嘆道：「竟是如此……查吧查吧，威郡王就這麼一個獨孫，白髮送黑髮，也是可憐人。」

「你想如何？」等回了內屋，下人退下後，賴雲煙頭一次對魏瑾泓失了敬稱，撕破了表面的那張假皮，露出了她的冷漠。

「通縣的封地，到時妳會住進去。」魏瑾泓淡淡地說。

「我、住、進、去？」相比於魏瑾泓的溫文爾雅，賴雲煙徹底失了儀態，她一字一句地咬牙說出口，腦袋都在發懵。這段時日，魏瑾泓到底在外面幹了什麼?!

「嗯，到時那會是我們的封地。」

「你知曉你在說什麼嗎？」賴雲煙覺得他瘋了。

「妳不是不喜歡魏府?那就搬出去住。」相比於賴雲煙冷到了極點的臉，魏瑾泓顯得平靜極了。

「搬出去住？」賴雲煙笑了一聲。「你瘋了。」

「過不了多久，皇上會下旨。」魏瑾泓左右看了看無賴雲煙一物的屋子，轉頭朝她溫和地道：「到時，內宅就是妳的了。」

「你到底想要幹什麼？」賴雲煙深吸了好幾口氣，勉強自己平靜下來。

「孩子。」魏瑾泓笑了笑。「一個有我、有妳的血脈的孩子。」

從他嘴裡明明白白地聽到了這話，賴雲煙一愣之後就噗哧一聲笑了出來，隨即，她越笑越大聲，最終笑得眼淚都流了出來。

「魏大人啊……」賴雲煙撫著胸口，笑得完全喘不過氣來，歇了好一會兒，她想說他怎麼就這麼荒謬可笑，但笑著笑著，這話卻怎麼都說不出口了。

看著她滿臉的淚，魏瑾泓閉了閉眼，他站了起來走到她面前，握著她緊緊揪住帕子的手，抬起為她拭淚。「今生不再讓妳受委屈，可好？」

賴雲煙堅定地推開了他的手，笑著垂眼，擦著自己的眼淚。

「雲煙。」

賴雲煙擦乾眼淚，笑著朝他道：「魏大人所說的不受委屈，是從何時起？是從進封地起嗎？」

魏瑾泓默然。

「您找了老郡王吧？」賴雲煙笑著拍了拍胸口，覺得哭過一場，這心情啊，也就好受多了。今生不再讓她受委屈？魏大人可真會說話，換個好哄點的女人，也就如他的願了。她前世傻了幾年，就算愚蠢，說得好聽點，那也能叫為自己的愛犧牲過一回；但這世要是再接著傻，那不論好聽或難聽話，都叫傻到無藥可救。

魏瑾泓聞言看她一眼，又走回到了她的對面坐下。

「老郡王答應了您不少事情吧？」賴雲煙再猜。「皇上那兒，您也作了不少文章吧？」

魏瑾泓慢慢地冷下臉孔。

「這魏府真是座牢籠。」賴雲煙笑嘆道：「我是一步都出去不得。我這手啊，也伸不了太長，確實只能看著您十步併一步地走。」她低頭，看了看自己的手指，伸縮了幾下，才抬頭看著他續道：「多少年沒被您這樣打得落花流水過了。」元辰十年後，她就沒在魏瑾泓手中吃過太大的虧了，人真是得意久了，就難免會疏忽大意啊！

魏瑾泓還是不語。

「三個月快過去了。」賴雲煙慢悠悠地朝那一言不發的男人道：「我要是您，定要好生想個法子，看怎麼繼續把我困死在您魏家的府裡，像封地、孩子這種事，還是少想得好，這對您身體好。」說罷，她掃了魏瑾泓全身上下一眼，失笑地搖搖頭，走到窗戶邊，打開了窗。

宣朝的雨季過了，夏天來了。一切都一樣，一切又都不一樣了。

七月，通縣案查清，清平駙馬被押下了天牢，清平公主進宮求情無門，一頭撞在了宮門前；人沒死，卻是丟了皇帝的面子，皇帝震怒，奪了清平公主的封號，收回封地。

事情私下卻是沒有這般簡單，這是老郡王聯合了幾個老王叔對皇帝施壓的結果，一邊是王族，一邊是女兒，皇帝還是選擇了江山的根脈。

疼愛的女兒這個沒有了，膝下還有幾個更得他心的，想起來，心中也是還有幾許寬慰。

賴雲煙這些時日在外走動，得了不少消息，對清平公主與上世一樣的作為真是無可奈何。女人總是以為憑著點什麼就可以要脅身邊的人，但對多數人來說，往前走可比什麼都重要多了去了。皇帝要是順了公主，他的日子可就不好過了，以後怕是疼另外幾個女兒的心情都沒有，他豈會因小失大？

當年她於魏瑾泓也是如此，她的真情真意對他來說固然可貴，但比不上的東西太多了，捨棄她也不過是轉念之間的事。這世道，憑感情用事，失去的只會比得到的多。

通縣案查清後，那廂皇帝突遇刺，翰林院的魏瑾泓隨侍在身，救駕有功。這事一朝傳遍京城上下，魏家得知魏瑾泓無事後，更是喜慶連連，連魏景仲得訊，也從書院匆匆趕了回來。

賴雲煙這才依稀想起，前世這年間，洪平帝確有遇刺事件。

魏瑾泓是真真厲害，每件事都有謀劃，只有她用那種魚死網破的爛招逼他退步，這境界不用比，就立現高低了；不過，管它什麼爛招，有用就好，賴雲煙自我安慰道。

皇帝遇刺事件過後，就是封地事件，當皇上把收回的通縣賜了一半給魏瑾泓當救駕有功的獎賞，魏府上下這才真正沸騰了起來。

八月，擺在賴雲煙眼前的，一是搬進封地，二是兄長的婚禮。

魏瑾泓先跟她提出了前者。

「進了封地，賴家的事，妳多少能插些手。蘇七姑娘還須養一段時日的病，有妳的走動，想來往後當家也能順手些。」自那次後，魏瑾泓不再提孩子，這次又拋出了誘餌。

「您為何非要進封地？」賴雲煙還是不信魏瑾泓做事只會顧一，不會顧二、顧三；至於那種不讓她再受委屈的鬼話，根本不能信。

「岑南王要提前進京了。」魏瑾泓沈默了一會兒，抬眼與賴雲煙淡淡地道。

「還有呢？」賴雲煙笑笑，原來這件事情有變。

「舅母過幾日就要進京了。」

「呵。」

想起崔舅母那個被他舅父活活打死的悲慘女人，賴雲煙含笑逼近魏瑾泓，輕聲地道：「您這次是要替您的舅舅擦屁股呢？還是要饒那個可憐的女人一命？」說罷，她坐直身，不以為然地道：「我又天真了，想來是前者吧？」

當年她為那個被打死的女人說了幾句話，被魏瑾泓瞪了一眼，那時她就慢慢知曉，時日一長，他就已經不再是她當初愛的那個人了。果然感情都是盲目的，一旦人了然了真相，都有自戳雙眼的衝動。

「她會活得好好的。」魏瑾泓抿了抿嘴，道。

「最好活著。」賴雲煙撣了撣身上的衣裳，漫不經心地道：「假若您不想再讓人就此事參崔家一本、參您一本，最好如此。」富貴滔天不容易，但命賤如螻蟻，卻比其簡單多了去了。

得知魏瑾泓要攆賴雲煙住進封地，魏母震驚無比，聽說私底下還摔了茶盞。

賴雲煙去請安，她的臉也是拉了下來。

「還知不知體統了！哪有家都未分，就自行搬出去住的事！」

許是魏瑾泓未來，魏母此時說話尖刻無比。賴雲煙低頭不語。

「妳倒是說話！」見她嘴閉得緊緊的，魏母冷笑道：「平日嘴嘮叨得跟個沒把門的一樣，現在裝起老實來了？妳倒是讓我信！」

賴雲煙還是不說話。

「張嘴！我命妳張嘴！」魏母突然高聲大叫了起來，顯然是氣得瘋了。

賴雲煙抬頭看她一眼，輕嘆了口氣。「娘，這是夫君的意思，兒媳能有什麼辦法？難不成死在了妳的面前，才算是同時聽了您和夫君的話嗎？才算是孝順嗎？」她言道了一句，便不再言語，又垂下了頭。

良久，魏母的外屋間都無聲響。

半個時辰後，在座上的魏母心灰意冷地道：「妳走吧，走得越遠越好！妳這等不尊不孝的，我留著幹甚？不見也罷！」

賴雲煙無聲地勾了勾嘴角，垂頭退了下去。

「小姐。」走出魏母的院子後，杏雨擔心地喊了她一句。

「回吧，去收拾包袱。」賴雲煙這才抬起臉來，嬌豔的臉上一派平靜。

這以後啊，還有得是仗打。魏瑾泓這毛頭小子得了近五百里的封地，雖是有救駕之功，魏家也位列九大家之首，但九大家上面還有公侯王族，這地豈是這麼容易讓他得的？他們住進去，也得了魏景仲的首肯，想必，老頭也打得是住進去後，有震懾之意的主意吧？這次魏瑾泓的封地，不是整個魏家家族共有的，而是專屬於魏瑾泓一人的；魏瑾泓打的這主意，何止是一箭三雕，四雕、五雕這都有了。

不過，只要不生孩子，住進封地還是於她有利的，她要是昏頭昏腦的，答應了魏瑾泓的利誘，那才是虧了大本嘍！有了前世的實戰經驗，賴雲煙早就知道怎麼應付魏大公子這種人了，對他什麼事都可面上大哭或者大笑，這樣可麻痺敵人，但心裡最好是什麼都門兒清，這才能不著了這小人的道。

不過，魏瑾泓這世確實要比以前厲害甚多了，這嘴啊，可比上世會說話多了去了，上世那種「不再讓妳受委屈」這種級別的話，可沒從他嘴裡聽到過。魏大人這世功力大增，賴雲煙想，她也得與時俱進不可，要不然，被甩下一大截，她怎還會是魏大人的好對手、好敵人、好冤家呢？

# 第十七章

八月中旬，選了個黃道吉日，魏瑾泓帶賴雲煙住進了通縣以前的公主府，現在的魏府。

入府那天，通縣魏府的半里地熱鬧得翻了天，鞭炮大炸，鑼鼓喧天，魏家的親朋好友都來了，連魏母再不願，也跟著魏景仲來了。

賴雲煙先前的好人緣這時也顯山露水了出來，不少內宅的婦人、姑娘家都到了場。

所幸賴雲煙先前就從祝府那兒請了好幾個可靠的婆子、媳婦辦這事，來多少人也沒亂了手腳。

這次的入府，九大家裡，基本上每家都有人到場，魏崔氏端坐正堂跟幾個相熟的夫人聊得不亦樂乎，這廂賴雲煙就跟隻花蝴蝶似的，穿梭在眾人中間，無論老的少的，她都能笑談幾句，逗得人發笑不止。她性情爽朗，到哪兒都引人發笑，自有得是人愛跟她打交道，雖說背後也有嫉妒她、說她壞話的，但這也無損於真樂意跟她好的那幾人的交情。

賴家今天幾位嫡小姐也到了，賴雲煙想著她們以前的婚事不算壞，但確也是算不上好，便把她們往好人家的那幾家人那裡引。她搭個橋，剩下的成與不成，她便不管了。人的事歸人的事，老天爺的事就歸老天爺。

這天到場的人多，所幸祝家那幾位小姐幫了她老大的忙，幫她一道招呼前來的媳婦和帶來的小孩兒。賴雲煙私下與她們逗趣，說等走時，就每個包她們個大紅包，她們誰要是嫌少，她就哪天抽一天來給她們當丫鬟，端茶送水賠罪，逗得祝家幾位小姐連連拍打她，讓她少說些話，省得笑得她們臉上的妝都花了。

魏家那邊的族裡也來了好幾位小姐，賴雲煙看到還覺得順眼的，就與她們多說幾句，看不順眼的，就少說兩句；不過不管如何，她也還是盡力做到了滴水不漏。

但，世上哪有那麼多的滴水不漏。

祝慧芳與賴雲煙一道躲在園子裡歇息時，就跟她咬耳朵道：「妳現下也確是心眼多了，我看妳跟魏丁香這些庶女說話時，眼睛都不笑。」

「這麼明顯？」賴雲煙驚訝。

「哪能。」祝慧芳搖頭道：「我也是瞧了好久才瞧出的，妳平時跟我笑，就不那樣。」

「那我平時是怎樣？」賴雲煙笑問。

「眼睛裡有點冒光。」

「怎地說得這般奇怪？」賴雲煙稍有些鬱悶地道。

「就是這般！」祝慧芳白了她一眼。

賴雲煙便笑了，靠著她的肩膀道：「我喜愛妳，所以笑時眼睛裡才有光。」

祝慧芳輕撫了她的背，笑道：「我知曉，不用妳說。」說罷，她覺得說這般的話有些不好意思，便紅了臉，對賴雲煙啐道：「以後萬不可跟我說這般不正經的話，如同那些不中用的紈袴子弟一般。」

「又是如此說我。」賴雲煙笑嘆道，轉臉看向祝慧芳，又道：「看在妳把婆子、媳婦、丫鬟都借給我用的面上，今兒個我就不跟妳說不正經的話了。」

「討厭！」祝慧芳紅著臉，嘴角帶笑，眼波靈動，拿著手指狠狠地戳了下賴雲煙的額頭。

賴雲煙卻看她看得傻了。「妳這般好看，都不知要嫁何樣的人，才配得上？」

祝慧芳頓時惱了，把她從身上推開，跺腳憤憤地道：「妳還要不要臉了？這般話都說得出口！」

「好妹妹……」一看她是真惱了，賴雲煙忙上前扯她的衣裳，求饒道：「莫惱我，再也不說了，再說我就替妳掌我的這臭嘴。」說罷，還伸出手，輕打了自己的嘴兩下。

見她玩耍得是什麼體統都快要無了，祝慧芳忍不住白了她一眼，道：「好了，歇息夠了，快出去吧！」

「遵祝五小姐的令！」賴雲煙朝她輕福一禮，在祝慧芳揚手欲打她的手勢裡，格格笑著小跑步走了。

園子不遠處的閣樓上，有一著紫袍的青年男子轉過頭，對身邊身形修長挺立的少年說道：「你那夫人，果跟傳聞一般，甚是調皮好玩得很。」

魏瑾泓聞言微微一笑，朝他拱手道：「王爺見笑了。」

「好了，天色不早，我這還有事，先行一步了。」紫袍男子多看了那尚留在園中，此時低著腰，正悠悠輕撫著花朵的姑娘一眼後，便轉頭與魏瑾泓拱了一手道。

「下官送王爺一程。」

「多禮，留步。」

「王爺，請。」魏瑾泓輕頷了下首，作了手勢，請岑南王先行下梯。

第二日清晨，魏瑾泓就過來了，賴雲煙還在對鏡梳妝。

「魏大人早。」晚上睡得好，這時賴雲煙的口氣聽著明顯討人喜歡多了，少了至少五分的假。

魏瑾泓頓了一下，才坐於離她不遠不近的椅子處，待她讓丫鬟退下後，才淡然開口道：「岑南王昨天來了。」

「看到祝五姑娘了？」賴雲煙插上金釵，轉過身對著他。

「嗯。」

「那便好。」什麼都可變，唯獨這件事不可變。上世岑南王與岑南王妃是神仙眷侶，這世，萬不可因他們的重生，毀了慧芳的姻緣。「如此，我便會著手辦您的事。」對魏瑾泓來說最致命的就是崔家人，他拿了這麼多人要脅她，她不從也不行了。

「妳只要到時替舅母多引見幾位夫人即可。」

「您的表妹呢？不找好親家了？」賴雲煙好笑地看著他。

「隨妳，妳看著辦。」

「魏大人可真不怕我壞心辦壞事。」賴雲煙開玩笑般地道。

魏瑾泓垂眼，看著靴面，動嘴淡道：「妳還不是那樣的人。」

這是誇獎？賴雲煙甚是不以為然。「到時再說吧。」

「育南案，九月重查。」魏瑾泓看著地上，又開了口。

賴雲煙聽了，臉猛地拉下，冷然地看著魏瑾泓。「魏大人，您可沒跟我說過這事。」這魏瑾泓，真是想用她用個徹底了！

育南案是官員瀆職，貪污行軍打仗的糧餉的案子，當年這案是隨著崔平林貪污之案後，才被徹查的，魏瑾泓是想提前把這案子查了？

「魏大人，這事就不關我的事了。」賴雲煙冷冰冰地說。

看著她冷若冰霜的臉，他溫和地笑了笑，道：「妳只要不插手即可。」

「魏大人。」賴雲煙也笑了笑。「我真是想不出，這天下還有比您更無恥的人了。」

他現在是卯足勁要把崔家犯事的苗頭都掐死在萌芽中吧？但願，崔家的那幾個人，不會辜負魏家人的心意。現在魏瑾泓占上風，賴雲煙也不急，她靜觀其變就好，人只要心裡住著貪獸，人心不正，總有禁不起誘惑的那天，魏瑾泓這般作法，不過是治標不治本。

「我先出去了。上朝之日，我會歇在京中，府中的事，妳看著辦就行。」

賴雲煙笑了。「您的管家好，還是用您的管家吧。」

她享受自在就好，這魏府的事，還是魏府的人辦就好。

他們充其量就是個不得不暫時握手言和的對手，她可不是來給魏大人當管家婆的。

「妳看著辦吧。」魏瑾泓拋下這句話，就走了。

不多時，跟過去的梨花來報。「大公子出府去了。」

賴雲煙聞言拍胸笑道：「哎喲我的老天爺，總算把這煞星送出門去了！」

梨花卻是甚為苦惱，見大小姐這麼高興，忍不住問道：「您為何還與大公子分房睡？」

「不為什麼，大公子高興。」賴雲煙笑嘻嘻地道。

是您高興吧？梨花愁眉苦臉地搖搖頭。算了，大小姐高興就好，她一個下人，懂什麼呢？

這廂杏雨已經親手做好了早膳端了過來，賴雲煙讓她們也坐到門口自己吃去，她則把早膳的一碗粥、兩個饅頭、三盤小菜全掃到了肚中。吃飽之後，賴雲煙頓時有了吹竹弄笙之心，此心一起，她便讓梨花去叫管家，讓杏雨去準備瓜果點心。

忙得腳不沾地的管家曾安來了，賴雲煙說想聽府中樂師彈奏一曲時，他還稍愣了愣，拱手小聲地問道：「您不先聽聽奴才跟您報一下府中之事嗎？」

「不了，有你就成。大公子最是信任你，我也最是信任你，有何好問的？」賴雲煙笑著道。

年輕的管家頓了一下，就躬身答道：「謝主子們信任。」

賴雲煙知道這管家是個能幹的，這人上世對魏瑾泓忠心耿耿得很，現在這架勢，好像也有對她忠心耿耿之勢……但，只有傻子才信。

賴雲煙在府中過了幾天著實逍遙的日子，但隨著賴震嚴的婚事將即，賴府來人請她回府，這難得的休息也就結束了。

來請她的人是虎尾，走之前，賴雲煙招了他到旁邊輕聲問他。「這是誰的意思？」

「姨娘的意思。」虎尾拱手道。

「大公子的意思是？」賴雲煙問得更輕聲了。

「也是大公子的意思。」虎尾回答得更輕聲。

賴雲煙就了然了請她回去，定是她兄長的意思了。她立馬轉身叫丫鬟鎖上她的門，帶了丫鬟和婆子就走。

這些時日，她又另找了些丫鬟、婆子、小廝放到府中用，至於魏府裡帶出來的那幾個婆子、丫鬟，就給了管家曾安，隨他去用了，只要別用到她的院裡來就好，曾安若是幹了這等沒眼色的事，就別怪她掌這奴才的嘴了。

這府裡的大半個權力，可是她跟魏瑾泓交換而來的，要是這都不靠譜，就別怪她為他做事不用心了。

通縣到封地上的賴府需兩個時辰，到了自家封地後，賴雲煙掀簾看了外面好一會兒，對身邊的兩個貼心丫鬟嘆道：「兄長總算是要成親了，我們賴家又要有女主人了。」

「小姐高興不？」梨花笑問。

賴雲煙笑，還朝丫鬟故意眨眨眼。「不高興，哥哥要被嫂子搶去了，怎高興得起來？」

「呵呵……」梨花被逗笑，她伸手拉了拉杏雨的袖子，道：「杏雨姊姊妳看，小姐又跟我說風趣話了。」

一直拿著手中針線活兒在做的杏雨收回繡活，對梨花搖搖頭，輕斥道：「妳好生陪著小姐說話就好。」

「為何妳不說？」梨花不依道。

「那妳繡活。」杏雨說著就要把繡框往她懷裡塞。

梨花連連推拒。「好姊姊，不了、不了，妳繡吧，我繡得沒妳好！」

杏雨白了她一眼。「沒規矩！」

賴雲煙聽得發笑，伸過頭去看了杏雨正在繡的繡帕，她看了幾眼上面栩栩如生的蓮花，不禁讚嘆道：「就跟真的一樣，杏雨繡得真好看！」

「大少夫人是六月生的，婢子想著，到時您給她送的禮上遮上這麼一塊帕，她怕是會高興吧？」杏雨原本是打算繡好才說的，見賴雲煙開了個話意，她就先問了出來。

「對，這樣的心意最好！」賴雲煙點頭道：「我都忘了，所幸還有妳們幫我記著。」

見小姐肯定，杏雨抿嘴一笑，視線重回繡帕上。

梨花也規矩了下來，乖乖地坐在杏雨的身邊，看著她走繡針，想偷師一二。

賴雲煙看著她們，心裡嘆了口氣。送走她們後，她怕是會孤單不少吧？

「大小姐回來了！」

「大小姐回來了——」

奴才們一路高聲叫著，賴雲煙笑著走入了府，問身邊家中的大管家道：「大管家，父親今日可在府中？」

「未在，尚還在都堂辦公，但大公子在府中。」

「哥哥在？」賴雲煙便笑了起來，道：「這下可好，有跟我說話的人了！」

「大小姐……」大管家又彎了下腰，請她前行。

賴雲煙朝他輕頷了下首，小步往前走著。賴府占地大，他們兄妹的房屋都在正院，還好離府門不遠，無須走太長的時間。

她的屋子、院子，她兄長也為她保留著，定時讓下人打掃，前世如此，這世也一樣，一個人被人重視與否，是從小細節就可以看出來的。上世賴雲煙大半腔心思都放在了魏府上面，才忽略了兄長的很多事，他的為難處、他的辛苦、他對她的愛護……等等，都被她忽略得不少。

賴雲煙走在自家的府中，看著花園裡的鮮花朵朵，拱橋下的流水潺潺，那心慢慢安然了下來，也許重來一世也並不是那般的壞，有些缺憾，便是可以彌補的。

上半生的孤軍奮戰、父親的不喜、姨娘的暗害、在朝廷的壓力，讓她兄長成為了一個終生陰鬱的人，臉上鮮少看見笑容，後來便是她故意耍寶逗他、撒嬌討好，也難討來他的幾個笑容。為此，連他的夫人都害怕他，不願意跟他多相處；而蘇七姑娘看著文弱，但賴雲煙卻有些看得出來，她是個膽大的，也許這一世，兄長得了好親家不說，也會得個不怕他的好妻子。

「哥哥、哥哥！」還沒走到正院，剛過一道拱橋，就要轉過前面一道彎道，入另一道拱橋時，賴雲煙就看到了迎面朝她而來的賴震嚴，她連忙揚聲帶笑地叫了聲。「你來接我了？」

這時，賴震嚴身後的轉角處走出一人，賴雲煙看清那後面的人後，笑容差一點就僵掉，這魏瑾泓怎麼來了？

「大路不走，怎地走小路？」賴震嚴大步走了過來，嘴裡道。

「小路快嘛！」賴雲煙鎮定了一下，嘴裡笑容不減地與兄長答道。這時她又朝後面的魏瑾泓笑嘻嘻地道：「夫君您也來了啊？怎地不等等我，還快我一步呢？真是要不得！」
賴震嚴這時已走到她的身邊，聞此言揚手輕拍了下她的腦袋。「怎麼說話的？」
「哥哥！」賴雲煙朝他叫。
「規矩點！」見她還撒嬌，賴震嚴朝她瞪了下眼。
賴雲煙見狀握嘴笑了一下，朝已走過來的魏瑾泓福腰，笑道：「妾身給魏大人請安，魏大人萬安。」
魏瑾泓朝她一笑，扶了她起來。
「哥。」賴雲煙朝他又一笑，走回到了賴震嚴身邊，叫他道。
「走吧，送妳回院。」
「哎。」
三人走了一段路，上了拱橋，賴雲煙探頭往下看了看後，回過頭朝賴震嚴說：「小溪裡的魚怎地不見了？」
「沒出來吧。」賴震嚴也往下看了看。「等一會兒要看，讓丫鬟拿點魚餌來。」
「嗯。」賴雲煙笑著挽著他的手臂，朝他道：「府中的事都備好了？」
「嗯。」
賴震嚴回頭，朝管家道：「賴光叔。」
「是。」管家忙上前。
「一會兒小姐閒了，你把事與她報一下，有什麼事就聽她的。」

「是。」
「有事就先忙去吧。」
「是。」
管家要退下時，賴雲煙突然猛拍了下頭，道：「看我這記性！」這時她朝杏雨招手。「點心可在包袱裡？」
「在。」
「給管家。」
「是。」
「賴光叔，我帶了些點心來，你給你小兒吃去。」
「這怎麼可以？」管家忙彎腰。
「拿著吧。」賴雲煙搖頭，跟著兄長的步子往前去了。
賴震嚴帶了她幾步，朝身邊笑而不語的魏瑾泓道：「她在府中可還是這般任性？」
「未曾。」魏瑾泓微笑道。
這下換賴雲煙笑而不語了。
「院子我讓人收拾好了，妳這幾日就跟瑾泓暫歇在這兒。」
「夫君也歇在這兒？」賴雲煙訝異，眼睛看向魏瑾泓。
魏瑾泓頷首。「震嚴兄因工部的一些事，需進翰林院，我這幾日與他一道。」
賴震嚴聞言露齒一笑，伸出手輕敲了賴雲煙的腦袋一記。「從小任性頑劣，可是讓妳嫁對了夫君，莫要荒唐。」

「是。」賴雲煙笑著應了一聲。

想來，她在府中吹竹弄笙的事，她兄長知曉了，魏母肯定也會知曉，如此便好，一步一步的，魏母總會有爆發的一天，到那一天，她再推幾手，也就離被休之日不遠了。

不能跟魏瑾泓正面對著來，這旁敲側擊的，也挺好玩的。他想留她替他賣命，可這天下不是魏大人的，更不是他想如何就可如何的。

離兄長成婚之日只有七天了，賴雲煙坐鎮前院，一反常態，插手起了賴府府中的事。

宋姨娘來報了兩次事，都是主院的佈置之事，賴雲煙聞訊之後就去了兄長的主院查看，從裡到外，換了一大批東西。

第二日，新送上的一批玉瓷被賴雲煙打回，她叫了京中最大店鋪的掌櫃過來，另要了一批昂貴非凡的，比之原訂的那批高了好幾個檔次，連夜擺上。

當晚，賴遊回府後，叫了賴雲煙過去。

魏瑾泓這時也回來了，賴遊派人過來叫賴雲煙過去時，他正在院中，來請人的下人退出門後，他眼神沈靜地看向賴雲煙。

賴雲煙朝他笑，走向了他，靠近他身邊後，她傾身，在他耳邊輕輕地道：「我就不求您與我一道去了，我自己的仗我自己打。」

而他的仗，最好也是他自己打；要讓她幫著打，那最好想想，他還能不能給得起更大的價錢，別妄想用虛假得連他自己都不屑相信的虛情假意來騙她做白工。

賴雲煙一進去就是施禮，淺笑著請安。「孩兒給父親大人請安。」

賴遊見她盈盈笑語，沈默地看了她一眼，道：「坐。」

「謝父親。」

這時丫鬟上茶，賴遊端過茶喝了一口，看著賴雲煙溫馴的笑臉，過了一會兒才道：「嚴兒院中的東西妳不滿意？」

「是，與兄長身分不配，更是配不起咱們家的身分。」賴雲煙輕描淡寫地說。

「喔。」賴遊說罷，揮了下手，他的貼身奴才便送上來一本冊子。

他打開冊子看了兩眼，然後扔到桌上，淡道：「一千兩一個的白玉瓶，不便宜了。」

「是不便宜，不過外祖家的舅父送了二十萬銀兩過來給兄長添置院中擺飾，孩兒只是按照兄長的身分把這些花了，免得舅父後日趕到京中，見過院中擺飾，還當他的錢給得少了，以至於兄長的婚禮要辦得如此寒酸。」二十萬兩，宋氏有本事拿到手上去用，那就給她全都吐出來！

「京中娘親故人前日送信給我，說她手上正好有幾對鴛鴦瓶子，想送給我兄長添禮。」賴雲煙拍了拍胸。「孩兒當時不知是何意，現下才知她老人家是什麼意思，此時想起，這胸口都悶得慌。」說到這兒，賴雲煙眼眶都濕了。「連外人都知兄長院裡的擺飾寒酸成了這樣……都怨我先前為了遷府，什麼事都不知；早知如此，便是當了嫁妝，我都要去弄上一批像樣些的。我是回了府中，才知舅父大人已早先我許久送來了二十萬兩用，孩兒只恨自己無用，什麼都不知曉。父親要是責怪我失了宋姨娘的臉面，那便責怪吧，只是兄長這婚禮，萬萬不能失了樣，否則到時六皇子來了府中，看著院中那粗糙的擺飾，孩兒、孩兒……」

賴雲煙低頭，掉了眼淚。她雖早已向府中伸手，知曉內情，只待時機反擊，但說到此時，她確也是心酸無比，這眼淚掉得貨真價實。兄長太難了！在這府中，他暗中不知受了多少侮辱？偏偏他是男子，這內宅之事他還開不得口，只能讓人打臉，心中不知有多憋屈。

「六皇子要來？」賴遊聽到了重點。

賴雲煙聞言抬臉，茫然地道：「父親不知？」

「誰說的？」

「孩兒夫君說的。」

賴遊聞言輕瞥了桌上的冊子一眼，抬頭朝賴雲煙淡道：「無事了，下去吧。」

「是。」

賴雲煙回去後，便寫了一封信給為她聯繫辦事的黃閣老的中間人姜三娘。當夜，她找了賴震嚴，讓兄長的貼身武官風片把信秘密送出去。

賴震嚴看過信，差了風片過來拿走信後，對賴雲煙皺眉說：「妳什麼時候佈置的？」

「知曉您訂親之日起。」

賴震嚴伸出手，摸了摸她的小臉，緩和了平日嚴繃的臉，輕聲道：「難為妳為我花這個心思了。」

「不難。」賴雲煙搖頭。「只要你好就好。」說罷，她又對賴震嚴道：「這內宅之事，兄長不須管，你只要找好大夫調養好嫂子的身體就好，這管家的權，我定會幫她拿到手。」

賴震嚴聽著她這好大的口氣，不禁笑了起來，笑過後，第一次感慨出聲。「我的小妹妹長大了……」

這麼深的謀算，她都做得出來，連他都不知曉她是如何沈得住氣的。

# 第十八章

那廂，姜三娘得了賴雲煙的信，當晚寫了十幾封帖子，請了京中嘴巴最鬆的十來位夫人明日下午共聚荊府賞花。

荊封先前已得魏瑾泓的信，對妻子此舉也甚為支持。她幫了魏大少夫人，等於他幫了魏家一般，按魏大公子的品性，定會在他升遷之時為他美言幾句的。

第二日下午，賴府那邊忙碌的奴才來往之間人聲鼎沸，這廂的荊府也是七嘴八舌，嚼賴府的舌根嚼得甚是痛快。

第三日，連宮中的貴妃都知，工部尚書允許寵愛的姨娘私吞大兒的婚錢，昏腦得甚是厲害。當晚，皇帝夜歇貴妃床邊，貴妃不經意地談起了工部尚書府中的這事，老皇帝聽了，眉頭微皺。

隔日，聽過邊疆戰報的皇帝心情不是很好，在議完朝，快要散朝之際，他當著滿朝文武百官的面問工部尚書。「你大兒這月二十八日成親？」

「是。」賴遊眉頭深斂，面上還是拱手恭敬回道。

「聽說你有個不懂規矩的當家姨娘？」

皇帝這般問，賴遊剎那啞口無言。

他無言，前幾日在床上被新寵妃揮了一巴掌，把她拖下去宰了也還是未消火，正要誅她九族的老皇帝頓時就火冒三丈了，朝賴遊厭煩地斥了句。「枉你為朝廷命官，朕看你是當官把腦袋當糊塗了！」

賴遊欲要辯解，這時皇帝已揮袖離去。滿朝恭送萬歲之聲，賴遊只能隨之跪下，心下卻猛生警戒，不知是誰盯上了他，暗中向皇上進送了讒言？

任金寶來京中三日，與外甥女從不熟到熟也就只花了三日。

「妳莫不是騙我？」任金寶覺得他這外甥女怎麼就這麼奸狡？

「騙您？」前世與任金寶熟得不能再熟的賴雲煙抬頭便「哈」了一聲，語帶不屑地道：「再來十個我，也騙不了您一兩銀子。」說著，豎起一根手指在任金寶面前不停地晃。

任金寶聞言不以為恥，反倒得意地笑了起來。「不瞞妳說，妳舅舅我活到現在，就沒被人騙過一兩銀子，向來就只有我——」說到這兒，想起他正在官宦之家中，便閉了嘴，可不能說只有他騙別人的。「我說。」熟了之後，任金寶就敢把心中的話跟外甥女說透了，他抱著圓滾滾的肚子，傾過身，探出圓滾滾的腦袋跟外甥女咬耳朵。「妳真把那二十萬兩全花了？」

「不止，花了二十三萬兩！您要是有空，等一會兒就去瞧瞧，看值不值這個價？也看看我的眼光如何？」賴雲煙是萬分喜歡她這個奸商舅舅的，對他說話也是毫不掩飾。

「好。」任金寶也不放心，要去算算。說罷，又淺算了一下，道：「那就是賺了三萬？」

「可不是？」賴雲煙也覺得有些得意。吐出來不算，還得給她貼上一些才成！不過只得意了一下，她便嘆了口氣，自行傾過身，貼著舅舅，跟他咬耳朵道：「這算不上賺，您想想，日後這府中的哪樣不是我哥哥的？」

任金寶聽完，咬著牙大拍了一下肚子，憤憤地道：「可不就是如此！這小妾著實可惡，這些年不知花了我外甥多少的銀子！」

看著為了省錢，連妾都不願意多納一個擺看的舅舅，賴雲煙又靠近他一點，朝他偷偷地道：「所以，這銀錢不能再這麼花下去了，您想想啊，她花的銀子裡，還有您給父親送來的孝敬錢呢！」

任金寶一聽，更是齜牙咧嘴，道：「外甥媳婦要快些嫁進來才好，莫讓我的銀子被外人騙去花了！」

賴震嚴成婚那天，蘇家來送親的人著實嚇了一跳，送嫁的隊伍一進賴家的封地，鞭炮聲就響了近十里地，震得這些人的耳朵到賴府後半時辰之內都還聽不清人聲。

拜堂後，賴震嚴就進了洞房，揮退了房中丫鬟，掀了蘇明芙頭上的喜帕。

兩人相互靜看半晌，蘇明芙忽朝他嫣然一笑。

賴震嚴便也翹了翹嘴角，伸出手，把她頭上的金冠摘下。

「喝點粥。」他起身把放於櫃中的熱罐拿了出來，倒了一碗粥出來，遞給坐於喜床上的她。

「謝夫君。」蘇明芙覺得她的胸口從來沒跳得這般快過。

賴震嚴止了她的施禮，摸上她冰涼的手時，她往後退，他更緊緊地抓住了她，拉她坐下，嘴間難得溫和地與她道：「知妳身子嬌弱，要養一段時日。」

「妾知婆母早逝，家宅無主母打理，妾日後定會為夫君盡那棉薄之力。」之前對於賴雲煙信中所說的事，蘇明芙本還在深思，但現下卻是下定了決心，要搏上一搏。

聽到她的言語，賴震嚴笑了，他伸出手摸了摸她的秀髮，輕聲地與她道：「不知雲煙與妳說了什麼，妳只要記得，在這府裡，妳是我賴震嚴的妻子，是府裡唯一的主母，妳便什麼都不會怕了。」他探到她耳邊，見她的耳朵全紅，他眼裡也不禁露出了笑意，在她耳邊輕道：「萬事我都會護住妳。」

蘇明芙抿著嘴，輕輕地點了下頭。如他妹妹所說的那般，只有見了面，她才知他是怎樣的人，才知以後要做何事。

這晚亥時，吉婆婆來了賴府與賴雲煙請安，話間的意思是賴大公子的婚事已經辦完了，賴雲煙可以回府了。

如此迫不及待，賴雲煙甚是好笑，便當著吉婆婆的面，讓丫鬟收拾好包袱，她則先去了前院與賴遊告辭。

然而，賴遊並未見她，去稟告的僕人回來與她報——

「老爺正跟幾位大人在飲酒，讓您先回去，這安就不用請了。」

賴雲煙看了那低頭看地的奴才一眼，轉身對著賴遊的方向遙遙一福身，便斂眉離去。她這父親啊，也太不給她臉了，今晚尚有許多客人留在此處，她前來請安他卻不見的事傳到他們的耳裡，受損的可是他。他上世一意孤行，這世，遭皇上訓斥了，也還是如此。她還想留一點父女之情的，奈何父心似鐵。

賴雲煙上了馬車，走了官道回去，行了兩里地，自家的封地裡出來了兩隊護衛，一路護送她回通縣。

吉婆婆見自己朝賴雲煙行禮，賴雲煙都未答她一句，也知惹怒了這位少夫人；回去後，猶豫了再三，還是把賴雲煙的反應如實告知了夫人。

魏母聽後，淡道：「妳怕她生氣作甚？妳是我身邊的老人，她不敬著妳，便是不敬著我，失禮的是她，不是妳。」

那廂，任金寶提著筆在燭燈下算銀子，算來算去算到最後，白淨且胖乎乎的胖子愁眉苦臉地道：「明日姊夫大人要是不把當家權交給我外甥媳婦，我還是一頭在他面前撞死，到下面找姊姊哭去好了！」

他每年這麼多的孝敬錢，可不是讓一個小妾一年十七套頭面，好像不要錢地打！他夫人他都捨不得了，一年頂多打五套，多一套，他連吃肉的心情都沒有了。

「咦？」任金寶這時又看了一眼聚豐齋出來的帳冊本子，捏著胖手指又翻了一頁後，不禁肉疼地道：「還有根玉簪子?!那敗家老娘們！」不算不知道，一算快要嚇死他的老命了！

這還只是他聚豐齋出來的帳，想到這小妾還會化名在別的地方花他姊和他的銀子，任金寶明日食肉的心情算是徹底沒了。

想來，還是他外甥女好，挑的東西都是他聚豐齋出來的，眼光好得不行，挑的全是上上品，錢也讓他這老舅賺了，真是個貼心聰慧的！

夜間行路慢，賴雲煙過了寅時，天快破曉時才回到了通縣的魏府。

一回去就是洗漱、用膳、睡覺，直到當日夕陽西下才醒過來。

醒來讓杏雨傳膳時，梨花則在她耳邊道：「大公子似醉得不輕回來了。」

「嗯。」

「小姐。」梨花叫她。「要不要送點補湯過去？」

賴雲煙一聽，忙點頭道：「送！」不說她都忘了，她多少要裝點樣子給府裡的下人看。

梨花忙去差廚房燉補湯，路上一見到丫鬟，她就語帶憂慮地說大少夫人甚是擔心大公子的身子，這就要到廚房給他燉補湯去了。

這日夜間，賴雲煙正看書時，曾安突然來了，在外屋隔著屏風對她說魏瑾泓病了。

賴雲煙剎那嚇了一跳，轉臉去看梨花，還沒對她的丫鬟表達敬佩感激之情，這時曾安又在外道——

「大夫說是酒醉之後受寒引起的高燒。」

賴雲煙頓時失望不已，有些意興闌珊。

「少夫人……」曾安又叫她。

賴雲煙搖搖頭，嘴裡答了話。「我去看看。」說罷起身進了裡屋，換下身上舒適的青袍，穿了件白色的絲裙，掛了白玉墜，頭上還戴了朵白玉小花，穿得跟守喪般去了魏瑾泓那邊的屋子。

他們屋子雖說有正、側之分，但隔得遠，賴雲煙原本打的就是魏瑾泓便是死在那邊，她這邊也聽不到哭喪聲的主意；但一到了魏瑾泓的屋子，見侍妾、丫鬟都哭得梨花帶雨，她頓時就頗有些扼腕了，這哭喪聲聽來其實也是好聽的，要是人真死了，那才是真真的好。

賴雲煙心裡感嘆著，臉上一片焦慮又強自鎮定的模樣進了內屋，一見到被蒼松灌藥的魏瑾泓，見他臉色緋紅、眼睛緊閉，額上滿是虛汗，她就褪下了那張著急的臉；這屋裡的這兩個小廝，比誰都知曉她與魏瑾泓現下的關係比相敬如賓還冷淡。

「如何？」藥餵下去後，賴雲煙朝蒼松問。

「奴才不知。」蒼松回頭拱手道。

大公子說了，不管大少夫人現下如何，他們當下人的，不能對她不敬。她完全變了個樣，蒼松都不知他們大公子娶了個什麼樣的妻子，她以前對大公子的傾心，難不成都是假的嗎？要不然，怎會對大公子這般無情，定要請來管家去請，才請得了她來？

「喔。」不知大概就是死不了。賴雲煙輕搖了下首，虛應了一聲，又朝他們道：「你們下去。」

蒼松、翠柏相視了一眼，沒有說話，兩人躬身退到了門邊，並沒有真的離去。

賴雲煙不以為忤，魏瑾泓的小廝要是真聽她的，那才是怪了。她這才提步剛坐到床邊，魏瑾泓就睜開了眼，眼睛內一片血紅。賴雲煙伸出手，給魏瑾泓理了理胸前被汗染濕了一點的裡衣。

就那麼一下，魏瑾泓的臉就柔和了下來。

「您看看您這樣……」賴雲煙語帶親昵，輕聲地道。

魏瑾泓那血紅的眼睛，這時都好似溫柔了許多。

「就像地獄裡爬出來要吃人的惡鬼呢！」賴雲煙翹起嘴角，看著魏瑾泓驟然冷下去的臉，依舊若無其事地放著冷箭。「如若不是我睡飽了來的，見您這樣，定會嚇得覺都睡不著了。」說至此，魏瑾泓的眼睛就閉上了，但賴雲煙可沒打算放過他，魏家人作起惡來，比惡鬼還凶殘，她能報復的，現下也就這麼小小的一點了。「想來，也只有心愛您的人不嫌棄您這模樣了，我還是讓您的侍妾來伺候您吧！」

說完她就起了身，走到了門邊，對站在門口的管家有氣無力地說：「我昨日趕了夜路回來，怕也是染了風寒，就怕又給大公子傳上，你快快找了丫鬟進去，替我伺候大公子。」

「少夫人，可要緊？」曾安立馬道。

「要緊得很，找個大夫給我瞧瞧吧。」賴雲煙讓杏雨她們扶了她，先回去了。

這八、九月的天氣還有點熱，外屋正好有冰盆在冰著湯點，賴雲煙把手伸進去浸了一會兒，這時大夫也請來了，便讓他把了脈。

大夫探了半會後，道：「小風寒而已，少夫人不必擔心，吃一劑藥就好了。」

「如此就好，我就不必擔心了。」賴雲煙鬆了口氣。

大夫一走，賴雲煙看了一會兒書，藥煎好送來了之後，她就讓丫鬟倒了。

她打算今晚再好好睡一覺，明日再裝病。

第二日，魏母聞訊趕來，見過床上的魏瑾泓之後，她便當著一眾下人的面，在正堂訓斥了趕來與她請安的賴雲煙一頓，訓得賴雲煙滿臉通紅，跪在了她的跟前。

「妳這不尊不孝的東西！」魏崔氏恨極了這個自嫁進來，就讓府中無幾日寧日的媳婦，伸手就掮了垂頭不語的賴雲煙一掌。「若不是你們賴家是清白之家，我真想讓泓兒休了妳！」

賴雲煙被掮一掌，身體搖了搖，便倒在了地上。

正要再訓斥她的魏母見此，以為她還在作假，便提腳踩了她一腳，待她沒有反應，這才皺了眉，傳了人進來。

這時，進來的不僅是下人，還有剛還臥病在床的魏瑾泓。

「娘。」魏瑾泓伸出手，揉了揉發疼的腦袋，對魏母淡淡地道：「您去歇息吧。」

這時，賴雲煙的兩個丫鬟已經扶了她往前走，魏瑾泓看著她們走了幾步後，其中一個丫鬟便跪下去揹了她往前走，他頓時便什麼話也不想說了。「去吧。」魏瑾泓疲憊至極，卻還是只能開口，對著打了賴雲煙的母親又說了一句。

「泓兒，你的身體如何了？怎不在床上躺著？」魏母訝異，見賴雲煙被揹走後，她忙快步過來扶他，嘴裡解釋道：「我只是見她太沒規矩，便才代你訓斥幾句，你不會怪娘吧？她只是昏了過去，找個大夫來瞧瞧便可，應是無大礙。」

魏瑾泓偏頭看著她。「舅母他們到了？」

「說是今早到了。」魏母說到這兒，眉頭都皺了起來。「聽聞你病了，我便未去迎他們了，就差了管家領他們進府，也不知會不會怪罪我？唉……」

魏瑾泓薄唇微抿，嘴邊含著淡笑看了她一眼。

魏母覺得這樣的兒子有些讓她心裡發怵，她搖了搖頭，搖去了這種錯覺，扶了他往前走。

「活到現在才明白，只有當娘的，才是真心疼兒子，這媳婦啊，娶得再好，也是會變的，便是你病了，她也只會自睡她的大覺，哪管你的死活……」

當天，賴雲煙渾身起了紅疙瘩，包括臉和脖子、手背、手心，全都有。

請來了府裡的大夫，大夫也嚇了一跳，完全不知魏家的少夫人怎會得了這般的怪病。

「婆婆打了我一掌後，便如此了。」哪怕知道這府裡的大夫會被人叮囑，這話傳不出去，賴雲煙還是說了這話。

大夫聽了半晌無語，轉身出門後，跟魏母報了病情後，見魏母滿臉不信，他在心裡嘆了口氣，大戶人家的骯髒事，真是成天都有。

大夫報過後，魏母讓人傳賴雲煙去見她。

賴雲煙讓丫鬟扶著她去見了人，魏母見到了本人那完全不復嬌美、只剩恐怖的紅疙瘩的臉後，眼神震驚地滑過她的全身，看她連手上都是，好半會才道：「去請來京中最好的大夫給妳看，莫要著急。」

賴雲煙輕應了一聲。「是。」

「坐吧。」魏母的臉色稍好了一些。

「兒媳想去歇著。」

魏母頓了一下，才道：「那就去歇著吧。你們兩人都病著，這幾日我就留在府中幫你們守幾天。」

「煩勞娘了。」賴雲煙說著時，聲音小得可憐，眼睛也不停地往下閉，一副奄奄一息的模樣。

五日後，魏瑾泓病癒，魏母被京中來的管家請回了府裡。

這時，賴雲煙的病情卻一點兒也沒有好。

賴震嚴帶了蘇明芙來看她，蘇明芙執起賴雲煙滿是紅腫暗瘡的手，握到手中，過了好一會兒才道：「妳兄長為我請的名醫醫術高超，便帶了他過來，讓他給妳瞧瞧，可好？」

賴雲煙笑著點頭。

賴震嚴看著妹妹那張慘不忍睹的臉，胸膛劇烈起伏，他按捺了半晌，才走到妻子身後，扶了她的肩，彎下腰輕聲在她耳邊道：「我出去一下，替我照看一下妹妹。」

「是。」蘇明芙點了下頭，緊了緊手中賴雲煙的手，眼睛帶著悲意地看著她，想來，她過得也是不容易。

「哥哥一會兒來看妳。」賴震嚴伸出手，摸了摸妹妹的臉，笑著與她道。

賴雲煙見他一臉強忍怒火，還強笑的表情，不禁在心裡嘆了口氣，並道了聲抱歉。

賴震嚴出去後，不用仔細聽，就可聽得到他在外屋大聲跟魏瑾泓說話的聲音——

「你就是這般照顧我妹妹的？」

「按你母親的這種性子，定要欺辱她至死才甘心吧？」

魏瑾泓的聲音很淡，淡得就算仔細聽也聽不清楚，這時不知他說了什麼，賴雲煙便又聽到她兄長在那兒怒道——

「不用你說，我也定會上府，向魏先生請教一二！」

那「一二」兩字，他是咬著牙說出來的，賴雲煙聽著那聲音都覺得肉疼，不禁跟蘇明芙嘆道：「哥哥好凶，嫂嫂莫要嫌棄。」

見她這時都要說逗趣的話，蘇明芙剎那甚是無話可說。她看著賴雲煙那張紅腫得像個大包子的臉，緩了緩心情才慢慢地道：「我連妳眼睛在哪兒都找不著了，還是等妳好了，妳再來逗我笑吧。」

賴雲煙聞言，便又笑了起來。「一言為定。」只要魏家的人吃夠了教訓，魏瑾泓別以為她會被他隨意拿捏，她就會好了。

她設計了昏倒這一舉，讓人知道魏母對她動手動腳，如若魏母還想有個好名聲，以後也就不敢隨便對她動手了，這也是斷了以後魏母動不動就想給她找茬的苗頭。

魏瑾泓不收拾他那個娘，下不了那個手，她就幫著收拾便是；不過，她的這收拾，按照的可不是他想要的那種收拾法，崔氏這惡婆婆的名聲，是定要傳出去的。

她可沒那麼好心，替他想得那般周到。

# 第十九章

任金寶離開京城之前，來魏府探望了賴雲煙。

他被人請進了正堂，等來了賴雲煙之後，他上下打量了外甥女一陣，心疼地道：「瘦了。」

賴雲煙笑著前去扶了他坐下，道：「你擔心我擔心得每天多吃了五斤的肉吧？」

「哪有那麼多！」任金寶瞪眼，那小眼睛瞪得甚是賊亮。

「那是多少？」

「兩斤，愁得只能吃下這麼些了。」

賴雲煙笑出聲來。

任金寶也跟著嘿嘿笑了兩聲。這時丫鬟上了茶，退下後，他又仔細地看了看外甥女一眼，見她臉上什麼痕跡也沒有，這才真的安下了心；隨即，他打開了面前的荷包，掏出一疊銀票，道：「也不知妳歡喜何物，給妳銀錢，自己買去。」

賴雲煙接過銀票翻了翻，見是巨資，咬著嘴朝他壞笑。「舅舅不心疼自個兒的銀子嗎？」

「別說了，快快藏起！」生怕自己搶回來的任金寶，眼睛不斷地看著她手中的銀票，很是心疼地道。

「哎！」賴雲煙忙應聲，還真怕他搶，連忙塞到了自己的袖子裡，可不敢挑戰她這個小氣鬼舅舅對銀錢的執著勁。

這銀錢對她的用處太大了，如她舅舅曾對她所說過的那般，有錢能使鬼推磨，何況人乎？

「我這便就要走了。」

賴雲煙嘴角的笑便黯然了下來。

「也不知怎地，只見過妳兩次，每次都只是看幾眼，這次來了，怎麼就感覺跟妳認識了許久的樣子？」任金寶有些奇怪地喃喃自語。

舅父天生的直覺要比常人強，前世她聽說他在塞北遇難，也是多虧自己的直覺才得以最終活著出來；而對於魏瑾泓，上輩子，她這舅舅一見他的面便是躲著，這世也是一樣，所以賴雲煙是真不敢小看他的這種直覺，忙打斷他的搖頭晃腦，笑道：「那是因為除了父親，我與兄長只跟您最親的原因，我不討好您，誰給我銀錢隨便亂花去？」

任金寶一聽，摸了摸肚子，又從袖兜裡掏啊掏，掏出一個錢袋，小心地打開錢袋，拿出一顆金錁子（注），放到她手心之後長吁了一口氣，抬起手抹了把頭上的虛汗，道：「可不能再說好聽話了，我可沒那麼多銀錢給妳了！」

賴雲煙手握著金錁子，笑得氣都差點沒喘過來。

舅父走後，病好的賴雲煙就此忙了起來。

崔家的那位舅母崔童氏的事，尚好解決，京城世家現在能排得上輩的九大家中，賴雲煙與祝、時、曹、蔡四家中同齡的小姐、夫人都玩得甚好，有著她們牽線，她帶了崔童氏見了不少人，這確實於崔家有利。魏母也受了魏景仲的訓責，雖心中暗厭賴雲煙，但也因此事對賴雲煙算是容忍了下來。魏母怎麼想的，賴雲煙也不打算多想了，下次她要是再欺到她頭上來，她自有他法解決。

這時，在京的岑南王向祝家提了親，對象自是祝慧芳。賴雲煙大鬆了一口氣。

另外，育南案查到一半，突發事端，賴震嚴被刺客刺傷了！

賴雲煙匆匆趕了回去，這才得知，兄長昨日已調至刑部，當了都官主事，正好負責育南案。

賴府中，新婚才一月的嫂嫂看著安睡在床上的兄長，無聲地掉淚，哭得賴雲煙的心裡都發疼。

回去後，她等了兩天，才等到魏瑾泓回了通縣。

賴雲煙讓丫鬟請了人，杏雨回來稟，大公子馬上來。

「去沏壺熱茶上來。」

「是。」

茶還沒端上之前，魏瑾泓就來了，身上的翰林院常服還未換。

「大公子，請。」賴雲煙伸手，朝他作了手勢。

「嗯。」魏瑾泓掀袍盤腿坐於了檀木桌前。

賴雲煙隨之坐下。

這時丫鬟端來了茶，等放下後，賴雲煙開口說道：「妳們都下去吧。」

注：金錁子，即小金錠，呈不規則半圓形，中央凸起，可拿在手中把玩，講究的還鑄有吉祥字樣，體現財富價值，但一般不在市場上流通，是富貴人家裡頭長輩給晚輩的禮物。

「是。」

丫鬟們退了下去，賴雲煙伸手給魏瑾泓倒了茶，待倒好，魏瑾泓抬手拿杯喝了一口後，她也輕抿了一口，張口開門見山地問：「刑部是兄長之意，還是您之意？」

「妳未問？」魏瑾泓抬眼看她，目光深沈。

「未問。」

「蘇大人的意思，六部中，震嚴兄至少要去三部走一遭。刑部正好上個都官出事，缺了個空，震嚴兄便上去了。」

「那都官是因育南案出的事？」

魏瑾泓頷了下首。

「您明知，還是讓他去了？」

魏瑾泓勾了勾嘴角。「我能擋震嚴兄的前路？」

她兄長是什麼人，她自是清楚。

「魏大人。」

「嗯。」

「您先前不想我插手是吧？」

「妳想插手了？」魏瑾泓淡淡地看著她。

「就如您有不得不為之的事一樣。」賴雲煙坦然地看著他。他算計了她兄長入刑部，其因也有她兄長的野心，賴雲煙也不想全怪到他身上去，她所能做的，只能是幫一把。

「妳要如何插手？」

「朝廷的事，我一介女流之輩，自是插不上手，但魏大人，此事之間，一個都官都有事，何況您這個被皇上親賜的主事官？」

魏瑾泓摸了摸手臂，暗忖她知情多少。

「我會尋法子，替您去育南把從犯安全押送上京受審，您看如何？」

「妳又要找黃閣老的人辦事？」魏瑾泓問。

黃閣老，只聞其聲，不見其人，是個只拿銀錢辦事的人，下至市井之流的混混之爭，上至暗殺朝廷命官，只要價錢合適，他都接。他上輩子查了此人一輩子，朝廷上下，他查遍了所有姓黃之人，其中暗探無數次，也並沒有得來他想要的消息；便是那幾個皇親國戚，他也全清查了一遍，都沒有查清此人是誰。

「我找誰不重要，重要的是魏大人得到您想得到的，我兄長也能得到他所要的。」賴雲煙覺得魏瑾泓最好還是見好就收，她都自動上鉤了，他卻還想順藤摸瓜摸出黃閣老來？上輩子他查不到，這輩子，他也是別想知曉了。

「如若我不接受？」

「您不想接受？」

魏瑾泓這時直視著賴雲煙，淡淡一笑。「我不想。」看著她臉色大變，他嘴角笑意更深，笑過後，他看著她變得冰冷的臉，扶桌站了起來，與她道：「想想孩子的事。」她想讓他扶持賴震嚴，那他們之間最好有一個擁有兩家血脈的孩子，要不然，他們誰都不會相信誰。

魏瑾泓在她審視的目光下走出了門，走到了自己的屋中，握了握發疼的手臂。

「公子。」燕雁攜信進門來。

「何事？」魏瑾泓鬆下了手，語氣平穩。

「接到從洪峰山送來的信。」

「所說何事？」

「說江鎮遠已沿官道，向京城行進。」

魏瑾泓抬眼慢慢看向他。

燕雁垂下眼，不敢直視。

「拿來。」魏瑾泓突發了聲音。

「是。」

魏瑾泓打開信，逐字看過後，冷下了一直含在嘴角的溫笑。

「公子。」翠柏在門口叫了一聲。

「嗯？」

「扶桑說，她受夫人之囑，給您送補湯來了。」

該來的從不來，不該來的一直來。「無須。」

「她說今日公子再不用，她無顏見夫人，只能跪死在院前。」翠柏硬著頭皮道。

「那便跪著。」魏瑾泓再把信從頭到尾看了一遍。

「公子……」燕雁跪於他身前，遲疑地叫了他一句。

「說。」如果江鎮遠半途不改道，一路沿官路而上，頂多再兩月，就可至京中了。魏瑾泓握著信紙算著，嘴裡漫不經心地道。

「您的傷口，再包一下吧？」看著從衣服裡滲出來的血染暗了他的黑裳，燕雁垂頭拱手道。

魏瑾泓轉眼看了手臂的傷口一眼。「春暉在哪兒？叫他過來。」這人，不能上京；就算他死，這輩子，她也不能再與別人你儂我儂。

「公子……」這時蒼松端了傷藥進來。

魏瑾泓看了一眼傷藥，道：「換布，無須上藥。」

「公子。」蒼松跪了下來。「您就上藥吧！」

「別讓我再說一遍。」魏瑾泓想把信再看一遍，但他還是克制住了這個衝動，吹燃火摺子，把信燒了。信紙很快成了灰燼，魏瑾泓靠在了椅背上，閉上了眼睛。衣裳被剪開，蒼松換布的手很輕。

蒼松自來對他忠心，是個好心腹，他死的那天，魏瑾泓年過四十未多久，卻覺得自己已老朽，自此，他一直老到了現在。汲汲於死，汲汲於生，心中再無歡喜。想來，他最好的時日，竟是與她在一起的那些年。

她曾說過，人心肉長，曾有過的感情，只要存在過，就不會湮滅，必會在心上留下痕跡；她說時，他只隨意點頭，心中暗想著隔日朝會上欲要說的話。過了很多年，再想起她說過的那句話時，這才猛然察覺，過去的那個賴雲煙，已經不在了。

她成為了他的敵人，這就是他們後來的結局，而不是像他們開始時說的那般廝守終生。她的一生性情分明，高興時笑，傷心了就哭，看到她喜愛的人，她目光如水，笑容如蜜，就似擁有一切。

他以為她變了，她其實一直未變，她只是對他變了。

再回賴府，魏瑾泓與賴雲煙一道去了，他什麼都未說，而賴雲煙拒絕不得。她三、五次回娘家，雖說是有事，但有他陪著，這樣就不會有什麼有殺傷力的閒話出來，畢竟她夫君樂意，誰還敢給她戴於禮不合的高帽子？就是現下對她怒氣攻心的魏母都不會。

到了賴府，賴震嚴已好了大半，人也沒睡。不過只三、四天，蘇明芙那看著紅暈了一點的臉這次看來又蒼白了起來；賴雲煙見兄長面上什麼都不說，私下在桌下卻是緊握著她那嫂子的手，瞄到後，她心裡很是安慰。人的一生太孤獨了，能有個貼心的人一起陪伴著，那是幸福又幸運的事，她希望她兄長有這麼一個人陪著，以後便是苦了，也有人能擁抱他。

「你的傷如何了？」與妹妹說道了幾句自己的身體後，賴震嚴轉頭看向了她身邊坐著的魏瑾泓。

「無礙。」魏瑾泓輕搖了下首，微笑道。

賴震嚴又回頭看向妹妹，道：「他也不易，妳要貼心他些。」

「是。」賴雲煙淺淺笑著回答。

「她是個好的，雖說男子不管內宅之事，但她還年幼，莫讓她受太大的委屈了。」賴震嚴又叮囑了他這位妹夫一句。雖說魏瑾泓替他擋了重要的一刀，但救命之情歸救命之情，妹妹的事歸妹妹的事。

「兄長放心。」魏瑾泓拱手道。

回去後，賴雲煙跟在魏瑾泓的身後進了院子，隨著他進了他屋子的門。

魏瑾泓無聲地看了她一眼，揮手讓蒼松他們退下。

賴雲煙的丫鬟則早就識趣地停在了大門口，連院子的門都未進，知道她們大小姐有話要跟大公子說。

門被關上，他未動，只目光溫和地看著她。賴雲煙看著他這張年輕至極的臉，都想不起前世的如今，他們之間在一起的事了，這樣的兩個人，怎能生孩子？魏瑾泓覺得可以，她卻是不行的。

她對過往釋懷，前提是她已逃離了這個人的身邊，所以才有理智儘量公平地看待他們之間的事情，一旦回到當事人的立場，就覺得很多事無法忍受了；例如為這個曾經為了生孩子，什麼殘忍的事情都對她幹過的男人生孩子。

「除了生孩子，再提別的事吧。」賴雲煙溫和地與魏瑾泓說道。

魏瑾泓沈默地看她一眼，在椅子上坐了下來。

賴雲煙為表誠意，站在原地不動。

「娘的事……」魏瑾泓頓住了。

「您想要我如何辦？」賴雲煙心平氣和地說。如若是名聲問題，只要魏母不嫌棄，她也可多作幾場戲，讓人看到她們婆媳和睦。

「崔家舅父在益江欠了二十萬兩的賭債。」

「您想要我給她二十萬兩？」賴雲煙不知崔平林的這事，前生魏母老跟她要金銀珠寶，為的就是這事嗎？

魏瑾泓沒再去看她，他看著桌面半晌，又道：「她的嫁妝已揮霍一空，要是被爹知曉了舅父之事，定會與他斷絕關係，所以她只能往妳身上想主意。」

前世，她順了，母親卻收不住手了；這世，她未順，母親則視她為眼中釘、肉中刺。

「是嗎？」賴雲煙輕描淡寫地回了一句。她可不是魏家的貼心小棉襖，魏母為了錢財折騰她，她還得理解魏母不成？

她話音之間的冷淡，誰都聽得出來。

前世母親死前痛苦不堪的臉，魏瑾泓至今都還記得，她對他的悔恨與歉意，他都說了無礙。

無礙啊，魏瑾泓在心裡輕笑了一聲，終是抬起了臉，對她道：「舅父的事，我會解決，等事了斷後，我帶妳回幾趟魏府，可行？」

「您想讓我與她處好？」

「嗯。」

「魏大人。」賴雲煙搖搖頭，無奈地看著他。「是，她與我之間的糾葛是因錢而起，但您不會以為，單單只是錢的問題吧？」一時的錢財不是最大的事，她的貪慾才是。

「她會收手。」

「魏大人既然這麼說，我遵辦就是。」賴雲煙沒多想就順從，心中啞然失笑。

魏大人怕是站在高處站得太久了，把他身邊的這幾個人也都高看了。他確實有那本事讓人收手，但最好是有本事讓他們收一輩子的手；若是沒有，就別怪她到時又要看笑話了。

「除了這事，還有何事？」賴雲煙頗為愉快地看著他。

「沒了。」魏瑾泓朝她頷首。

賴雲煙聞言朝他一福，就退了下去。

魏瑾泓看著她的背影，直至消失。至今，他不用多說，她就能知道他不想跟她再說話，能很快就消失在他面前；她曾質問他，她學會去看人的臉色，為的都是他，可她最終得到的是什麼？

他當時以為再如何，他們也還是會一輩子都在一起，當時真是沒有想到，不想在一起的人，是她。

# 第二十章

賴雲煙這日黃昏從外面回來，曾安在門口迎了她。

「管家怎地候在門口？」賴雲煙微訝。

「稟少夫人，七叔公家的三公子來了。」曾安彎腰道。

「七叔公？」賴雲煙心中猛地一驚，臉上卻假裝不解。

「就是住隱靈山的七老太爺，三公子是他的孫子，在七老太爺家排名第三。」

魏瑾泓好手段！不到半年，魏瑾榮都給他請來了！賴雲煙上世吃夠了魏瑾榮給她的苦頭，光聽曾安提起這人，她的牙就癢癢的。

「大公子呢？也回來了？」賴雲煙牙齒發癢，但面上還是微笑著問道。

「奴才不知，奴才猜，大公子應還在都堂處理公務。」

「喔？」賴雲煙這還真有些詫異了，魏瑾榮來了，魏瑾泓居然沒回來？這兩人，前世這叫一個肝膽相照，那叫一個惺惺相惜，魏瑾榮此番下山，他卻不在府中？弄什麼名堂？

「是，奴才把三公子安排在了水榭樓裡，不知……」曾安猶豫地道。

「如此甚好。」未來魏瑾泓的師爺，是貴客，是該安排在貴客樓裡。「那快快去請大公子回來吧。」賴雲煙邊走邊說。

曾安跟上，回道：「已去請了。」

「什麼時辰去的人？」

「未時。」

「三公子什麼時辰來的？」

「未時。」

賴雲煙不禁笑了，如果不是作戲的話，那麼魏瑾榮這次是不告而訪了？

「廚房已備晚膳了嗎？」

「奴才已經吩咐下去了，這是菜譜，請少夫人過目。」曾安說時，已從袖中拿出了菜冊。

賴雲煙打開看著，見沒什麼不妥的，便點了頭，把冊子還給了曾安。「你辦得甚好。」

「多謝少夫人誇獎。」

賴雲煙笑而不語，往後院走去。

她走得甚快，曾安跟了幾步，欲請她先去招待一下三公子的話最終沒有出口，少夫人沒有那個意思，便罷了，她畢竟是內婦，大公子不在府，她不去見也是好的。

賴雲煙剛回房換好便衣，杏雨就匆匆進了門，朝她一福，道：「大公子回來了。」

「可看見往哪兒走了？」

「見客去了。」

賴雲煙「嗯」了一聲，沒有意外。

「小姐。」

梨花這時端來溫水，賴雲煙端起喝了半杯後，放回杯子，對她們說：「客人在的話，妳們和春花、夏荷、秋虹、冬雨她們，這些日子少往客人面前走。」魏瑾榮的才智不遜魏瑾泓多少，賴雲煙也是有些怕他的，這人太會觀察人，太會抓別人的弱點迷惑人心，心智不成熟或意志不堅定的人，太容易受他的蠱惑，賴雲煙可不想自己的貼身丫鬟在一開始就遇上這個人，被他看個通透。

要說魏瑾榮這人萬般的聰明，就是有點不好，他也有魏家人的通病，骨子裡透著清高，比魏瑾泓都放不下架子，就是在本是不凡的世家子弟中，他也常有鶴立雞群之態。按賴雲煙的話說，那就是一隻極度自戀的公孔雀，除了他和他看得上的人，這世上其他的都是俗人，都是爛人，都是貧賤之人；不幸地，賴雲煙就是被這樣一個貴公子歸到了爛人中。

如果說魏景仲是被她在背後推了一手弄死的，那魏瑾榮就是被賴雲煙氣得不到四十就不問世事的。他越忌諱什麼，賴雲煙就越愛拿什麼對付他。賴雲煙曾經汗顏地想，魏瑾榮大概是被她的手段噁心得歸隱山林的，因為她曾不斷地派人往這最重潔的公子身上潑糞、倒油漆，還不忘往他的膳食裡放老鼠屎。

不過，她也被魏瑾榮整得很慘，被休的頭兩年，魏大人不斷給她寫信這事，便是這人想的主意。那時她拚了命想擺脫魏府的陰影，魏瑾泓來一封信，無異是在她的傷口撒鹽一次；而她剛燒一封，不到兩天，京中便又再來一封，把她弄得心裡是又恨又痛，差點喪失那點單薄的理智，如若不是有人攔著，她早被折磨得拿刀上門去做了斷了。

魏瑾榮這個人，比魏瑾泓更知道怎麼逼瘋她，怎麼整治她，要是這雙賤人這麼快就聯手，賴雲煙覺得她原本不妙的前途更是堪憂了。並且，如若魏瑾榮這時來到了魏瑾泓的身邊，那麼他出現的時間整整提前了五年，前世的事到現下，改變的事情越來越多了。

「少夫人。」這時守著門口的春花前來報。「大公子身邊的蒼松過來說，大公子請少夫人去前堂。」

「還說了什麼？」賴雲煙聞言摸了摸頭上，突然轉頭對杏雨道：「快去給我摘朵茉莉花來，要一朵最香的。」

「是。」杏雨忙退下。

「說七老太爺家的三公子來了。」春花答道。

「讓人去告訴大公子，我這就來。」

「是。」

不多時，杏雨摘來了茉莉花，賴雲煙放到鼻子邊聞了聞，聞到了濃足的花香味時，便笑出了聲。實在是太好了，三公子可是對花粉過敏，這一朵，足夠他打個夠的噴嚏了！

還沒進門，賴雲煙就歡快地叫道：「夫君，聽說七叔公家的三弟弟來了？」一進去，便對上了魏瑾泓看向她的眼，隨即，他的眼睛看向了她的頭，那平時溫和淡定的眼睛微往內急縮了一下，只淺微的一下，賴雲煙正好看見，更是樂不可支，對著他就是一禮。「妾來晚了，夫君可莫要怪我。」說罷，朝側位上的公子哥兒疾走幾步，離他有三臂之遙時稍福一禮，歡天喜地地喊道：「這可就是三公子了？」

斷在抽搐。

魏瑾榮撇過臉，朝前不斷拱手，卻是一句話都說不出來，那側著的俊臉上，他的鼻翼這時不斷在抽搐。

「三公子？」見他不答，賴雲煙更往他靠近，嘴裡關心地叫道：「你怎麼了？」

她離他離得太近了。魏瑾泓猛地起身，大步走來，緊緊抓住了賴雲煙的手，拖著她往前走。

「夫君……」賴雲煙「啊」了一聲，極度驚慌地叫道，手不斷地掙扎，欲要掙脫他那似火正在燒的手。

「坐下。」魏瑾泓拖著她到了自己座位旁邊，雙眉緊皺，那雙便是深沈也還是清亮的眼睛這時已然全是陰霾。

他話音剛落，那邊自賴雲煙出現就未露出正面的魏瑾榮便打起了噴嚏，一聲響過一聲，沒幾下，他就拿袖擋著鼻子，一路大步地跑出了大門。

他疾跑而去，那背影匆匆，哪還有一點閒雲野鶴的超然之姿？

賴雲煙瞪大了眼睛，直到他的背影看不見了，才滿足地嘆了口氣，回過頭，朝僵站在那兒看著她的魏大人真心地說道：「好多年沒見過榮公子如此超然之姿了，妾甚是歡喜。」當年魏瑾榮歸隱後，她少了個難纏的對手，但從此不能再聞榮公子不是跳腳便是跳河的消息，賴雲煙就少了太多吹竹弄笙的理由，日子著實缺了不少快樂。今日一見，賴雲煙覺得頭疼之餘，也覺得那些快樂又回歸了。

聞言，魏瑾泓閉了閉眼，撫額坐下。

賴雲煙忍了又忍，才忍住了想笑的衝動，又忍不住有些得意地扶了扶頭上的茉莉花。按她說，茉莉花香味好聞得很，現在正是茉莉花盛開的月分，她覺得她應該叫她的丫鬟們頭上必戴一朵，正好應應景。

「瑾榮來邀我九月去楓山一遊。」魏瑾泓閉著眼睛揉著額頭開了口。「十月他就要去天下遊歷了。」

「遊歷？」賴雲煙放下了碰茉莉花的手，微側了臉，看向了他這邊。

「嗯。」

「魏大人不是說笑？」賴雲煙看著他問道。

魏瑾泓睜眼，撇頭對上了她的眼睛。「不是。」不過，他說不是，她會信？

「喔。」

見她又拿帕攔嘴，惺惺作態，魏瑾泓便冷了眼。

「天下多能人隱士，三公子乃高潔聰穎之人，想必能結交不少知己吧？」她笑著朝他說道，眼睛彎彎，似是說得再真心不過。

魏瑾泓看著她頭上的那朵茉莉花，如若她不是頭戴此花，她剛剛看著瑾榮的那派模樣，就像是看著許久未見的情郎般，有說不出的懷念與滿足。她的心，到底是怎麼長的？也許真是分開得太久了，他已看不明白她的心了；她喜愛的、不喜愛的，他已然分不明了。

當晚的晚膳，賴雲煙未與他們一道。按她對魏瑾榮的瞭解，此人肯定會想足法子不在府中待下去的。賴雲煙一想就樂得很，叫來自己的丫鬟們，叫她們都頭戴茉莉，連使喚的小廝也用荷包裝了花，掛於腰帶上。魏瑾榮的鼻子靈得很，此法夠他繞著她的人走了。

這廂賴雲煙樂不可支，那廂在魏府住了一天，聞夠了茉莉花味的魏瑾榮拿著帕子擦著發紅的鼻子，與魏瑾泓道：「兄長，我還有事，明日要去京中。」

「嗯，那便去京城府中歇吧。」

「好。」魏瑾榮又打了個噴嚏，忍不住與魏瑾泓道：「兄長，大嫂是不是不喜我？」

魏瑾榮待不到兩天就走了，賴雲煙真是又感嘆、又傷懷，這麼個貴公子就又這麼走了，她都沒來得及有時間好好瞭解一下年輕時候的榮公子是什麼模樣呢！又想來，魏瑾泓也不會不用他，日後還能見得著他，這傷懷立馬就不見了。管他年輕時候是什麼模樣，這麼個對頭，雖說與其鬥其樂無窮，但她現在這狀況，目前少個強勁的對手，可比那點逗弄他的小樂趣要實在多了去了。

九月，魏瑾泓應魏瑾榮之邀去了楓山，十月回程時，突遇刺客，身受重傷。這次他遇刺的消息沒有透露出去，知情的人只有魏瑾泓身邊的幾個小廝，便是伺候的丫鬟，也是從賴雲煙這邊叫的人。賴雲煙前去探望過他兩次，見他一次比一次好，死不了，心中有所遺憾，後來也就不去了。

到十一月，魏瑾泓的身體好了，派去伺候的春花她們也回了她的院子，天氣變得寒冷了起來。就在天寒地凍之際，賴府那邊傳來了喜訊，蘇明芙懷孕了！賴雲煙聞訊那日，當天就賞了全府上下的奴僕各十貫銅錢。

第二天，她就回了賴府。

馬車裡，賴雲煙拿手攔著緊鎖著的眉頭，不想讓杏雨她們看清她臉上的神情。

一進賴府，賴家族裡的不少女眷都還在府內，賴雲煙笑著與她們全都見過禮，打過招呼，彼此寒暄了幾句，這才回了蘇明芙靜養的臥屋。

「我的小姪可好？」待婆子、丫鬟們都退下後，賴雲煙摸了摸她的肚子，笑道。

蘇明芙看她笑了一笑，隨即垂下了眼，靜了一會兒，她眼角無聲地掉出了兩串淚，嘴唇微啟，竟是哽咽地道：「這是妳兄長與我的第一個孩子。」

蘇明芙的身體如何，賴雲煙是知道的，她身體餘毒雖排盡，但卻還是萬般孱弱，尤其她年齡還尚小，這身體、這年紀，生孩子，無異是在鬼門關門前走。

「大夫是怎地說的？」賴雲煙勉強笑道。

蘇明芙撇過頭，垂淚不語。

賴雲煙剛還在賴家的眾女眷面前含蓄地擔憂著蘇明芙的身體，表明這個孩子怕是不能好好地生下來，可在這小嫂子面前，就是透著一點隱含其意的話，她也是不忍說出來。

兄長昨晚交與她信函，是讓她來寬慰她這嫂子的，可這時候，賴雲煙一句寬慰的話也說不出口，她不能對這個對她兄長萬般用心的小嫂子說，這孩子生不下不要緊。

「嫂嫂……」賴雲煙的心生疼得厲害，她知道不能生孩子和失去孩子，對女人的痛苦。

「妳別勸我……」蘇明芙已經泣不成聲。

「兄長擔心妳。」賴雲煙的眼睛已經泛紅。

「這是我們的孩子，我要生。」蘇明芙執拗地道。

說完，她回過了頭，賴雲煙看到她滿臉都是淚，眼睛與臉孔因過度悲傷而一片泛紅。

「煙煙。」蘇明芙突然伸出手，抓住了賴雲煙的手，一字一句地說：「孩子我要生。」

她說得太堅決，賴雲煙一時之間竟無法應對。好半晌，她扶著床沿，從椅子上站了起來，深吸了口氣，道：「妳讓我想想、妳讓我想想……」她轉過頭，在屋子裡走了兩圈，才讓發熱的腦袋清醒了下來。「管家權妳打算交出去？」

「不交。」蘇明芙聞言，拿帕擦乾了臉上的淚，虛弱蒼白的臉上泛起了冷笑。「這家日後是妳大哥的，是我們的孩子的，誰也搶不走。」賴家在九大家位列首位的富貴，但這有一半是逝去的婆婆帶來的，夫君不願被他人奪走，那她也不願，一萬個不願。

「孩子妳要生？」賴雲煙再問。

「要生！」蘇明芙斬釘截鐵。

「妳有什麼人是信得過、用得上的？」賴雲煙坐回了原位，想了一會兒，才問出了這句話。她這個小嫂嫂身邊，需要有個厲害的人，她有人，也可以安排，但再親的親人之間，也是有一些小別的，為免日後有什麼小想法，只要蘇明芙有人，賴雲煙就打算用她的人。

「有。」這種時候，蘇明芙已無多餘心情跟小姑客套。

「誰？」

「我的女夫子。」

「董吳氏？」

「是。」

「妳真信得過？」

「是。」

賴雲煙確定完後，伸出手摸了摸她的額頭，沒覺得燙才鬆下手，對她淡淡地道：「妳這幾日要靜養，要聽大夫的話，忌大悲大喜，還要按時服藥。」

「好。」蘇明芙聽著想流淚，但還是強忍了下來。

「哥哥那邊，我會去說。」

「煙煙……」蘇明芙還是忍不住掉了淚。

「嫂嫂，我只能盡力而為，旁的，我也保證不了。」賴雲煙別過臉，拿帕拭了眼邊的水意，才回過頭與蘇明芙說：「我答應妳，為妳和我的小姪拚一場，但妳也要答應我，日後、日後……」萬般的忍耐，賴雲煙這時再也忍不住地掉下了淚，手緊握著蘇明芙的手道：「日後要是孩子保不住了，妳得留下來陪著兄長；妳要是沒了，日後兄長在這府裡就要孤苦伶仃了，妳可知？」

賴家族人依靠賴遊者甚多，那宋姨娘又是萬般的會做人，暗中不知拿了府中多少的銀錢接濟賴家族人，討了不知多少的好，這些事，她都做得極其私隱，如若不是她曾活過那麼一遭，哪查得到她的蛛絲馬跡？便是這幾月間，盡知這些事的她費盡手腳找了人想把個中細節查出來一些，但露出口風的人竟無一二。現在查無對證，嫂子又懷了孕，不把掌家之權交出去，恐怕宋氏那邊也不會善罷甘休，這境況，有些險啊！

蘇明芙嫁入賴府兩月，已盡知自己夫君在府中的艱難之處，聞言，她強忍著聲音，無聲地痛哭了起來。

賴雲煙恨自己口無遮攔，這時卻也止不住心中的酸楚，一時之間，偌大的主屋裡，只剩姑嫂倆壓抑的哭泣聲……

賴雲煙在酉時趕回了魏府，一路笑著頷首回應著下人的問安，等回了院子，這笑臉才摘了下來。剛歇下不久，冬雨來報，說大公子來了，賴雲煙略一皺眉，不過一瞬之間就揚起了笑臉，道：「快快請大公子進來。」

丫鬟退下，沒多久魏瑾泓那不緊不慢的步調就在她外堂屋的大門邊響起。

「見過大公子，給大公子請安。」杏雨她們齊齊向他請安。

「見過大少夫人。」蒼松領著其餘三個小廝向賴雲煙彎腰道。

見他們手中都有東西，賴雲煙朝魏瑾泓略一福身後，訝異地問道：「這是什麼？」

「幾支參。」魏瑾泓掀袍在主位坐下，溫和地說道。

他話剛落音，小廝們便把禮盒都擱在了桌上。

賴雲煙也隨即坐下，拿起手邊的一盒打開，見是支上百年的老參，嘴邊的笑容微凝了凝，她隨即想了想，那些拒絕的話就沒說出口了。他們兄妹，論起錢財是差不離他這魏家的大公子多少的，便是這手上的好物，也不會比他手上的遜色。有舅家在，他們要什麼好東西得不了？可這總歸是魏瑾泓的一片心意，就算是為著那不知是男還是女的小姪積福，她也不想在這當口嘴駁他的這片好意。

「多謝大公子。」賴雲煙起了身，又朝他一福，代兄長謝了他這番美意。

「上茶。」賴雲煙回頭朝站在身邊的杏雨說道。

「是。」

魏瑾泓這時看她一眼，看到賴雲煙朝他一笑，他也無意識地隨著她的笑容微翹了翹嘴角，嘴裡淡道：「這是我送給震嚴兄的一點心意，明日妳代我前去送上府。說來，妳嫂子初有孕，妳們姑嫂素來和睦，妳便在娘家多住幾日吧。」

「是。」賴雲煙看著他嘴角的笑，她嘴角的笑微淡了淡。她無法推拒他的這點好意，只能受情，來日，他要討回，便討回吧；人只有走到這一步時，才知這世上有些事，人便是拚命逃，也注定無法逃脫。

賴雲煙去了賴府，她在賴府的那幾天，宋姨娘老來找她，但都被蘇明芙擋在了外面。

蘇明芙與賴雲煙道：「父親那裡便是怎麼討好，都是我們這些小輩的不是，既然這樣，那就不給他這個臉了，讓姨娘像個姨娘樣，想來，他也不會有什麼話說。」

蘇旦遠這時已調至洪北三州府當巡撫，賴遊不看僧面也得看佛面，自也不大敢得罪他這兒媳婦背後的娘家，更何況她肚子裡還有著賴府的嫡孫，他便確也沒找過蘇明芙的麻煩，但賴雲煙就沒這個好運氣了。

賴遊在這天回府後，叫賴雲煙去了前院的堂屋，當著下人的面就斥她道：「妳天天往娘家跑，成何體統！」

賴雲煙前世對這個偏心偏了一輩子的父親便已是無話可說，回來再重溫一遍，心下也還是有些無可奈何的。她身上有賴遊的血脈，從小就想與他親近，奈何這個人是真的一點兒也不喜歡她與她的兄長，所以才弄到他死了，兄長便把他葬在了孤伶伶的主墳，讓他身邊五里之地，連一座族人的墳墓也沒有的地步，讓他永世孤煞。按相士的話說，就是他後面的生生世世，將再無子女。

說來兄長的狠毒，一半都是被他逼的。兄長何嘗不想得到他的喜愛？何嘗不想與他親近，被他信任、被他重任？可他還是一次一次地讓兄長失望了；為了個女人，他不要髮妻就罷，女兒不要也算了，可竟連唯一的嫡子他也不要，這叫她的兄長如何不為這樣的父親寒心。

「孩兒只是擔心嫂嫂。」賴雲煙低頭恭敬地答道。

「這麼一大府的人，臨得到妳一個外嫁的女兒擔心？妳已是魏家婦，沒事就往娘家跑，是想把賴府的臉面都丟光是吧！」賴遊想及夜間那婦人背著他哭的低泣聲，心間更是怒火翻滾。他這時想也不想，大拍了一下桌子，怒道：「給我滾回去！告訴妳，回去給我好好地恭順長輩、伺候夫君，如若不然，就莫怪為父要代妳母親教訓妳了！」

饒是有上世作底，聽到這番話，賴雲煙心中也甚是苦笑不已，這男人的絕情與多情，還真是因人而異啊！父親如是，魏瑾泓也如是；所幸，她還有兄長。

賴雲煙又再次連夜回了通縣，與上次被魏母叫回不同，她這次是被趕回去的。

她走時，府中的探子交來了紙條，說大公子去老爺房中了。

明知兄長會為她與父親對上，可能還會因此引發事端，但賴雲煙這時也回去不得，她只能坐在馬車上，一路面無表情地坐回了通縣，好久不覺痛苦的心口這時疼痛得連輕輕呼吸一下都帶著劇痛。

回到府中已是深夜，行至院落時，院子的燈火還甚是明亮，走至內院時，魏瑾泓從他那邊的屋側走了出來。

「魏大人。」深夜裡，賴雲煙的聲音靜得可怕，臉上笑容全無。

「能隨我來？」魏瑾泓朝她頷首道。

「有事？」

「嗯。」

賴雲煙看了看他那邊明亮的半個院子，再看了看自己黑漆漆的半個院子，終還是沒有認輸，與他道：「有事，便在這兒談吧。」她此時再軟弱，也不可能與魏瑾泓這匹狼共舞。

「震嚴兄身邊的僕人剛走。」

「嗯。」兄長擔心她，心想這人定是能安慰自己的吧，可惜他的一片好意了。

「讓我告訴妳，他無事。」

賴雲煙笑了笑。

「去睡吧。」魏瑾泓看她一眼，終還是轉了身，有些話，還是等過了這夜再說吧。

「魏大人……」她叫住了他。

魏瑾泓轉頭看她。「有事？」她滿身的疲憊，哪怕裝得刻意平靜也掩飾不了。「睡吧。」

「睡不著。魏大人可有時間與我飲幾杯茶？」

魏瑾泓失笑，朝她搖了搖頭，就提腳回了他的臥處。她什麼時候都不相信他，哪怕一點的好意，她都要拒絕，就好像這樣，他們之間總有一天能橋歸橋、路歸路那麼簡單；哪怕她心裡也都明白，事情不會如此，他孤掌難鳴，需要幫手，他已放她走過一次，不會再有第二次了。

# 第二十一章

賴雲煙第二日下午起的身，她起來用完膳，魏瑾泓就派人叫了她過去。

她進了他的外屋，發現他身上穿的還是朝服，略挑了挑眉。

「大人剛回來。」蒼松在她身後小聲地報。

「夫君辛苦了。」賴雲煙朝他一福身。

「你們都退下。」魏瑾泓朝蒼松他們開了口，隨後朝賴雲煙點頭道：「坐吧。」

「多謝。」

他平靜，賴雲煙也很是客氣。撇開那些針鋒相對，他們其實也可以平靜相處。兩方態勢現下平衡了一些，她也不再困於魏家寸步難行，因此也就不再故意惡言惡語了；再說，這幾月過去，該探知的、該熟悉的，她都知道得差不多了，再天天端著，那也是真成刺蝟了。

「下月由岑南王開堂主審育南案。」

「恭喜魏大人。」主犯兵部侍郎是岑南王的遠房表兄，由他來主審再好不過了，這是魏瑾泓最不會得罪人的方法了。

「皇上跟我要聞侍郎貪下的那五十萬兩銀。」魏瑾泓說到這兒，推了推茶盞，道：「未央宮修建，正缺這個數。」

「那五十萬兩銀，現下找不到了吧？」賴雲煙淡淡地說。「聞侍郎大人喜奇珍異獸，想來就算離犯案只有兩、三年，大半的銀錢也都花在了此處吧？」

魏瑾泓頷了下首。

「至於他身邊的人分走的那些，上自打點尚書，下至打發地方官的，這些您也是追討不回了。」賴雲煙笑了笑，看向年輕的魏大人。「您還缺多少？」

「四十。」

「四十萬兩不是小數目，賣了妾身，妾都不值這個價。」賴雲煙伸手揉了揉額頭，緩了一會兒才勉強笑道：「但我會想辦法。」

士族表面光鮮的日子頗費銀子，魏家說來富貴，但要一時之間挪出四十萬兩，怕是掏空了庫房都不夠這個數。賴雲煙也知魏瑾泓留下她，為的就是這般時刻，先前她還能跟他兜兜圈子、還還價，或者乾脆裝傻，充耳不聞，但看在他為她兄長擋刀，以後還有可能幫她對付宋姨娘的分上，她只能答應。

「我舅舅得脫好幾層皮了，想來這幾年裡，他定是一眼都不想瞧上我的。」賴雲煙開玩笑地說道。

見她這時都不忘調侃自己，魏瑾泓也微笑了一下。

「需要幾天？」這天下的人啊，包括皇帝，都在打銀錢的主意。難怪舅舅一輩子都把他摯愛的銀子看得那般重，實則是一不小心就要被別人算計，刮他的油。看吧，她現在就要狠狠刮他一層了。

「三天。」

賴雲煙頓時無語，朝魏瑾泓瞪去。

「就三天。」魏瑾泓笑了。

「我還不如去一頭撞死算了！」賴雲煙乾脆把帕子粗魯地塞進袖子裡，咬著牙恨恨地道。

她就知道逃不脫！她就知道不便宜！這魏家的人就是一群黑心的吸血鬼，她是倒了大楣了，才剛擺脫一個老娘，就又被她這個兒子給纏上！錢錢錢，都是錢的事！事情說破了就真令人絕望，她上輩子倒楣是因為嫁妝太多被人惦記住了；這輩子倒楣，也是因為這魏大人知道她有多會弄錢，被他惦記住了，死都不撒手，她扮惡婦，只差沒扮潑婦、瘋婦了，也沒能擺脫掉他。

魏瑾泓見她咬牙切齒，臉極其生動，沒有了昨晚見她的滄桑疲憊，也不見前些日子那般的虛假，那嘴便微微翹了起來。

「笑什麼？」賴雲煙看著她的老對頭，又從袖中拿出帕來遮嘴，站起身道：「我先去想想法子。」再與這人共處一室，她怕她會毫不猶豫地翻白眼，她就知道不便宜，就知道！

賴雲煙已把任金寶給她的一半銀錢送給兄嫂應急去了，她手上刨去花的，只有不到十萬兩的銀子；可這幾萬兩銀子，她用處大著呢，沒這銀錢，誰也不會為她做事，但這種時候，總不能跑去再跟兄嫂要回來吧？

「總有一天，我真會被魏家的人逼死……」賴雲煙提筆寫信，嘴間喃喃自語。

冬雨在門外，以為是在叫她，忙叫道：「小姐，您叫我？」

「不是，退、退、退，再給我退遠一點兒，自個兒搬著凳子嗑瓜子去，別來煩我！」對著心腹丫鬟，賴雲煙少了耐性，很是不耐煩地道。
冬雨無奈，就又退到了外屋的門邊，跟守在門口做著針線的杏雨無可奈何地道：「小姐又趕我了。」
「聽見了。喏，矮櫃下有瓜子，去拿吧。」
「哎！」冬雨笑了，輕脆地應了聲，小跑著至床榻上的矮櫃下拿瓜子去了。
杏雨失笑地搖搖頭，嘴裡也輕嘆了口氣。小姐最近不好受，也就只能對著她們這些貼心的丫鬟說幾句急躁話了，在外，她對誰都得笑。
那廂，賴雲煙把討銀錢的信按她的討債風格一筆寫就，信上的大概意思就是——
舅父大人，見信安好，雲煙甚是想念你，想來，你接到這封信後也會日夜惦記我的，如此，外甥女的這心便也安下了。日後我們之間的惦記是一樣的，這天底下，大概沒有比我們更惦記對方的舅甥了，母親在地底下知曉了我們之間的情誼，怕也是會安慰得緊。
而隨信奉上的，就是她打的四十萬兩銀的欠條。
賴雲煙打賭，她舅父收到這封信後，肯定三日之內無食肉之心，少吃那麼多肉，人都要瘦好幾斤了，舅母大人雙手捧著他的大肥臉，小心肝都不知要多喊多少句。
寫完信，賴雲煙攜著上次舅舅給她當信物的金錁子，還有準備好的兩箱珠寶，就起程去了京中。點心鋪、首飾鋪這種地方逛了好幾處，探看得差不多了，又判斷再三，才找了其中一間店面的掌櫃，在內屋說了半晌的話，還押了自己差不多同等價值的兩箱珠寶在那兒，才從跟舅父大人守財奴性子差不多的掌櫃手裡討到了四十萬兩銀子；其中，跟死都不借錢的大掌櫃鬥智鬥勇了近一時辰，最終以撒潑才取得了決定性的勝利。

賴雲煙走後，掌櫃的對著自己的兒子就說：「表小姐簡直就是個瘟神，誰家有銀子她都知曉！回頭我們怎麼跟大老爺說？」

掌櫃的兒子，也就是二掌櫃，沒有猶豫地回答父親道：「父親不必擔心，依咱們大老爺的聰明才智，是定會從賴家討回來的，您且安心就是。」

掌櫃聽了稍稍舒服了點，但跟隨任金寶多年的秉性難改，還是道：「要是有賴家的人來買咱珍寶閣的珠寶，一律再多半兩銀！」

二掌櫃笑著拱手。「孩兒知曉了。」

「唉……」掌櫃的還是嘆了口氣，又看了看桌子上的兩箱珠寶，道：「你隨我去密庫放好吧，這是老太爺親手挑的東西，少一件，大老爺都得少吃兩年肉。」

賴雲煙當天便弄回了銀子，直至最後一天才把銀錢給了魏瑾泓。

魏瑾泓接過銀子後，嘴角一直都是翹的，溫文少年的臉在這一天分外俊逸。

賴雲煙心疼地看著他手中的銀票，想著這事皇帝高興、魏大人高興，最難受的就是她與她可憐的舅父了。

「魏大人啊……」賴雲煙揪著手中的帕子，趁著這時機，小心翼翼地與魏瑾泓道：「那宮裡的保胎丸，您能與我拿出一些來嗎？」士族不比王公貴族，賴家銀錢再多，也是用不了宮裡的聖品的；魏瑾泓跟那些王公貴族交情好，便是洪平帝這個皇帝，想來也被他用她借來的銀錢哄得好好的，賴雲煙只得拉下臉，與他討要。

「張聖手明日從宮門出來，會與妳兄長去府上飲幾盞閒茶。」魏瑾泓微笑著抬眼，深望著她道。

他目光深邃，他如此看人之時，很容易被人誤解裡面藏有太多深情，賴雲煙見他此舉，不禁哭笑不得地說：「您這是做甚？」他得了這麼大的便宜還賣乖，看她好臉色就打蛇上棍，魏大人的奸狡那是又上了一個臺階了！

見她好笑不已，魏瑾泓帶笑的眼睛便也慢慢沈了下來。見著她少女般嬌豔如花、生動活潑的樣子，他總是會不由自主地覺得，他們還在他們最好的那段時日裡。

那時的她，只要他多看她一眼，她就會乖乖上前，任他親吻。

十一月初，岑南王與祝慧芳的婚期到了。

賴雲煙估計他們婚後，離育南案結案也就不遠了，到時案子一結，春節一到，鞭炮聲就能把去年的血腥洗清。從古到今，最上層結構的人可是最會打算盤的人，而疲於奔命的百姓則成為了最擅於遺忘的那一拔人。

賴雲煙與祝慧芳的交情是眾所周知的事，所以在她出嫁前兩日就到了祝家。

本來夜間兩人都想共睡一榻，但賴雲煙是已婚之身，平日還好，在這出嫁之時，已是媳婦的人卻不能與即將嫁出的閨女睡一床，這讓賴雲煙懊惱不已，對祝慧芳抱怨說：「早知這樣，等妳嫁了我再嫁，如此還能睡一床！」

祝慧芳笑而不語。

賴雲煙看著她不用妝點就緋紅明豔的臉，心中有不捨，鼻子有點發酸，但臉上卻全是笑。她確實高興好友今生仍舊嫁給了那個讓她幸福了一生的人，岑南王是對她一往情深了一輩子的那個人，她慶幸著這一對的姻緣沒有改變。

「妳以後會過得很好。」賴雲煙看著她的臉，忍不住說道。

祝慧芳便笑了起來，拉著她坐到了自己身邊。「別老站著跟我說話。」

賴雲煙「嗯」了一聲，坐下後，就靠著她的肩膀。

「妳怎麼還跟以前那樣愛撒嬌？」祝慧芳頗為無奈，抬起手輕撥了撥她的頭髮。

「唉，天生的。」賴雲煙嘆氣道。

祝慧芳搖頭失笑。

這一次，賴雲煙直等到祝慧芳成婚後，才從京城趕回通縣，不日，就又被魏母傳著進了魏府。

初七那日，尚還在京中魏府的賴雲煙聽說祝慧芳初九就要啟程，跟岑南王回岑南了。她不能前去拜見，只能收拾了些東西，差人送了過去。祝慧芳回了她一些禮，便是以前曾跟她要的那支鳳頭釵也放在了其中。賴雲煙拿著釵子久久無語，看著它看得眼都發酸，不知要幾年，她們才能再見面？但慧芳離開這京城也好，以後的事，這京中幾家的命運也不知會走向何方，更不知往後會發生什麼人力無法挽回的狂瀾。

天意改變之後，便是她，也得重新隨波逐流。

祝慧芳走後，在魏府待了幾日，賴雲煙聽說魏二公子又重操舊業，給祝八小姐送了禮過去了……

祝八小姐那邊不知有何反應，反正是直到賴雲煙離開魏府回通縣的那日，也沒看見祝家的人找上門來。

這次成了？慧真竟真能看上他？賴雲煙還滿驚奇的，按她的看法，祝八小姐是不可能會看上次子的人，她是嫡小姐，心性又高，想嫁的自然是嫡長子，當一門之主的宗婦了。

這時賴雲煙到底是有些以己度人了，她是重生之人，便是少年之貌，但心還是那顆老心，也就預料小了花言巧語對年齡尚小的小姐的殺傷力；殊不知，那廂祝八小姐得了魏瑾瑜頗有幾分才華的仰慕之詩後，夜間入睡前，都要拿出來翻看一二，心中還是頗有些甜蜜的。

魏府那邊的事，就算是魏瑾瑜與祝慧真私下傳信的這事賴雲煙有些不解，她自也不會去管的，只是多加注意罷了，她擔心的還是自家嫂子的身子。

賴府府中，蘇明芙為了把這孩子生下來，這兩月間都臥在床上安胎，輕易不走動。

年後，宋姨娘那邊就有些蠢蠢欲動了。宋姨娘動靜太大，弄得賴遊都找了蘇明芙，透出讓宋姨娘在旁幫著管家的話意後，賴雲煙就知道，她不能再忍耐下去了。

她原本是想找出宋姨娘竟敢用銀兩籠絡族中人的證據，趕她出門，如此便是賴遊心有不悅，也不能拿她兄長如何；而這於兄長來說，哪怕被父親不喜，外人說道的，也只會是賴遊這個是非不分的父親。

但宋姨娘手段太厲害，她查不到證據不說，姨娘便又狂吹起了枕邊風，這掌家的權看來是不要到手就不甘休了。宋姨娘平日看著文文靜靜，甚是孱弱，但手段這般狠辣，看準時機就出手，從不拖泥帶水，賴雲煙還真是有些佩服她了；佩服之餘，她便也學上了幾分，只是手段更為簡單粗暴且卑劣。

賴雲煙讓人給宋姨娘下了藥，然後把她常用的一個小管事剝光了往她的床上扔，正好讓回了府的賴遊看到。當日，與賴遊一同回府的還有幾個工部的大人，連戶部的尚書也在；這下差不多裡外之人都知道賴家的姨娘偷人了，賴雲煙甚是想知道，到這個分上了，她那堪稱情聖的父親是不是還要救這宋氏？哪怕他知道她是被人陷害的。

隔日，宋氏浸了豬籠。

過了幾日，賴遊令人請了賴雲煙回去，紅著眼睛的他狠狠搧了賴雲煙一巴掌後，就拿起身邊準備好的棍子，往她的頭上狠狠敲去，嘴裡陰狠地罵道：「妳這毒女！」

幸而聞訊的賴震嚴趕了過來，衝進屋就擋了他的第二棍，把賴雲煙拉到身後護著，雙眼狠戾地瞪著賴遊。

看著親生兒子那恨他入骨的眼神，賴遊怔了怔。

「宋氏毒殺我娘親，按您的說法，豈不是毒婦了？而您縱容她毒殺髮妻，父親，這事說到外面去，傳到了皇上耳朵裡，到時賴家因您為了您心愛的姨娘被抄了家、滅了門，想來，您是有臉去見列祖列宗了？」

賴遊沒料她會這麼說，氣得鬍子都翹了起來，半晌，年老成精的工部尚書呵呵地冷笑了兩聲，揮手朝他們道：「跟我鬥，你們還嫩了點！下去！」

皇上前次斥他之事，他查了許久，也查到了根源就在後宅女人的閒言碎語上，再一想他的這個女兒與後宅之人的交情，他便對真相了然了幾分，知道事情定有她的分。這兩個小的想跟他鬥？那他就讓他們看清楚，這賴府裡，到底是誰說的算！

賴震嚴牽著賴雲煙轉身就走，到了門口，他伸袖擦了擦賴雲煙頭上的血，道：「冒了道長口子，血止不住，妳別動了，哥揹妳回去。妳嫂子叫了大夫在院子裡候著，一會兒就沒事了。」

賴雲煙笑著應了一聲，趴到了賴震嚴的背上。被揹起後，昏頭昏腦的她朝兄長解釋道：「莫怪雲煙手狠、不是良善之人，只是不能再讓她得手了；嫂子本已心焦，再讓她得手，我們以後的日子怕是會比現在更不好過。」

聽她還跟他解釋，賴震嚴笑了笑，道：「妳說的什麼話，哥哥哪會那般想妳？哥哥也與妳一樣，那庶子，怕是再過一輩子，他也到不了京中了。」說罷，見背後的人沒有了聲響，他轉過頭看去，就見她緊緊閉著眼睛，血順著她的額頭不斷地往下巴處流，就似死了一般。這一刻，賴震嚴心如刀割般疼。

早知她會動手，還不如他先一步動手；至於父親，如明芙所說，他們做什麼都是錯的，還不如什麼都做了，至少不用慪氣，便是被他不喜又如何？不喜就不喜，反正不做，他也是不喜，也不會對他們好的。

是自己心存妄念，竟以為恪守賴家長子之職，就能得來他的幾許善意。

# 第二十二章

賴雲煙醒來後才知自己昏了近三天，起來後視線模糊，大夫說過陣子，靜觀幾日再看看結果；是失明還是會恢復，都要看時間。

這一事，得知兄長沒讓別人知曉後，賴雲煙還是叫了自己的人過來，安排把她被賴遊打傷、恐還會瞎掉眼睛的事給傳了出去。

她的人走後，賴震嚴走了進來，賴雲煙伸手搆他的袖子，半晌，直到身前的人把袖子伸到她面前，她才摸到。

「妳故意挨打的？」賴震嚴在她身邊坐下，聲音陰沈。

「不是故意，等打下來時已經閃躲不及了……」賴雲煙說著，沈默了好長的一段時間，才勉強地笑了笑，輕聲地說：「父親不會對我們手下留情的，我們只能先出手。」

上世兄長總是對父親有所避諱，總是不斷遷就，以至於用了太多年才把賴家得到手；其中也因為被傷透了心，後來更是憎恨他，咒他永世不得安寧。兄長對父親殘餘的孺慕，她還是提早打破吧，如果注定要傷心，還不如他們提前對峙，也許提早了時間，傷心還會少一些。

「煙煙。」賴震嚴突然叫了她一聲。

「嗯？」

「妳變了許多。」

賴雲煙聽後，鼻子猛烈一酸，她忍了心中發麻的鈍疼，傷感地笑了笑，手緊緊地抓住他的衣角，手都快捏碎了才道：「哥哥，我曾作過一個夢。」

「什麼夢？」賴震嚴的聲音還是很陰沈。

「夢見你在娘親的牌位前哭，身邊什麼人都沒有。」

賴震嚴沒有出聲。

「我當時就想，我得站到你身邊來，無論以什麼方式。」賴雲煙說完，倦倦地閉上滿是灰暗的眼。「哥哥啊，不是雲煙變得太多，而是世事催人老，我們總歸得活下去，就像別人活下去那樣。」這世上終歸是弱肉強食的，人若不狠心，別人就狠心了，不想死，就只能選擇好好地站著活。

「煙煙。」見她小小的臉上滿臉的疲憊，這生生刺疼了賴震嚴的心，他反手抓住了她欲要放開他袖子的手，道：「我沒怪妳什麼。」

「我知。」賴雲煙點了一下頭，無奈地笑了一下。

「妳以後不會有事了。」

「嗯……」

「煙煙。」

賴震嚴再叫出聲後，她已經不再應聲了，他伸手探了探她的鼻子，才發現她又睡著了。

大夫說，要是她睡過了兩個時辰，就得叫她醒來，哪怕只說幾句話也好……等等他再過來吧。

賴遊懷疑姨娘之事是其嫡女賴雲煙——魏家長媳、當朝翰林院學士魏瑾泓之妻所起，因此毒打她致殘的事，不到一天就傳遍了京中上下。

第二天，參賴遊的本子堆滿了皇帝的御桌。

賴遊被召見進御書房，見到皇帝面前堆著的奏摺，聽皇帝問完話後，拱手很是平靜地道：「皇上，由此可以看出，她心計確實毒辣，連朝廷之事都可插手。」他知皇上最厭後宅之人插手朝事。

聞言，洪平帝奇怪地看了賴遊一眼，翻了翻自己家那幾個親戚的奏章，道：「你的意思是，朕的王叔、王弟也被她拉攏了？朕的親戚都成了她的親戚了？」

「皇上！」賴遊大叫，跪於其前。「臣不是這個意思，臣的意思是，反常即妖，臣不過是教訓——」

「你教訓什麼？由你來教訓魏家婦？就算她還是你賴家女，沒嫁出去，你為了個紅杏出牆的妾要毒殺女兒？賴遊，朕很多年都沒聽過這麼好聽的笑話了！你這是想置我朝的禮法於何地？」

洪平帝不屑地冷嗤道。都當他老了、昏庸了，可以隨他們這些老臣擺布了不成?!

「皇上，請您看在臣——」賴遊想提起他與洪平帝的交情。

「朕就是看在你曾護國有功的分上，才容得了你一而再、再而三地有違常綱！」當初確是賴遊娶了任家女，得來了百萬銀兩讓他奪位，但這麼多年過去了，賴遊得到的還少嗎？

「難道就讓菁娘這麼死了？」

「她不過是個女人，而你為了她竟要殺女？」洪平帝匪夷所思地看著賴遊，不知他這個臣子怎麼就搞成了這副模樣。

「皇上。」賴遊知自己不能再跟皇帝槓下去，遂軟了語調，磕了幾個頭，悲苦地道：「臣知錯了，您就再饒臣一回吧。」

洪平帝看著地上的賴遊黑髮裡冒出的白髮，閉了閉眼，良久才道：「下不為例，賴遊，記著了，下不為例。」假如不是念在往日的情分，他這臣子，就衝著這些年的寵妾滅妻，現在拖出去殺了都不為過！

這日夜間，魏瑾泓來了賴府。

「您來接我？」賴雲煙請他坐下後，笑著問他。

「嗯。」魏瑾泓看著她朝他看來的眼睛，她這時的眼睛裡還帶著笑，跟往日一樣靈動活潑，沒有一點她看不見的痕跡。

「魏大人，您過來……」賴雲煙朝他伸手。她說話間，有溫熱的體溫過來，她往前抓了兩抓，才抓到了他的手，將之放到自己眼前，笑著道：「您戳戳。」

魏瑾泓碰了碰她的眼瞼，見她微笑不語，眼珠轉動地看向他，他眼神不禁一暗。「大夫怎麼說的？」

「少則兩、三個月，長則一輩子。」賴雲煙笑道。

魏瑾泓看著她笑得毫無破綻的臉。「這樣妳也可接受？」他不信賴遊叫她過來，她會毫無防備。

賴雲煙聽出了他的話中之意，她不願解釋，可她心知肚明兄長定站在暗室裡，能清楚聽得到她的話，因此她沈默了一會兒後，還是說道：「這就是我與您的不同，我走到哪步，都想著人要是都有餘地就好，尤其是自己的父親，想著血緣天性，他就算對我再不喜，這手怕也是下不來吧？畢竟虎毒不食子。」

所以，明知賴遊下得了那個手，她還是抱了僥倖；就如當年明知魏瑾泓與她恩愛不再了，沒到絕境之前，她還在想著與他相敬如賓。女人當斷不斷的缺點，她都有，哪怕重活了一世，也還是殘留在了她的靈魂裡。

「等一會兒回去吧。」看著她平靜的臉，魏瑾泓見她轉動的眼珠從沒對上過他的眼，便知她眼睛的事不假。

「好。」賴雲煙沒有拒絕。她眼睛不知哪日會好，魏府現在也無異於龍潭虎穴，但她只能回去，畢竟待在賴府也不是長久之計。

說來，兩世裡，只有京郊外的那處莊子，才算是她的家，哪怕探子無數，那裡也給了她安全感。這一世，不知還要熬多久，才能熬得到那種日子？她現在只慶幸，上輩子看了足夠的風景，內心不單薄，所以即便眼瞎了也沒有那麼可怕，光是回憶，就足夠她支撐好長一段時間了。

杏雨扶了賴雲煙上了馬車，梨花小心地提著她的裙襬放上車，又連忙爬上了車，跟著她的杏雨姊跪坐在小姐的腳前，替她整理著裙襬。

杏雨把靠枕放在了賴雲煙的背後，輕聲地說了句。「要是不適，您要吩咐奴婢。」

「好。」賴雲煙笑著應了一聲，慢慢地閉上了眼睛。

這時，馬車一沈，又有人上來了。

「大公子也坐這輛？」賴雲煙問。

「嗯。」魏瑾泓在她身邊坐下，看著她雪白臉上的紅唇，還有嘴邊的淺淺笑意。只有這時，她怕才最像前世後半生的那個賴家小姐吧，就算是泰山崩於前，她也從容不迫。「妳現在最怕的是什麼？」馬車動後，魏瑾泓的眼睛掃過那兩個眼睛看地的丫鬟一眼，問她道。

「最怕的是什麼？」賴雲煙重複了一遍，過了一會兒才笑道：「最怕不能吃好、睡好。大公子，您知我安逸慣了。」要是多個人給她下毒，想要殺她、算計她，沒了這雙眼睛，她都不知道要多擔多少心呢！

「是嗎？」魏瑾泓漫不經心地回道。

「是。」

「好。」

賴雲煙笑著把頭靠在了另一邊，沒有再搭話。

一進府，賴雲煙讓杏雨扶著，在夜燈中緩步悠閒地跟著魏瑾泓回了後院，到了院子，丫鬟就來報說洗澡水已備妥了。

那邊魏瑾泓的腳步聲快沒了，賴雲煙轉過身，對著魏瑾泓的方向遙遙一福。「多謝大公子。」

「多禮。」魏瑾泓說罷這句，腳步聲就遠了。

賴雲煙笑著聽著腳步聲遠去，才提步回了自己屋中。

「杏雨。」賴雲煙偏頭叫了丫鬟一聲。

杏雨悄無聲息地從她的後面走到左邊，回道：「小姐，有何事？」

「屋子裡還有誰？」賴雲煙笑著問。

「還有福婆婆她們。」

兩個婆子這時從浴房出來，聞言連忙給賴雲煙請了安。

「好了，留下杏雨、梨花，妳們都退下吧。」賴雲煙看向她們道。

「是。」

賴雲煙進了浴桶，又讓杏雨、梨花退了下去，這才褪下了臉上的笑容。她摸了摸略有些僵硬的臉，用手支在桶沿上撐著頭，毫無聲息地吐了口氣。兩個丫鬟太拙，剛找來的丫鬟還是不大能夠信任，她除了拿錢辦事的那些人信得過之外，其他的可信之人並不多。這種當口，真是險，看來，只能見招拆招了，但願魏大人不要趁火打劫；不過，還是要做好他趁火打劫的準備，畢竟魏大人可從來不是那種心慈手軟之人。

「我妹妹這兩日做了什麼？」茶樓中，賴震嚴捏了捏手中的兩個鐵球，連轉了幾圈，喝了口茶，才淡淡地問道。

魏瑾泓盤腿坐於桌前煮茶，等新放的茶葉過了一道燙水，才開口道：「前日撫了琴，嫌自己彈得不好聽，昨日找了樂師聽了一下午的曲子。」

賴震嚴聞言笑了起來，手中轉動的鐵球停了下來，悶笑了兩聲才道：「煙煙小時就是如此，就是摔倒了，腿磕出了血，也會說『哥哥你讓我聽個曲兒我就好了』；這般愛聽曲，偏生自己彈得不好。」

她也有彈得好的幾首，但一彈十指會破六指，所以不常彈，也不彈給別人聽，不過後來聽說江鎮遠常聽她彈……想至此，魏瑾泓微微冷哂，這時他的嘴角也翹了一些起來，與賴震嚴溫和地道：「她就是個愛耍樂的性子。」

賴震嚴點頭，冷酷的眉目這時柔和了不少。「大夫讓她要靜養，我看她也無大礙，過了這段時日就好了。」

魏瑾泓點頭道：「我這幾日會從宮中找御醫去府中看看。」

「如此甚好。」賴震嚴讚道。

魏瑾泓知他已寫信去江南了，應是請任金寶找南方專治眼疾的方大夫去了。賴震嚴之前就不怎麼信任他，現下只怕是更不信任了。賴雲煙這人就是這樣，總是在不知不覺中牽著別人的鼻子按著她的方式走，無形中去影響人而不讓人察覺；再讓她這樣下去，過段時日，等到她覺得差不多時，賴震嚴就會如她所願那樣帶她離開他吧？

她說他的算盤打得精，她的何嘗不是？這布局她一步步下得甚是微妙，從行事到說話，她讓賴震嚴相信魏家不是她的良宿，假以時日，等賴震嚴真接管了賴家，這個前世護妹心切的男人，這世怕也是會做出與前世一樣的選擇。

「岳父那邊，我會在明日上門拜見。」魏瑾泓知道他不能什麼都不做。

「這……」賴震嚴頓了一下，為難地看著他。

「我會在今日下拜帖。」魏瑾泓垂眼，看著桌上的茶杯，慢慢地道。他若說他見她死水般平靜臉上的笑容也覺痛徹心腑，應是沒人信吧？

「此事，你自行看著辦吧。」賴震嚴苦笑，見魏瑾泓低著頭未語，他便謹慎地估量著他這個妹夫。

以前他以為妹妹跟他門當戶對，但這人到底是太自私了，且這人的心也是偏的，但沒偏到他妹妹這邊來，這於他妹妹不利，便不是良婿。

他終是不喜愛妹妹的……賴震嚴心中嘆道，心裡莫名悲哀。要是換他，明芙若是被父親叫回了娘家，不管她與其父感情如何，妻子回了娘家，當夜他就會去接回來了，哪怕她要歇一夜，他都要過去給她那個臉；更何況，妻子若被打了，他能想到定是先去見那個動手之人，而不是來到妻子的床前，質問她為何要這麼做？

他這妹妹與這英才俊偉的妹夫之間，根本就沒有之前他以為的郎情妾意，什麼時候變成了這個樣子，賴震嚴也不得而知。

都已過了幾日了，魏瑾泓才想起下帖與他父親說這事，於外人說來是有君子之風，但在他看來，不過就是此人深諳圓滑之道罷了；虧他在魏瑾泓另闢魏府時，還相信這人真能護他妹妹一生。

魏瑾泓看到茶杯中的茶水靜了波紋，才抬頭看向賴震嚴，迎上了他審視的眼睛。他對賴震嚴微微一笑，賴震嚴也回了他一個笑，伸手抬杯，輕抿了一口甘甜宜人的茶水。

隔日，魏瑾泓即去了趟賴府。

「工部侍郎嚴苛？」賴雲煙從榻上一躍而起，朝回來跟她說話的魏瑾泓看去。「他？」由他取代她父親之職？

「嗯。」

「他不是不到四十就辭官走了？」賴雲煙對這事記得很清楚，因賴遊掌管工部，工部所有的官員調任她都記得八九不離十，更何況嚴苛還是侍郎，她記得很是清楚。

「妳還記得他是怎麼辭的官？」

他是在其父母、妻兒子女於還鄉之時突遇山賊，全都被殺了之後辭的官。賴雲煙點頭道：「記得，我也查過，確是山賊。」

「我叫國師給他卜了一卦，指了那道血光之災。」

賴雲煙看著眼前黑糊糊的一片，她還是看不清魏瑾泓的臉，所以聽著魏瑾泓這溫溫和和的口氣時，更是格外的心驚。這種命數，魏瑾泓都敢改?!他就不怕天譴？

「善悟大師幫您指了？」賴雲煙閉上了眼睛，再睜眼時，她直接問道：「如此，他沒算出您的命格嗎？」

「算出了一半，另還算出，我與他有兩世之緣。」魏瑾泓依舊溫溫和和地道：「說來也甚是奇妙，前世他是如此之說，今生他也是這般說法，我也未曾想過，我與他真有這兩世的緣分。」

「喔。」言盡於此，怕他是比她知道得更多，賴雲煙也不再多嘴了。

「宋氏被送到了觀山縣的一家尼姑庵。」魏瑾泓又開口道。

賴雲煙聽後，半晌都沒有開口。賴遊真是一點念想都不供他們想啊！

「我兄長知曉嗎？」再開口時，她喉嚨微啞。

「他已知。」

賴雲煙聽罷笑了兩聲，聲音乾啞又苦澀。「真是鬼迷了心竅。」她這父親娶妻得利在前，得妾真愛在後，後者是他的心肝寶貝，前者用過就丟不算，還打算趕盡殺絕，這種人的心啊，還真是偏得邪乎了。「這輩子，您打算什麼時候娶賴家的二姑娘？」賴雲煙開口，坦白地問道。

賴畫月也算是魏瑾泓的真愛了，說來賴雲煙真沒嫉妒過她。乖巧聽話的賴畫月與她是完全不同的人，她從不豔羨她這個庶妹；哪怕賴畫月得了魏瑾泓的專寵，並替魏瑾泓生了他寵愛了好幾年的兒子，但賴雲煙從不嫉妒她，即便如今，她也認為這兩人相配得很。

除了他們的那個兒子實在不怎麼樣，長到一、二十歲，活了小半輩子，還跟七歲小孩那樣頑劣不懂事。不知上世魏瑾泓死後，沒有了錦衣玉食，那小子的下場會如何？也不知那個對魏瑾泓千依百順的魏夫人會如何？

聞她之言，魏瑾泓的臉冷了下來。

「您要是嫌她生的孩子不如您的意，那麼多找幾個聰明的女人生幾個放在她膝下養就好。」

賴雲煙淡淡地說。「要是嫌我占了她的正位，您給我休書就好。當然，您要是非要我留下來，我也可不走，您只管娶她就是，我只占著正位，其他的您愛給她多少就給多少，只記得讓她別礙我的眼，您知我的脾氣其實不是那麼好。」

如果魏瑾泓還要留著她，要脅她為他辦事，這嫡妻的身分她還是要留著的，畢竟她出外跟內婦交際，還是需要個聽著響亮的名聲。

至於賴畫月，上世沒動她，也是她故意不動手的結果，尤其得知他們的兒子是個愚笨的之後，她樂得甚至都覺得賴畫月有那麼一點可愛了。眾人提起魏瑾泓的那兒子時，哪怕嘴上不說，腦海裡肯定也會浮起斗大的「通姦所致」四字。這世上有時也是有報應這麼一說的，哪怕魏瑾泓盡知前事，這兒子怕是不會生下來了，但賴雲煙也願意賴畫月跟那訂好了親事的人家退了婚，進了魏家。上世她沒對賴畫月動手，這世她也不會，只要賴畫月夠識趣就好。

宣朝沒有所謂的平妻之說，但兩姊妹共嫁一夫的事還是有的。要是魏瑾泓因她無出，現在娶了她的妹妹，府中多了個二夫人，這算來也是美談了；至於讓自己替他生孩子，魏瑾泓還是徹底死了這個心的好。想來，有個真愛在旁，又有她父親的前車之鑑，魏大人這般聰明的人，肯定也不會讓他的真愛爬到她頭上來，要不然，這世賴畫月還真會死在她的手裡。

賴雲煙說完話，魏瑾泓一直沒出聲，她等了半晌，沒等到回應，也沒見他走，便又重新躺了下來，睜著眼睛看眼前黑漆漆的一片。

扎了幾天針後，以前還看得清一點樣子的眼睛，便徹底什麼都看不清了；若非大夫是兄長派過來的，她都要懷疑是魏瑾泓找來徹底弄瞎她的。

「過幾日，宋氏會被發現，嚴大人到時會暫代妳父之職。」魏瑾泓說罷，匆匆離去，他疾走出了她的住處後，才停下腳步重重呼吸。

饒是過了這麼多年，他還是無法面對這樣的她。她太尖銳，賴畫月只肖似她三分，但性情卻勝足她十分；賴畫月從不會像她這樣對他說話，也從不會字字句句都刺得他全身發疼……

# 第二十三章

宋氏被發現後，賴遊卻是好手段，親手令人把宋氏殺死後，便在皇帝面前請罪，還險險保住了官帽子。

賴雲煙知情後，頭一個感想就是：這天下真不是一個人說了算的，更不是魏瑾泓說了算的。自得訊後，她就沒見魏瑾泓了，這人來了一次，她也派丫鬟擋了。魏大人從她這兒拿錢拿得痛快，辦事卻辦得不怎麼漂亮。賴雲煙不知魏大人怎麼想的，但如是她，肯定是做好了事情才有臉來見金主的；她只能想，魏大人確實是那麼個不要臉的，才會無論做了什麼事，都不覺得無顏面對她。

賴遊之事，賴雲煙不知魏瑾泓會不會繼續插手下去，但她也知這時只能靠兄長自己的本事了，她想得再多，外面的爭鬥主場還是在於他們，她一個女人做不到太多。

「小姐。」賴雲煙正閉著眼睛吹笛子時，杏雨進了亭子來報。

「何事？」她放下了被她吹得七零八落的竹笛。

「我們家大公子來了。」

「喔？」

「少夫人也來了。」杏雨又道。

「領在哪兒？」賴雲煙笑著站了起來。

「請在廳屋裡。」杏雨扶了她前去。

賴雲煙一進他們院子的廳屋，就朝著主側位那邊的方向福禮，笑道：「雲煙見過哥哥、嫂嫂。昨日我夜觀天象，說今天有貴客臨門，我剛還尋思著貴客什麼時辰到呢，這不，轉眼就讓我把你們給盼來了！」

此時帶著蘇明芙，正站在窗外看著園子裡盛開花朵的賴震嚴聞言，眼神越發暗沈了下來。

蘇明芙輕輕地拉了拉他的衣袖，與他輕走了幾步，走到了主側位邊，才開口朝著往屋中不斷看的賴雲煙笑著道：「別看了，在這兒呢！」

「我看錯方向了？」賴雲煙聽著他們移動的腳步聲就知道她剛才怕是判斷失誤了，不禁笑嘆道：「裝過頭了，真是該罰。」說罷，輕拍了下自己的臉，才在丫鬟的扶持下走向了他們，待落定後，她才又問：「哥哥呢？怎地不和雲煙說話。」

賴震嚴「嗯」了一聲，頓了一下，才開口道：「妳嫂子這幾天身體好了些，大夫說坐轎子無礙，她就說要過來看看妳。」

「還是不要出遠門的好。」賴雲煙搖頭道。蘇明芙的身體那是費盡千金保下來的，現雖說有五個多月了，但還是得仔細看著。

「我已好了一些，大夫說也要多走動，便就過來了。」蘇明芙這時插嘴道。

賴雲煙聞聲朝她看過去，嘴裡又笑道：「嫂嫂來看我，我心裡是歡喜的，妳要是把我小姪生下來再來看我，我心中只怕會更歡喜。」

蘇明芙聞言笑了起來，此時她偏了偏頭看了看賴震嚴，見他滿眼陰霾，不由得在心裡輕嘆了口氣。賴雲煙越是裝得跟沒事人一樣，夫君的心裡怕是越難受吧？
「舅舅寫給妳的信，送到我這兒了，回頭我再給妳。」賴震嚴張了口道。
「信上說什麼了？」賴雲煙好奇。
「說過段時日就帶方大夫來看妳，再帶妳喜歡的金錁子給妳。」
賴雲煙笑出聲來，頗有些不好意思地道：「看來我愛財之心，舅舅也是了然的。」
見她一如往常般談笑風生，賴震嚴的臉更冷了。
賴雲煙見他們斷了聲，就訝異地道：「嫂嫂，哥哥是不是又擺臭臉給我們看了？」
她什麼都敢說，什麼事都能當玩笑話說，明明沈重卻被她說得話都帶笑，似是什麼都打不趴她、讓她不快一樣。
蘇明芙這時笑嘆道：「可不就是如此。」
「許是瞧我瞅不見吧？」賴雲煙悲嘆道：「連哥哥都瞧我看不見就不給我笑臉，雲煙這心吶……」說著，雙手捧著心，做悲痛萬分狀。她此番矯揉造作的耍寶，終是逗得賴震嚴又再開了口。
他口氣無奈地道：「都不是小女孩了，怎地還這般愛玩？」
「那哥哥給我笑一個！」賴雲煙笑著朝他說話的方向看過去。
賴震嚴無奈地笑了笑，忍不住伸過手抓住了她的手，放到手中握了握，隨後輕聲地與她道：「等過段時日，待妳眼睛好了，哥哥再來接妳回去。」
賴雲煙聞言，心猛地一跳，眼皮也不由自主地眨了一下，她緩了緩神，笑著沒有作聲。

賴震嚴見她不聲不響，也了會她的意思；如若她還想留在魏府，她是肯定要出言說留下來的，煙煙從小就是喜歡的便會大聲說，不喜歡的，礙於禮儀，則會一字不吭。

五月，魏家出了樁大喜事，魏瑾瑜與祝家的八小姐祝慧真訂了親。

賴雲煙在府中得訊後，生生把口中的茶水噴了出去，嘆道：「這哥兒倆真是好本事！」眼睛長在頭頂上的八小姐，竟也被他們搞定了。

來報訊的杏雨拿大小姐的感嘆充耳不聞，又道：「成親的日子也訂好了，就在八月。」

「好日子！」賴雲煙讚道。

杏雨看著她的笑臉，輕步走到她的身邊，在她耳邊道：「出了樁事，奴婢想告訴您。」

「說。」賴雲煙有些納悶，這段時日她們天天陪她悶在這府裡，能有什麼事？

「梨花與大公子身邊的人走得甚近。」杏雨道。

只一句，賴雲煙就皺了眉。「是誰？」

「蒼松。」

賴雲煙當即就站了起來，看著前方，好一會兒都沒有說話。現在找梨花來問，只怕會傷了這兩姊妹的感情，但不找來問清楚，誰知是什麼情況？

「他們是情投意合？」想了一會兒，賴雲煙只能暫時問杏雨。

「是。」

賴雲煙的心冷了一冷，又問：「有一段時日了？」

「是。」杏雨的聲音更小。

「為何要告訴我？」賴雲煙的聲音很是平靜。

「奴婢怕她被騙了。」

「妳還有話沒告訴我。」賴雲煙覺得杏雨的聲音不對勁得很。

「是……」杏雨這時的聲音帶著哭音，她在賴雲煙的面前跪了下去。

「怎麼回事？」

「奴婢出府時遇上了地痞流氓，被大公子身邊的燕雁救過一命。」杏雨哭道。

賴雲煙頓時覺得全身被抽走了一半的力氣，她往後退了兩步，扶著椅子坐了下去，好半會才輕聲地道：「妳看上他了？」

杏雨的泣聲又大了一點。

賴雲煙嘆氣，口氣中並無責怪。「他也看上妳了？」

杏雨未答，只是哭泣。

到底這世的她們還小，就算年齡已過十九，但不到二十歲的年齡，豈會沒有待嫁之心呐？上世沒找，不過是找不到好的、適合的罷了。

「妳怕梨花被騙，想來，也是怕自己被騙吧？」對於杏雨、梨花的忠心，賴雲煙是不會懷疑的，這兩個丫鬟對她好與不好，沒有人比她更明白。

「是……」杏雨痛哭失聲。「奴婢們都不是那等配得上他們的人。」蒼松、燕雁是大公子身邊的人，從小跟著大公子飽讀詩書，又見過那麼多的大排場，便是娶上比她們好百倍、千倍的，那也是不稀奇的事；可他們卻看上了她與梨花，她想信，卻信不了，只能在答應之前，把事跟大小姐說清楚。

「可妳想嫁，梨花也想嫁。」賴雲煙儘量讓自己的聲音不要顯得太過冷漠。

杏雨哭了兩聲，誠實地答了。「……是。」

賴雲煙苦笑。「退下去吧，讓我先想想。」

杏雨抬頭看她，見她閉著眼睛，臉上無悲無喜，那心便鈍鈍地發疼。她爬了好幾下才爬起來，朝賴雲煙施了一禮，這才退了出去。

門外，梨花已經哭得跪倒在了地上，杏雨去扶了她，她抬著滿是眼淚的臉問杏雨。「姊姊，我們怎麼辦？」

杏雨緊抿著嘴，見扶她不起，便重重地拉了她起來。

梨花被她粗魯地拉著，似是毫無所覺，只是哭著道：「我是不是真配不上蒼松？姊姊，是不是？到底是不是？」

杏雨看著梨花那張為情所困的臉，想著她對蒼松的百依百順，想著自己對燕雁的身不由己，好半會才啞著嗓子道：「我們都是大小姐的人，大小姐說怎麼辦就怎麼辦，不要多想。」

「要是……」梨花恐懼地道。

「要是不行，那也聽大小姐的。」杏雨冷漠地道。「別以為沒了大小姐，我們就真能嫁給他們。」她再對那人心動，卻也明白，如若她不是大小姐的貼身丫鬟，他根本就不會多看她一眼；就算嫁，她們也得以這樣的身分才能嫁得出去。

當日夕間，賴雲煙讓梨花去請了魏瑾泓過來。哪怕同住一府，也時不時聽下人報他的事，但他們確實也有一個來月沒說過一句話了，更別說碰過頭。

魏瑾泓坐下，等丫鬟上了茶退下後，賴雲煙才朝對面坐著的人平靜地道：「魏大人近來可好？」

「尚好。」魏瑾泓淡道。

「聽說二公子訂婚了，是祝家的姑娘，恭喜您了。」賴雲煙很是溫和地說。

「多謝。」魏瑾泓把她愛吃的那盤點心往她那邊推了推。

賴雲煙垂眼，聽著杯盤移動的輕微聲響，嘴角揚起了點淺笑。

她氣色不錯，眼睛也還是靈動，看不出一點失明的樣子，魏瑾泓聽人說根本看不出她看不見，連來見過她的娘都跟他說，怕是裝的。

裝的？他情願是。只是經過宮中來的御醫親手診斷過了，與御醫是好友的魏瑾泓不認為他會告知假話，她確實是看不見了，可她這段時日還是過得不錯；想來，前世離開他後，她也確實過得不錯，她好像在哪兒都能過得不錯。

「請魏大人來，還有一事要問魏大人。」可能是有一段時日未見魏瑾泓了，現在賴雲煙面對他，還頗有點心平氣和。

「請。」

賴雲煙微微一笑。「聽說我的兩個丫鬟和您的兩個小廝好上了，不知大人知不知曉這事？」

魏瑾泓看著她雲淡風輕的臉，見她看著他，眼珠不為所動地定著，眼角眉梢都是笑，嬌豔得連園中剛剛盛開的鮮花都比不上，他從她的髮梢看到微微翹起的下巴，才淡淡地道：「我知曉。」

「那大人的意思是……」

「願嫁、願娶就好。」他語畢，見她臉上神色不變，眉頭不由自主地皺起。

「如此。」賴雲煙頷首，嘴角笑意不變。

見她再無過多言語，魏瑾泓拿起茶杯，正欲喝茶時，輕瞄了一下茶色，便把茶杯放下了。

聽到茶杯落桌的聲音，賴雲煙嘆道：「可惜了。」

魏瑾泓嘴角的笑消失殆盡，冷眼看向她。

「魏大人打算這樣跟我過一輩子嗎？」日夜防著她要他的命，這日子就有那麼好過嗎？何不他走他的陽關道，她過她的獨木橋？「就算是合手，只要魏大人有誠意，雲煙也不是那等不識好歹的人，魏大人何不放我們各自一馬，在今世我們都仇怨對方之前，握手言和？」賴雲煙提議道。

「我需要一個妳我的孩子。」魏瑾泓在沈默良久後，終還是開了口。

「您可以再娶名門貴女，想來孔家未嫁的三姑娘還是願意嫁給您，孔三姑娘上世生的兒子也不差，想來與您生的，還會好上一些。」賴雲煙耐著性子與魏瑾泓分析利弊。

「妳知我意。」魏瑾泓不打算讓賴雲煙偏重就輕，他又抬眼看向她。「妳兄長之事我會幫妥，魏、賴兩家，這世只能同牽在一條線上。」

日後有太多事，需要兩家同站在一起才好去辦，孔家再好，也不是賴家，沒有一個與他同時重來一次的賴雲煙。她若走了，就是她有誠意與他聯手；但要是沒拿住她、綁住她，倘在同一條船上遇到了危險，她首先想到定是保住賴家後，撒腿就跑，她自己的性子，她自己再明白不過。

「那您就只能找賴畫月生了。」他口氣不變，賴雲煙無奈地哼笑了一聲。

「妳舅父怕是不久就到京了。」魏瑾泓沒有再繼續這話題，另提了他話。

「是嗎？」賴雲煙拿著茶蓋在茶杯上碰了碰，碰出清脆的聲音後，這心裡才靜了靜。暫且算了，下次再談吧，成功的談判也不是一朝一夕就能完成的。

「聽說那治眼疾的大夫也隨他一路。」

「魏大人真是神通廣大，什麼都知道一二。」

未理會她口氣中那點淺微的諷刺，他續道：「我舅父也在這幾日到。」

賴雲煙聞言不禁笑了。「可惜我眼瞎，不能前去迎接崔大人了。」要不然，再見見那個幫著他們兄妹把魏家殺得元氣大傷的崔大人，對她來說也是一樁樂事呢！

「父親說，讓我帶妳回府住上幾日。」魏瑾泓緩緩地開了口。

賴雲煙笑著「嗯」了一聲。

等貪心不足的魏大人走了後，當日賴雲煙就病了，這一病就是小半個月，直到五月底，崔平林回京，任金寶也帶了大夫到京後。

那聞名江南的大夫說來確實名不虛傳，診斷半日後，就對賴雲煙說道：「妳腦內有瘀血，壓住了妳的眼睛。」

賴雲煙聽著甚是靠譜，這時不待她問，任金寶就在旁邊大聲叫道——

「老方，你已診出，就速速下藥治好我這外甥女吧！」

方大夫沈道：「任老闆，區區（注）當會開藥方，但這事只能徐徐圖之，我亦不能——」

「你就別拽你那些酸詞了！」任金寶不耐煩地打斷了他的話。「趕緊給我外甥女治好！」

「舅舅……」賴雲煙小聲地叫道。

明知她看不見，任金寶這時還是瞪了這個花了他好大好大一筆銀子的外甥女，看著她，他就覺得肉疼，現在聽她說話，他連肝都疼了！

「聽我的！」任金寶再瞪她一眼後，對大夫道：「快開方子把我這不肖外甥女的眼睛治好吧，我回頭還有帳……不，是還有話要跟她說！」

「我怎地成不肖的了？」知他與方大夫是好友，賴雲煙也未裝那些在外人面前才有的矜持了，這時她甚是委屈地自語道。

「妳還說！」任金寶沒好氣地又瞪了她一眼，就催著大夫開藥方去了。

方大夫隨著賴震嚴派來的人走後，任金寶還沒有走，他伸著胖腦袋，在外甥女眼邊又仔細地瞧了瞧。「都說妳沒瞎，妳是怎麼騙住人的？」

賴雲煙眨眨眼，笑著盯住他的臉，道：「就是這樣。」

注：區區，有多種解釋，此乃自稱的謙詞。

「生了雙好眼睛，長得像妳娘！」任金寶不禁誇道。

「舅舅還記得我娘？」

「記得，妳長得像她。」任金寶說到這兒，嘆了口氣，灰心喪氣地道：「唉，別提妳娘了，我不跟妳要銀子了。」說起家姊，任金寶心裡也痛，但民不與官鬥，任家還要做官家的生意，因此他也只能睜隻眼、閉隻眼，大的事，只能交給外甥去做了。

賴雲煙笑道：「舅舅是哥哥請來的？」

「我自己來的。」任金寶按了按自己的短手指，眼睛又掃過這廳屋內的裝飾。這魏府的廳屋，還真是富貴中顯淡雅，掛簾用的是冰紗，水墨畫掛的是善悟畫的山水，便是這桌椅，也是金檀木所製，明亮耀眼得很。

「舅舅有事？」賴雲煙又問道。

任金寶聞言微瞇了瞇眼睛，嘴裡笑道：「無事，就是前來看看妳。」

賴雲煙扶桌而起，走了幾步，才走到任金寶面前，彎腰在他身邊輕道：「要是有事，舅舅還是與我說吧，哥哥靠您，我也得靠您，您有事得與我們說，若不然您出了事，我們也得跟著您倒。」說罷，她略頓了頓，才起了身。

任金寶沈思了一會兒後，拉了她在旁邊坐下，伸出五指立在她耳邊，輕聲道：「半月前，有人在望京碼頭封了妳舅舅我三船到京的玉器、金飾。」

「舅舅可知是誰？」賴雲煙輕問。

「工。」任金寶簡言。

那就是工部尚書賴遊了。「難為舅舅了。」賴雲煙頷首道。靠山翻臉，跟他們兄妹倆脫不了關係。

任金寶點點頭，笑咪咪地看向賴雲煙。

賴雲煙伸出手，摸到了任金寶的衣袖，靠近他輕道：「此路不通，總會有別的路是通的，舅舅莫擔心。」

「不擔心、不擔心。」任金寶搖搖頭。「先走走別的路。」

他與兄長怕是已經在找人周旋了，賴雲煙了然，點了點頭。

賴震嚴派了虎尾送來了抓好的藥後，任金寶就隨他走了。

在派人煎藥之前，賴雲煙想了一會兒，讓杏雨、梨花進來。

「小姐。」杏雨、梨花都請了安。

「嗯。」賴雲煙將臉轉向她們說話的方向，笑了笑。

說來，她們想嫁魏瑾泓的那兩個小廝，她沒什麼好怪她們的，蒼松、燕雁是魏瑾泓身邊的人，不知有多少比她們出色伶俐的丫鬟想嫁，在這年代，她們年齡已是偏大，有這等人想娶，心動了也無可厚非。丫鬟也是女人，她們也是需要一個歸宿的，現在機會就在她們面前，賴雲煙不想破壞；再則，這世畢竟與前世不一樣了，她要是壞了她們這樁姻緣，一輩子下來，誰知她們會不會恨她？

就別糟蹋了上輩子她們主僕一場的情分了。賴雲煙心裡嘆道，嘴上同時開口笑道：「妳們婚嫁之事，今日我就開口跟妳們說說吧。」
「小姐……」梨花已哭著跪下了。
「別哭。」賴雲煙柔聲安慰道：「有什麼好哭的？」
「小姐，我們全都聽您的。」杏雨跟著跪下答道。
「妳們想嫁嗎？」賴雲煙輕聲問道。
兩個丫鬟先是沒有說話，在賴雲煙好長一段時間都沒再開口後，梨花先答了。「想。」
「杏雨。」賴雲煙叫她。
「想。」
「日後不能留在我身邊伺候了，也想？」賴雲煙笑著道。她不願意逼迫她們，所以口氣是輕鬆的。「妳們嫁出去後，可得嫁雞隨雞、嫁狗隨狗了。」她身邊，不可能放著與魏瑾泓有關的人，她們要是沒想到這點，她便提出吧。
「小姐，我沒這麼想……」梨花已經哭出聲了。「您就留我和杏雨姊姊在您身邊伺候吧！」
就是這樣，就是這樣她才為難啊！賴雲煙在心裡輕嘆了口氣。不知者不怪，可就是這分不知，才有可能是日後傷她的利器。
「杏雨，妳說呢？」杏雨要比梨花清醒一點。
「小姐，我們就真不能留下嗎？別的奴婢不敢說，但我與梨花對您的忠心，就跟過去一樣啊……」杏雨的聲音裡也帶著泣聲。
這個倔強的丫鬟也哭了。賴雲煙這一刻心裡真是滿心苦澀，這兩個傻丫頭，怕是不知道人到了一定的時候，就會身不由己了，到時候她們就是不想背叛她，但指不定會被利用。也許有一天，哪怕不用她們的夫婿說什麼，她們也自會幫著她們的夫婿來算計她，人心這個東西，是禁不住考驗的。

「嫁出去了，就是別人家的人了，我哪還能留妳們啊！」賴雲煙嘴裡笑道。「妳們想想吧，想清楚了再來跟我說。」

賴雲煙這時揚聲叫了冬雨過來，等冬雨走到她身邊後，她搭著冬雨的手站了起來，對她們溫和地道：「說來，嫁進魏家，以後我們也是能常見面的。」

冬雨扶了她進內屋，等丫鬟們哭著離開後，冬雨不解地問：「您捨不得她們，為何不開口？」

「留下來恨我一輩子嗎？」賴雲煙朝她說話的方向看去，平靜地問她。「若是我斷了妳的好姻緣，妳還會對我一輩子都忠心而不怨恨我嗎？」

冬雨良久不知該如何回答，在小姐眼睛閉上後，她仔細地給小姐掖了被子，淡道：「婢子還是一生不嫁吧。」

賴雲煙便笑了起來，閉著眼睛道：「去給我煎藥吧。」

「是。」

冬雨退下後，賴雲煙伸出手，擦過了滑過眼角的兩滴淚。這樣也好，至少她們這輩子嫁了她們想嫁的人，以後是好是壞，能幫的她自會幫一手，但也只能到此為止了。

她們的人生路岔開了，就只能各走各的路了。

# 第二十四章

第二天，杏雨、梨花一大早大還沒亮就跪在了屋前，賴雲煙就知曉了她們的答案了。她讓夏荷、秋虹她們進來為她沐浴、更衣，讓冬雨去給她煎藥，等用完早膳，才叫她們進來。

「是嫁還是留？」賴雲煙說這話時，聲音溫和。

「嫁。」杏雨答了。

「奴婢……」梨花的眼淚又不由自主地流了出來，這時她又見杏雨姊姊看著她，她抽泣著道：「奴婢嫁。」她是想嫁，可是又捨不得小姐啊！為什麼同是在魏家，她就不能再伺候小姐了？她的心還是留在這兒的啊！

「那就好，回頭我翻翻盒子去，看有什麼好打發給妳們的。」賴雲煙笑道。說罷，轉頭對秋虹問：「大公子出去了？」

「是。」秋虹回道。

「要是下午回來了的話，請他過來一趟，就說我有事。」

「是。」

「妳們兩個就下去等好消息吧。還有，記得為自己多繡點衣裳，等一會兒我讓人給妳們送幾疋布過去。」無論如何，她們選擇了嫁，賴雲煙也願意她們嫁得風光點。

「小姐……」梨花痛哭失聲。

「下去吧。」賴雲煙朝她們揮了一下手。這時，她們之間說什麼話都是多說無益了，再多的溫情，也不過是增添戀戀不捨，她不留她們下來，也不過是不想以後反目成仇罷了。

夕間，蒼松跟燕雁隨了魏瑾泓過來，與賴雲煙磕了頭、請了安。

兩人身邊的奴僕都退下後，賴雲煙先開了口。「要娶的話，就提日子吧。」

魏瑾泓看向她，見她平靜從容，嘴裡也淡淡應了一聲。「好。」

賴雲煙笑了笑，只一下，笑容就一閃而過了。

見她黯然，魏瑾泓心裡才略鬆了一口氣。在意就好，哪怕以後她不再用她們，這也無關緊要，她這人念舊情得很，哪會不管她們的死活？魏瑾泓也沒想利用她們來做什麼，不過就是想在她這裡多增添點對府裡的掛念罷了；再說，蒼松、燕雁這世這時都未訂親，娶兩個死心眼的妻子，未嘗不是件好事，比前世他們娶的也差不到哪裡去。

兩個丫鬟嫁出去的日子都訂好了，就在下月初。

文定那天前日，賴雲煙把她們的賣身契給了她們，每人又給了二百兩銀子，還給了幾支首飾，布又多給了幾疋；至此，杏雨、梨花離開了她的住處，住進了外院備嫁，她們主僕這世的緣分，不過一年多一點。

過了幾天，魏母又來了趟府中，見賴雲煙神情鬱鬱，言語中還寬慰了幾句，並在府中與賴雲煙用過午膳，這才離去。

京中有閨中密友來看望賴雲煙，說道京中都知魏母甚是疼愛大媳，時不時要坐著馬車來看望患有眼疾的大媳，甚是仁善慈愛。賴雲煙聽了就差沒有大笑，回頭等魏瑾泓一回來就把人請過來，與魏瑾泓商議了此事。

「她的名聲好了，我這兒不能一點好處都沒有吧？」賴雲煙一開口就開門見山地問他。

魏瑾泓沒說話，賴雲煙等了好一會兒，才聽到他不輕不重地說——

「她也有好意之時。」

「那是我功利了？」賴雲煙訝異道。

魏瑾泓又不語了。

賴雲煙想了一下，只一下就輕描淡寫道：「是我功利了，老想著你們在我身上得到好處，占盡便宜了，我總得得回來一些才好。」

「何必如此？」魏瑾泓淡淡道：「這於妳無利。」

賴雲煙失笑，又問：「我舅父的商船，您與我父親瓜分得如何了？」

魏瑾泓沒有開口。

賴雲煙也完全安靜了下來，閉眼不再出聲。

魏瑾泓走後，賴雲煙長長地嘆了口氣。他清楚了舅父的底細後，只想著怎麼刮盡她舅父的油吧？

過了幾日，賴震嚴再訪通縣。他慢魏瑾泓一步，沒有拿到崔平林賭債的欠契，不過帶來了個新消息——舅父的商船已拿回了兩船。
「另一船呢？」
「得不回了。」賴震嚴看著妹妹定住不移的眼睛，又問道：「妳的眼睛這幾日如何？」
「尚好。」賴雲煙再轉過話題。「魏大人瓜分了一半？」
「嗯。」賴震嚴冷冷地笑了起來。「幾十萬兩可不是小數目了。」
「父親的呢？」
「給了皇上。」
「呵。」賴雲煙輕笑了一聲，聲音諷刺無比。賴遊討好皇帝，向來都有一手。「你跟我夫君談過？」賴雲煙問道。見兄長不語，她又道：「哥哥，別瞞我，要不然雲煙不知如何是好。」
「談了，本是連那兩船都拿不回，是他從中在斡旋。」
「他占了便宜，還跟你賣了個好。」賴雲煙嘆道：「真不愧為九大家之首的玉公子。」
「事實本是如此。」賴震嚴垂眼冷道。是他太弱，以至於如此舉步維艱，不得不順勢而為。
「舅舅呢？」
「絕食兩天了。」說到這兒，賴震嚴無奈極了。
賴雲煙苦笑，伸手遮眼。「拖累他了。」
「我下月去戶部，王侍郎讓我跟著他整理一段時日的籍冊，下月還要應旨去長原查冊。」
「這是好事？」
「是，侍郎大人是明芙父親的好友。」賴震嚴簡言。

「下月嫂嫂已懷胎八月多了，到時你還趕得回來嗎？」
「來往兩月有餘，如不誤時就能趕得回來。」
賴雲煙半晌無語，良久才淡淡地道：「哥哥就去吧，家中還有我。」工部、刑部、戶部，六部就快過一半了。
識時務者為俊傑，這一次，還是魏大人勝了，他手裡還有個元辰帝，賴雲煙不得不屈膝。

接了賴雲煙帶回來的口信，任金寶就回了江南，他來去多日，身上掉了十來斤肉。
這時賴雲煙暗中得了訊，說她查的那個人，轉道去了蘇北，自此就在蘇北消失了。
消失了？賴雲煙甚是不解，鎮遠怎麼就在探子的眼前消失了？
這邊她不解，那邊魏瑾泓卻緊鎖眉頭，聽著燕雁的報——
「他與六皇子遇上，與其相談甚歡，隨六皇子走後，下面的人就沒再跟上去了，回音要等六皇子身邊的人前來報之才能知曉。」
六皇子這次是改道秘密下的太蘇，除了他，無人知曉，好巧不巧，就與進入蘇北的江鎮遠遇上了。讓屬下退下後，魏瑾泓出了屋，看著對面隔著長長走廊的院子，不知那邊的那個女人，什麼時候才肯跟他鬆口認輸？
賴雲煙知道魏瑾泓等著她認輸，但要讓她在魏大人面前說「我願意跟你生孩子」這句話，再過十輩子都不可能。

可魏瑾泓太狠了。

這時已是六月底了，太陽熾熱，照得人心裡發慌，天氣太熱，來看賴雲煙的人很少了。賴雲煙差小廝送了些冰紗給玩得甚好的那幾位夫人、小姐，讓他們代她說這些時日不方便出門，等天氣涼了，她再上門拜訪。小廝也得了回禮回來，賴雲煙讓秋虹與冬雨報給她聽，也讓她們造好冊，留個底，好方便以後的人情來往。

過了幾日，蘇北那邊還是沒有新的消息來，賴雲煙有些擔心，這讓她本來就不安穩的覺睡得更不好了，這白日的精神也要比以往的差些。

這天，魏瑾泓申時來她的院子見她時，她正在補眠，得了丫鬟的報，賴雲煙喝了一杯滾燙的濃茶，才提足了精神去廳屋見他。

賴雲煙先與他福了禮，等僕人們下去後，她才笑道：「魏大人近日可好？」

魏瑾泓看著她幾日內就清減了一些的臉，慢慢思索了一會兒，才道：「妳眼睛好了多少？」

「三分吧。」賴雲煙沒撒多少謊。

「能看得清路？」剛才她是沒讓丫鬟挽扶，自行走進來的。

「能。」賴雲煙頷首。

「八月瑾瑜成親，七月妳要回府與娘親著手親事。」魏瑾泓道。

「關我何事？」賴雲煙不由得笑道。說罷，她斂了笑，自嘲地搖了搖頭。「您得了我舅舅兩筆錢，還了您舅家的賭債後，剩下的夠您弟弟辦場風光的婚事了，您真覺得我還得忍下，去京中魏府為您弟弟操辦婚事？魏大人，做人還是厚道些好，要不然，到時您倒楣了，拍手稱快的人中還真有一個我呢！」他一再打壓她，或許她現下奈何他不得，可是風水輪流轉，他最好是能一直笑到最後。她也不計較先被他占點便宜，但到時候臨到魏大人倒楣了，她可是先說了醜話在前頭的。

「妳不去？」魏瑾泓反問。

「我去的好處是？」賴雲煙微微一笑，這時她心裡也為自己嘆了口氣，一旦處於劣勢，她的嘴啊，就真多話得像嘰嘰喳喳個不休的鳥，這更是顯出了魏大人對付她的遊刃有餘了。

「妳道妳舅父的船是我押的？」魏瑾泓淺淺笑了一下，嘴角轉而勾得冰冷。「妳兄長就沒告訴妳，得回的兩艘是誰找回來的？」

「魏大人的本事，就夠找回兩艘？」

「那是因妳只夠我替妳找回兩艘！」魏瑾泓這時語帶厭惡。「賴雲煙，妳非要事事針對我，何日妳才會看清現狀？」他不會讓她走，如若賴家不幫他，賴家也不會得善終，他已對她足夠有耐心了，她怎地就這般冥頑不靈！

「那嚴苛取代之事，也是因為我給的銀子不足，魏大人才半路撤的手？」賴雲煙被他逼得冷笑出聲。

「妳父親是何等之人，妳別忘了。」乍怒過後，魏瑾泓便冷靜了下來。「如妳所說，我不是無所不能。」該給她的，他都盡力給了。

「魏大人說我沒誠意，您的誠意也就如此了。」

魏瑾泓聞言閉了閉眼，過了一會兒才睜眼道：「妳就這般想離開？」

「是。」這時刻，賴雲煙很簡單扼要地答了。

「妳就認為他們的事現在就全都高枕無憂了？」魏瑾泓翹了翹嘴角，眼睛就如冷刀一般刺向了賴雲煙的眼。「與我為敵，就對妳好了？」

「是魏大人想與我為敵。」要是意志差點的，誰面對魏瑾泓這種人都會崩潰吧？

「即使我與妳父親聯手，妳也要走？」魏瑾泓看著她的臉，慢慢地說出了這句話，然後，他看到她完全沈默了下來，臉也低了下來。

好長一會兒後，他聽到她說——

「我去。」

聽著她恍若不經心的回答，魏瑾泓的心便沈到了谷底。他最不願他們走到這步，但他們還是走到了這步，就如上世，他想與她白頭到老，但最後她還是離他而去。

七月，杏雨、梨花嫁出去後，賴雲煙跟魏瑾泓回了京中魏府。

她眼睛還是不大看得清楚，便也不能辦多少事，但如魏瑾泓的意思，給了魏母一萬兩辦婚事；為此，魏母對她又如初婚那段時日那般好了，還道她眼睛不好，免了早晚的請安。

賴雲煙現在雖看人還是看不清楚，但聽魏母跟她說話時那語帶歡快的口氣，就知這位夫人的日子現在過得相當的好。想來也是，聽說崔平林大調在望，魏瑾泓又替她撈回了這麼多銀子讓她花，二兒子還娶了祝家長房的嫡女，這麼多好事發生在一個人的頭上，便是換她，看誰都會順眼，見誰都要笑幾聲，便是仇人，也定會拉著那人的手，親親熱熱地說上好一會兒的話。

賴雲煙發覺魏母真對她好了起來，還讓她身邊的吉婆婆給她賠禮道歉之後，又真心佩服了魏瑾泓一下。把魏母與她的關係挽回到這個局面，魏瑾泓是做盡了一切，她這時候要是說句不好聽的話出來，那都叫不識好歹。

八月，魏瑾瑜與祝慧真風光成婚，那一天，永安街上響了十里地的鞭炮，魏府賓客如雲，那熱鬧足可以讓百姓津津樂道三月有餘。

等喝過新媳婦的認親茶後，賴雲煙便回了通縣。

這時，她已得訊，魏瑾泓被當朝太師參了一本，說他結黨營私。這話從太師嘴裡一出，不管是真是假，都要被徹查一番，魏瑾泓那隻操縱人命運的手，便也得收上一收。

太師是太子的老師，他這一出手，就代表太子盯上魏瑾泓了，整整提前了五年，魏瑾泓把太子盯上他的時間提前了五年。

魏瑾泓上世保持君子之姿旁觀皇子之爭，可這世他的起勢，讓太子勢必要得到他的回應吧？他若不從，太子自然有的是辦法讓他從；他要是從了，到時再倒戈到六皇子那兒去，魏大人這君子的名聲就「好聽」了，拜相之路怕又要再添荊棘吧？

這月中旬，賴震嚴尚還在長原辦差時，蘇明芙在賴府生了一個男孩出來，蘇旦遠恰好奉旨進京向皇帝稟事，便在賴府待了兩日；孩子經賴遊與蘇旦遠商議，取名煦陽。

同月，魏瑾泓又被人參了一本，說他封地的馬跑出了封地，踩傷了平民百姓。這事是小事，但清平駙馬也是在這個地方失的事，因此魏瑾泓的封地就被人傳成了凶地。封地被傳成了凶地，內眷婦人最忌這等事，於是，來通縣看望賴雲煙的人都少了。

這時，京中魏府魏母來人，欲請魏瑾泓夫妻回府。這事鬧得賴雲煙差點笑死，他們要是如魏母所言回了魏府，主人都不在，這不少人覬覦的封地，不久怕是要被收回去了，這豈不是正中了別人的下懷？她敢斷定，魏母這次辦的事肯定是沒經過魏景仲的意思。

果不其然，第二天魏母就派人送來補藥，讓她不要為閒言碎語起意，且安心住在封地管家就是。

此時一波未平，一波又起。魏瑾泓的好友楚侯爺，突被指與庶弟之妻有染，此事一出，朝野上下皆震驚不已。

賴雲煙也是吃驚不少，這事前世從未發生過，但細想之下，如若她是太子，也肯定會從剛繼爵位的楚侯爺這裡入手；朝廷上下都知他們這兩人私下有結拜之交，拿下其中一個，相等於就是拿下了一雙。

上輩子賴雲煙出魏府後已是元辰帝即位之時，關於太子的事，她只知他手段了得，最後敗是敗在了他的剛愎自用上。

當年宣國與鄰國齊國搶奪振貴平原，太子向皇帝三請征令，上戰場殺敵。在他三請征令後，皇帝准了，但三月後，他卻被敵人在戰場上取了首級，還是六皇子後來率帥將替他報了仇，這也讓洪平帝在彌留之際，定了六皇子為太子。

賴雲煙對太子的印象就是他過於自傲，性格激烈狂放，喜怒不定，所以這世的她如魏瑾泓一樣，想押寶押在深沈容忍的六皇子身上。

而這世，魏瑾泓的相繼出手，讓他過早走入朝廷裡那些老謀深算的人的眼裡，他帶動了身邊人的變化，便也帶動了他自己的；就他的政敵來說，他現在就是跟他們爭權力、地位、封地的對手，豈會容他坐大？賴雲煙實則也料不準這次是不是太子在幕後出手，她也不知楚侯爺與其庶弟妻有染的事真假如何，但她能從得到的消息裡斷定，魏瑾泓這一拔人，鐵定是惹上麻煩了。

九月，秋高氣爽，夏天的炎熱不再，天氣雖還是很乾燥，但不再那般讓人躁動，且這時賴震嚴回京了；也在此時，黃閣老那邊的人給她送過來消息，說她要查的那人，隨著六皇子進京了。

聞訊後，賴雲煙坐在椅子上，大半天也沒有理清心中的五味雜陳。

當天，她讓人駕了馬車去京中，路中繞道去了前世的那處茶亭，但尋了半天，也沒有尋到亭子，找來路人一問，道早在幾月前，亭子就被人拆了。拆了？誰拆的？路人都答不知。

賴雲煙沈默了一會兒，便讓車伕往京中駕車。

罷了，拆就拆了，這又何妨？在她心裡，江鎮遠就是那個江鎮遠。

# 第二十五章

魏瑾泓近半月都未回府，聽說楚侯爺一案查出來是被冤枉的，但背後費了不少事。

這日，賴震嚴來通縣，問到魏瑾泓半月都未回府，他笑笑道：「他應該無大礙，只怕還是得避避風頭。」

「兄長有事沒告知我？」賴雲煙的眼睛往他看去，似笑非笑。

「這等事，妳不必知情，只要知曉哥哥會為妳好就是。」

「嗯，我信哥哥。」兄長對她而言就是那個在生死面前會毫不猶豫選擇她生他死的人，她不信他，還能信誰？

賴震嚴聞言，在心中輕嘆了一口氣，伸手別了別她鬢邊的髮，道：「就算等妳頭髮都白了，兒孫滿堂了，妳依舊是我的小妹妹。」

賴雲煙不禁笑了起來。「哪有那麼老的小妹妹？這可不成！」

賴震嚴不由得微笑，看著她的笑臉，那微微擰著的眉頭也鬆懈了下來。

兄長走後，賴雲煙就未再去京中了，她大概料到了她兄長因舅父之事，在魏瑾泓的事情裡插了一把手，以儆效尤。

現下兄長之勢慢慢已起，在這時候，韜光養晦是最重要的，賴雲煙也就不願再動作，給兄長添麻煩。這時候，他們不適合一飛沖天，而是需要蟄伏；在這種實力不穩的時候，大概只有像魏瑾泓這等能力的人能當那出頭鳥了。賴雲煙頗為期待他被射成靶子，渾身上下都插滿了箭的那一天到來。

十月，宣國寒冷的冬天又來了，冷風凜冽，路上車馬行人比平時要少了近一半，而賴雲煙卻不得不在這樣的鬼天氣裡從通縣趕到了京中；魏瑾泓病了，正在京中的魏府中。

賴雲煙雖心裡暗忖著這人怎麼還不病死？但想著這人死了一次又一次，還是沒能死翹翹的事，臉上難免也有些悲戚了。她掏出銅鏡看自己的臉，由於她視力只恢復了一半，看了大半天，才看清自己的臉已夠悲戚，這才稍放了一點心。

她真怕她一進魏府，一聽魏瑾泓病得不行了，就會笑出聲來，可能還會因為掩飾不住心裡的歡喜之情，失態地捶幾下太過開心的心口。

想著難過的事，賴雲煙進了魏府，下人告知夫人正在大公子的院子裡，賴雲煙便跟著管家進了後院；一見魏母，賴雲煙一眨眼，眼淚就掉了出來。

魏母一見她掉淚，拉過她的手就往裡屋走。「快去看看吧。」

「是。」賴雲煙低頭，看著魏母緊緊拉住她的手。

八小姐不是個好相處的，魏夫人這段時日只是與她那個好二媳婦針尖對麥芒，她的好日子，可還在後頭；至於自己，作壁上觀，好好看戲就是，魏夫人要是想拉著她下手擠兌二少夫人，那就得看她有沒有心情配合了。

一進裡屋，看著錦被中的玉公子，賴雲煙瞇著眼睛湊過去看了一會兒，眨著眼睛不停地流淚，總算是把魏瑾泓蒼白的臉看清了。沒死，還活著。賴雲煙悲從中來，把頭都埋到了魏瑾泓的胸口，大聲哭道：「夫君，您怎地病得如此之慘？」您怎麼就沒病死呢？

賴雲煙越想越悲傷，剛才塗了生薑水的眼睛這時更是止不住眼淚了，她這一哭，手還順勢往魏瑾泓的身上拍打，手勢看似弧度小，但力道卻重，都落在了主要穴道上，要是運氣好，可能一下就能把人拍死了。

魏瑾泓從睡夢中被巨痛驚醒，眼睛沒睜開，就聽到了哭聲，只一聲，他就知道是誰來了；那個耐性好得匪夷所思，言語之間無不透露著「我等著別人來收拾你」的女人來了，是幸災樂禍來了，她根本就懶得掩飾一下。他睜開眼，對上她血紅的淚眼，見她眼中一點悲傷也無，還頗為冷靜地看著他，他就閉上了眼，由她身後的人拉了她起身。

「雲煙……」他閉著眼睛叫了她一聲，才睜開眼睛看向被他娘拉住的她，又朝母親道：「娘，妳去歇著吧，就讓雲煙陪我。」

「這……」

「去吧。」魏瑾泓看向她，言語疏冷。

「那你就好好歇著。」魏母對這兒子有點膽怯，說罷，就帶著婆子、丫鬟全走出了門。

她走後，他聽到賴雲煙奇怪地問——

「您娘又作甚了？」

魏瑾泓又重閉上了眼，由於高燒而一直炙熱的胸口因見到她，現下便漸漸地冷了下來了，她總是能令他剎那就清醒。

見魏瑾泓不語，賴雲煙揚了揚眉，揉了揉眼睛，在魏瑾泓身邊坐下，用牙齒略咬著唇，尋思著此時行凶的可能性。

「春暉，給少夫人請安。」魏瑾泓這時開了口。

他說罷，一個瘦小的人影這時從屋頂狹窄的簷上探出頭，朝賴雲煙拱手，恭敬道：「小的春暉給少夫人請安。」

她就知道，魏瑾泓不會讓她如願的。賴雲煙僵硬地朝春暉笑了笑後，低頭老實地坐著。

春暉這人，是魏府中難得的幾個她還有點好感的人之一，也是難得的從頭至尾都對她恭敬如一的人，哪怕她後來當了魏瑾泓的對手。就算後來他出來當探子被她抓住了，他都要先恭敬地行了禮再說。賴雲煙曾聽身邊的人說，只要她一出現在他的視線裡，這個憨人都會先朝她行個禮，再行監測之事；這等有趣之人，哪怕盡忠的不是她，賴雲煙對他也討厭不起來。

「您咋病的？」賴雲煙只好假惺惺、沒什麼誠意地表示了一下關心，見魏瑾泓又沒答話，她便也不問了，八成也不是什麼好事就是。魏母剛才乖得就像隻小兔子般走了出去，想來定是做了什麼對她這大兒心虛的事吧？

「過兩日妳再回。」過了好一會兒，魏瑾泓說了這話，卻無人答他。他睜開眼，看見她正看著她的纖纖玉指，眼睛一眨也不眨，他頓時便把之前想的事全都忘了。他本想，兩個人這一世再無旁人地過下去，相敬如賓也好，她非要跟他分房也無妨，只要她肯留下來。

但他都忘了，她還有一個願意為他彈琴彈破手指的江鎮遠。

「慧真見過大嫂。」祝慧真一進廳屋，就笑著朝賴雲煙福了禮。

「趕緊起，咱們之間哪來的那麼多禮！」賴雲煙忙上前幾步，實實扶住了她。

「嫂子眼睛如何了？」祝慧真小步輕移，裙襬搖曳，讓她整個人這時顯得很是明豔無比。

見她如此嬌豔，賴雲煙笑著拿指輕點了下她的臉。「不好，比不上妳好。」

祝慧真甚得魏瑾瑜寵愛，還得了丈夫幫著對付婆母，心中有說不出的得意，聞言忍了又忍，才沒讓自己笑出聲來。落坐後，她輕咳了兩聲，又道：「大哥可吃完藥歇著了？」

「歇著了。」賴雲煙點頭，又嘆道：「幾日沒看著他，就病了，可擔心死我了。」

「嫂子對大哥真是用心。」祝慧真微微一笑，拿眼看了賴雲煙一眼，見她一臉擔憂，她心中轉了幾個彎，就靠近賴雲煙，小聲地道：「嫂子知道大哥是怎麼病的嗎？」

「怎麼病的？」賴雲煙訝異，又道：「我問了，可無人跟我說；便是你們大哥，也對我一字不語。」

「大哥不說是對的。」祝慧真小臉上的笑這時有些不屑，似是在自言自語地道：「誰叫有人做了那麼丟人的事。」

「什麼丟人的事？」賴雲煙瞪大了眼睛，手緊緊拉住了祝慧真的手。

「嫂子，妳拉疼我了。」祝慧真掙了一掙。

「真是對不住！」賴雲煙忙鬆開手，歉意地說。

「也沒什麼事。」祝慧真見她上鉤，便又假裝雲淡風輕地說。

「好妹妹，告知我吧，求求妳了！」賴雲煙知道祝慧真這傲氣小才女最喜歡有人求她了。

「這……」祝慧真還在遲疑。

「妹妹，我的好妹妹……」賴雲煙哀求地看著她。

「唉，看煙姊姊……呃，看嫂嫂這般急切，慧真也不忍不說了。」祝慧真一臉不忍，朝賴雲煙招了招手，見她湊過頭來後，就在她耳邊輕輕地道：「咱們婆婆想把崔家的庶表妹送去你們府裡作妾，便令人在裡屋裡點了催情香……」

賴雲煙聽到這兒，眼睛都要瞪出來了，忙拿帕擋了嘴，死死咬住了牙根，這才沒噴笑出聲。

祝慧真還當她是被氣得狠了，心下便舒適了一些，又假裝不經心地道：「大哥果不愧為玉公子，當即便推開了人，大冬天地跳了冷湖，這才病了。」說完拿帕拭嘴，眼睛往賴雲煙隨意瞥去，見她低頭拿帕遮了半張臉，手指也繃得緊緊的，祝慧真心中的那點不快就消失得差不多了。

都道這年長她一歲的姊姊嫁了天下最好的君子，看來也確是，自己甚至羨慕、妒嫉過她得了這麼個男人，但最好又怎樣？她對付不了婆婆，什麼事婆婆都壓她一頭；且她看她那大伯也不是真如傳聞中那般寵愛她，要不然，怎麼會十天半個月的都住這府中，也不回去一趟？

不像她的瑾瑜，在外頭就算是在酒樓吃了口新鮮菜餚，也不忘打包一份回來與她。想及她夫君對她的疼愛，就是與婆母有不快，他也站在了她這一邊，祝慧真便滿足地輕嘆了口氣，再看向那垂著頭、死死捏住帕子擋嘴的煙姊姊，心裡真是舒適不已啊！

賴雲煙笑得肚子裡的腸子都打了結，因她憋得太狠，這時眼邊都有了眼淚。她一手拿帕擋住嘴邊扭曲的笑容，一邊拿手去拭眼淚。

身邊坐著的祝慧真見狀，擔心地叫了一聲。「煙姊姊？」

賴雲煙低著臉點了下頭，這時站在門邊伺候的冬雨便走進門來，朝祝慧真一福身，憂心地朝她家小姐看了一眼後，朝祝慧真道：「二少夫人，大少夫人怕是累著了，奴婢先扶大少夫人回房歇息一會兒吧？」

「這樣也好。」祝慧真聞言，又細聲細氣地說道了一句。「煙姊姊莫要太氣憤了，大哥的心，還是在妳這兒的。」

賴雲煙連連點頭，真不敢抬臉，怕讓人看見她滿臉滿眼的笑意。這魏大人，是怕再生個白癡，又怕被崔家綁得太死，所以才連白白送上門來的女人都不敢抱了吧？真是快要笑死她了！這魏夫人也真是太絕了，為了崔家，在魏瑾泓被各路人馬盯住的現在，這種爛糟事都幹得出來，生怕她兒子會死得不夠慘似的，弄得賴雲煙都對她這婆婆越發歡喜了起來。有魏母這樣義無反顧地拖魏瑾泓的後腿，她何愁無樂趣可消遣啊？

魏大人什麼人都想救，她真是想看看，他這一路走下去，最終結果是不是真能如了他的願？賴雲煙自詡沒魏大人那麼有能耐，她的膽大也是建立在謹慎的基礎上，一件事如果沒有太大的勝算，那麼她寧可不動手；而人只要有耐性，沈得住氣，最後的結果總不會壞到哪裡去。

魏瑾泓改變那麼多的事，但他能改變的只能是事，他再有天大的本事，也不能把一個人變成了另一個人。前世拖他後腿的那些人，這世，他們依舊還是那些人；他能改變的，只是他們一時的命運罷了，除非他把那些人時時揣褲腰帶裡不撒手，要不，荒唐人便還是會行荒唐事的。

在魏府待了兩日，賴雲煙便隨託病告假的魏瑾泓回了通縣。走之前，魏母拉著賴雲煙的手說了好一會兒的話，字字句句都帶著關心；賴雲煙帶著淺笑應著，乍一看去，婆媳倆真是和睦又親熱。後面的魏景仲帶著兩個兒子出來，看到此景，對妻子頷首撫鬚。賴雲煙只輕瞥了一下，就低頭笑嘆不已，想來這一世，魏瑾泓最想護住的人便是他這父親吧？

魏景仲前世，除了清高看不起人而得罪了不少人外，他對魏家也好、對妻兒子女也罷，都做到了一家之主之職；後也是怕魏瑾泓被人抓住他得罪人的這個把柄不放，其死因裡，也有五成是他自願赴死的。

說來，這一世魏瑾泓要護住這些人也無可厚非，他最不應該做的，就是重拉她下地獄。

回去的馬車上，遇過一茶樓，樓上箏聲悠悠，那不成曲子的音調慢吞吞又懶洋洋，只聽到一根弦聲，賴雲煙便無聲地微笑了起來。她抬頭看著垂下的簾子，朝那方向望去，豎起耳朵聽著那弦拔動的聲音。

猶記當年，他赴京不久身上便銀兩全無，那日他當了腰間玉珮，買來兩斤熟肉、半斤酒，盤腿與樹下老者對弈，買來的肉被老者身邊的老狗食盡，酒被老者全入了肚，他在一旁饞得眼睛直發光，又垂首羞澀地笑看著棋局，不敢向那一老一狗開口討要他買來的酒肉。她與他之前因兄長的原因有一面之緣，路過見其態好笑不已，便招來他的書僮，送他一些酒肉。

來日，她已住到京郊去了，他徒步來了莊子，在其外彈了一上午的琴，表了謝意就又揹著他的琴，慢吞吞地往京中走，她便又送了一些供他趕路的乾糧。後來一來一往，兩人相熟了，彈琴、談天地，賴雲煙從未那般痛快過，也是從他那兒聽了太多天下的貌況，她才有了遊盡天下的心。

他們性格甚是相投，她便是露齒大笑，也能得來他贊許的幾許笑意；他欲要提刀向貴族，她能費全力在其後為其打點。他尊她、敬她，她便傾力護他安危。

許是其間情意太重，他最後竟以性命相報。

而這一世，只要他長命百歲，安康一生，賴雲煙寧願遠遠地看著他。

馬蹄噠噠，箏聲漸漸遠了。賴雲煙收回眼睛，回頭與垂首不語的魏瑾泓頗為懷念地道：「他最愛的是琴，不是這箏，但他也彈得不差就是。」

魏瑾泓眼皮微跳，依然沒有抬眸。

賴雲煙說罷，自己都失笑。她念他之心，重得連在魏瑾泓這個殺他之人的面前，都忍不住說上一二。

「後來您殺了他。」賴雲煙的眼睛投向魏瑾泓，她慢慢露出笑容，眼淚也隨即掉了下來。「您殺了一個願意為我死的男人，魏大人，自那天起，我就知曉我們之間的仇恨這生生世世都消不了了。」說完這話，賴雲煙拿帕遮了眼，笑了起來。

所以，她在之後相助他的政敵，弄死了他的父親，他在她心裡成了完完全全的陌路人；如果以前她還念他是舊人，自那日後，她就完全當他是無干係的人了。這也是她這世哪怕與他合作得益甚多，也不可能如他所願的原因。他不對她好，後來也容不了別人對她好，這樣殘忍的偽君子，怎就叫她遇上了呢？

到底，還是聞了故人那箏聲傷感了，這等魏瑾泓十輩子都聽不懂其中之意的話，她怎地就與他說了出來？

魏瑾泓低頭，聞到她悲愴的笑，他的嘴死死地抿著。他知他們情深意重，但沒料想到，只一箏聲，她便能淒然至此。

「他是隨六皇子上京來的。」馬蹄聲過大，魏瑾泓不高不低地開了口，嘴角有著疏冷的笑意。「妳前意可有更改？」

「我要是改了，魏大人的意思？」

「妳能不知？」魏瑾泓抬頭，看向了她的臉。她已把擋臉的帕子拿下，眼神明亮，眼中悲意全無，看向他的眼睛裡，全是冰冷的殺意。他太知她狠心起來的辣手，不過，她也應知，他全力反擊她時的毫不留情。

「如您所願。」她說完，就拿帕拭起了嘴角，嘴邊的淡笑已看不清真假了。

「世事皆會變遷。」魏瑾泓看著她放在腿上的手，淡淡地道。

他們之間，恩怨太多了，多得其實他都想不起他們年幼時的樣子了。他只能記得她小時，每次他去賴家，她總是安安靜靜地跟在他的身後，等他要走時，她會說「泓哥哥，下次你什麼時候再來？」，他總答「下次」。答了許多年，答到她成了他的妻子；後來等來了她說「我們還是一輩子不要再見一次」的那天；沒幾年，又等來了她對別的人那般心心念念的那天。

「不管怎麼變。」他的這句話，賴雲煙聽得不甚明白，聽著也覺得甚是荒謬，她想了想便道：「這一世，對江大人，您的手還是握緊一點，再怎麼看江大人不順眼，也要想一想，前世他走後，我是怎麼對魏家與您的。」魏瑾泓若要一意孤行，她也沒什麼可懼的。上世，知已給了她一條命，這世要是注定她要還他一次，也沒什麼不好的。

魏瑾泓聞言，看了看自己的手，嘴邊泛起淺笑。身邊的這個女人，得已不得已，都讓他前世為之費盡了一生的心力；沒料重來一世，她還是如當初那般，讓他有時仍倍感束手無策。

她怎麼就不像當初那般聽他的話，眼裡、心裡全都是他呢？

魏瑾泓告假，日日待在府中，賴雲煙自然是離他能有多遠就有多遠，名義上的兩夫妻是各過各的日子，三、兩天的不見一面甚是正常。

這廂魏府平靜得很，那廂京中的魏府可是風生水起，別有另一番景象。

這日，賴雲煙早間剛沐浴著衣完，就聽她的小廝在前院報訊，不多時，秋虹步履匆匆過來與她報──

「小姐，京中府裡夫人有請。」

「可有說何事？」

「二少夫人昨日說她丟了一盒金釵，說是動了氣，下午就回了娘家，二公子前去接，也沒有接回來，現下兩人都還沒回來。夫人說，請您過去，順道接上二公子和二少夫人，回家一起吃頓便飯。」

賴雲煙聞言輕「呵」了一聲，嘴巴微張，哭笑不得地搖了搖頭。這對婆媳，真是沒安生幾天，便又鬧起來了。一盒金釵，丟還是沒丟？誰是誰非？她現下是鬧不清，只是這熱鬧，她是去看還是不去看？賴雲煙想了一會兒，也沒想出個答案，自也是沒動身。

那邊魏瑾泓得訊後，沒有言語。

第二日賴雲煙仍沒動身，魏瑾泓再聞其訊後，便過來與她開腔道：「妳父親說，讓震嚴兄去兵部，掌庫部主事。」

「魏大人也是如此意思？」賴雲煙微笑。魏大人要脅人，都要脅成慣性來了，他是想與她那父親大人合手了吧？

魏瑾泓抬眼看她，見她臉色平靜，過了一會兒才啟唇淡道：「不是。」

賴雲煙便低頭，笑笑不語。魏家的這熱鬧，她還真不打算去湊了。

過了兩日，賴雲煙聽說魏瑾瑜帶著娘子回去了，回去後，魏崔氏還給他們送了補湯過去；這一場婆媳之戰，祝八小姐完勝，果然有人站在自己一邊就是不一樣啊！

賴雲煙感嘆著祝慧真這一時的勝利時，這廂魏母又來了通縣，問起了賴雲煙肚子裡的事。

「妳這肚子就一直都沒消息？」讓隨侍之人退下後，魏母看向賴雲煙的肚子，詫異地道。

「是。」賴雲煙低頭輕聲地道。

魏母仔細地看著她的臉，看了一會兒後慢慢地道：「妳雖還年輕，但這孩子早生有早生的好，還是抓緊生了吧，趁我還沒老，還能給妳看帶幾年孩子。」

「是。」賴雲煙沒抬頭。

「別一直是了。」魏崔氏平平淡淡地道：「妳素來是個口齒伶俐的，我也沒想拘著妳，以前是怎麼說話的，現在就跟我怎麼說吧。」

「是。」賴雲煙又輕答了一聲。

見她還是只答「是」，不抬頭，魏崔氏臉色也未變，眼睛盯著她的肚子好一會兒後，又道：「你們成婚也有一年多快兩年了，要是一直沒有，還是找大夫瞧瞧吧。」

「兒媳聽娘的。」賴雲煙這次抬頭了，看向了魏崔氏，神情溫馴。

魏崔氏見此，臉也柔和了一些。這時，她伸出手拍了拍賴雲煙的手，道：「不用太著急，今年能懷上就好了。」

賴雲煙點點頭，輕聲回道：「便是不能，孩兒也會為夫君著想的。」

魏崔氏聽了這話先是一頓，隨後回過神來，不由得又伸手拍了拍她的手背，憐愛地道：「真是個好孩子，不愧是賴家出來的好閨女，是個識大體的。」

賴雲煙微笑著又垂下了頭。

魏母見狀也滿意地笑了笑，正開口欲再提家中之事時，蒼松進了門，朝她們恭敬施禮後道——

「大公子讓我前來問一下夫人，是否留下來用膳過夜？」

魏母猶豫了一下，便道：「留下吧，想來也有一陣子未與你們一同用膳了。」

「娘能留下與我們一道用膳，是我們的福氣。」賴雲煙很識時務地補了一句。

「那小人這就去稟了。」

蒼松退下後，魏母朝賴雲煙嘆道：「妳小小年紀，就要操勞這麼大的一個府，確也是難為妳了；孩子之事妳莫要心急，只要懷上了就好。」

魏母的口氣比上之前的淡漠要好上了太多，賴雲煙聞言好笑地勾了勾嘴角，由得了魏母盡情說去；想來，只要生不出孩子，她在這魏家也無須熬太久了，無所出這一項，足夠兄長替她提出和離了。

# 第二十六章

魏母在府裡留了一夜，本是第二日的下午才走，但京中有僕人來報，說老爺昨晚休沐，已回了府。魏母沒料到他竟在昨日休沐，聞訊後便上了馬車，匆匆回了府。對魏景仲，魏崔氏是相當用心的。前世，這對夫婦的感情也算是不錯，可能是魏景仲不添嬌妾、美侍，魏崔氏的日子過得太好了，才會把時間及心思都花在怎麼扶持崔家上了。

又過了幾日，魏瑾泓出府了，賴雲煙便是查了，也沒查出他去了哪兒。

這日，賴家那邊的莊子出了新鮮的瓜果、蔬菜，便有僕人駕了牛車送了過來，還給了幾盒子說是蘇明芙給她的點心。賴雲煙夜間讓丫鬟抓來幾隻小雞，把點心餵給牠們吃了。小雞先是無事，但一夜過去之後，牠們就奄奄地抬不起頭來，賴雲煙再餵牠們吃了一些，隔日這幾隻小雞就死了。當日，她提筆寫信給了兄長。

她與她那小嫂子已有默契，平日來往，這過嘴的東西是不會假他人之手送的。小嫂子是有那前車之鑑，而她是上世被毒怕了，這防心比她那小嫂子還要重，於是得了這來歷不明的點心，便想試上一試；試出了這麼個結果，賴雲煙想，這事不知是賴遊做的，還是那宋姨娘根本就還沒死。她猜測之事，不管是真是假，還是得與兄長道明，這事如若父親知情，想來，兄長也知要如何去辦了。

賴雲煙的信著人送出去後，賴震嚴的信隔日就送了過來，信中說，皇上這幾日要帶皇后、貴妃去行宮避寒，百官無須上朝，父親昨晚回府便帶了新納的姨娘還有家中二小姐去了三周山避寒了。

此次前去三周山的，還有不少官家的人，便是魏家的老爺、夫人也前去了，同去的人還有魏瑾瑜夫妻，但京中魏府卻無人來與賴雲煙說；賴雲煙甚是奇怪，這等眾官緊隨聖上避寒之事，魏母也應告知她這長媳一聲吧？怎地一點消息也沒傳過來？她想了一夜，也沒想出這是怎麼回事。

賴雲煙來不及等探子來報了，第二日，她讓車伕趕了馬車去京中，這時京城中但凡有些身分的，都帶了家中得寵的人去了三周山，賴雲煙叫丫鬟出去打聽了一圈，才知與她交情好的人中，只有時家的五小姐還待在府中。

時五娘見賴雲煙來府中看她，迎了她入座後，甚是奇怪地道：「妳怎地未去？」

「我也不知。」

賴雲煙與時五娘前世在各自婚嫁後就沒再怎麼來往了，後來到魏府中勸說她的姊妹裡沒有五娘。多年後，時五娘在她四十壽辰時送了盒壽桃過來，還送了她親手縫的一襲青袍；她送了回禮過去，時五娘便也沒再有動靜了，就跟之前沈靜無聲的那十年一般，沒再與她來往。

就是這種泛泛之交的朋友，讓賴雲煙想起來時卻忍不住想會心一笑。女人的友誼，要是交往多了，難免滋生糾葛，尤其是她們這種身在大家族裡的女子，如若交情過深，難免會被有心之人利用，誰都不知哪時行差一步就會反目成仇，有時還不如不相來往來得乾淨。

時五娘性子淡薄，喜靜愛獨處，她那一生都安安靜靜地待在內宅，想來她是喜愛那種日子的；這生賴雲煙也沒想破壞時五娘平靜的生活，只是這京中與她說得來話且知情不少的人，她只知五娘還在，便朝她找來了。

「沒人知會妳？」時五娘疑惑地看著她。「玉公子未帶妳去？」

賴雲煙聽了頓了一下，問道：「他也去了？」

時五娘聞言斂眉，朝賴雲煙看來，輕輕地道：「妳怎地什麼也不知？」

賴雲煙苦笑。「現下看來，可不就是如此？」

時五娘瞄她，道：「我聽我大哥與我說，今早楚侯爺與他還有幾家的公子，都去了大周山狩獵，順路護送幾家女眷去小周山，我還以為妳與她們一道去了。」

「這下可好……」賴雲煙喃喃自語。「都知我與他感情不和了吧？」

時五娘秀氣地皺了皺她的小鼻子，朝賴雲煙的肚子看去，看了幾眼就慢條斯理地道：「我還道你們恩愛得很，不過，妳也有一段時日未邀我們去妳府中一起吟詩作畫了……」便是去通縣看她，也見不到那大公子的影子。「你們許久未與以前那般了？」時五娘見賴雲煙的眉毛斂得死緊，礙於情分，她還是多嘴地多問了一句。

賴雲煙摸了摸肚子，嘆氣道：「好長一段時日了。」自不幸在那夜重生到如今，再加上前世為敵的那半輩子，算來確是好長一段時日了。

「趕緊生吧。」時五娘也從自個兒的姊妹那兒聽了不少事情，見賴雲煙摸肚子，她嘆氣道：「生了就清靜了。」

「也得生得出來。」賴雲煙無奈地道，心裡想著怎麼應對魏瑾泓走的這一步棋？

「找大夫看了沒有？」

「看了。」

「莫不是上次，打壞了肚子？」時五娘遲疑了好一會兒，才輕聲地問了這句。

賴雲煙遲鈍地「啊」了一聲。

「若是打壞了，這才叫……」時五娘說到此，便轉過嘴間的話，道：「還是找大夫看看吧，妳眼睛已好上了一些，想來這肚子的事只要找對了大夫，也是能……」說到此，她已覺自己透的話太多，便垂首看著手中的帕子，不再言語了。

賴雲煙見狀也就不再多說了，臨走時，她握著時五娘的手，道：「謝謝妳能告知我這麼多，我在家中什麼都不知曉。」

「妳還是趕緊生吧。」時五娘說到這兒，悄聲地與賴雲煙道：「我那個遠房表姊，就是因三年未生養，現下家中那連生了兩個孩子的貴妾，私下連安都不好好與她請了。」再過幾月，賴雲煙成親也有兩年了，到時三年過了要是還未有喜，這日子怕真是不好過了。

馬車在寒風中跑回了通縣。

這次魏府的人也好，魏瑾泓也好，都沒捎上她，回頭等大班人馬回了朝，拿她又有得是說道的了。她被賴遊毒打之事，雖說其父被多人在心裡記上了一本，但她也把自己置於了別人的口舌之上，這於她是有損的；現下魏家這舉，無異又會讓她被人在嘴裡說道多時。一個人被人議論得多了，尤其還是個婦人，沒事都成有事了；總會有人樂意去想，她這總歸是有問題才招致於此，到了這步，賴雲煙也知自己還是逃不過名聲受損這一劫了。

要是可能，她還真想像時五娘那般，不聲不響地活一輩子。

過了幾日，魏瑾泓突然回了通縣，同時隨他回府的還有楚侯爺楚子青。

賴雲煙得知楚侯爺跟魏瑾泓來了後，不多時，魏瑾泓就往她這邊來了。

見到她，叫人退下後，魏瑾泓便對她道：「妳父親的姨娘昨日滑了胎。」

賴雲煙聞言，直了直腰。

「六皇子騎下的馬兒受驚，妳兄為其拉住了馬。」

「是嗎？」賴雲煙笑了笑。

「江大人也在隨行之人中。」魏瑾泓說到這兒，朝賴雲煙那嘴間攔了帕子的臉看去，繼而淡淡地道：「妳妹妹過些時日，怕是會進宮。」

「進宮？」賴雲煙的眼睛頓時睜大。

「太子有意納她為姬妾。」

有意？賴畫月要到明年才及笄，而太子身為洪平帝的長子，年齡要長她一倍，這有意怕不是字面上的有意，是背後有人有其意才對吧？

「這是我父親的意思？」賴雲煙拿下帕子，對上魏瑾泓的眼。她還是不能看得很清楚，但這時她能看清魏瑾泓的眼是平靜的，她本打算調侃地問他捨不捨得的話，就這麼擱下了。魏瑾泓的心也是真狠，他連前世心愛之人都能捨得下，還有什麼事是做不出來的？

「嗯。」

「您在其中插了一手嗎？」賴雲煙問得客氣，沒帶針對之意。

「未。」魏瑾泓搖頭，淡道：「這於我無益，瑾泓心間已有明君。」

元辰帝上世是個明君，於他也甚有恩德，這世他也不會更改對元辰帝的追隨之意。

「我父親這舉，是要向太子靠攏了？」

「恰是。」

「我兄長卻拉了六皇子的馬？」賴雲煙奇怪地問。她兄長怎會做這等不恰當的事，讓人知道他跟父親對著來？

「被人計算而為。」

「我父親。」賴雲煙接話。

魏瑾泓看她，頷首。

「還真是狠心。」賴雲煙不帶感情地道。

「侯爺狩獵受傷，會在我們府中住上一段時日。」魏瑾泓這時又道。

「多長的時日？」

「先住到過年吧。」

「你們的風頭還沒避過？」賴雲煙不禁翹了翹嘴角。

看她又痛快了兩分，魏瑾泓的嘴角柔和地彎了彎，道：「是沒有。」

「要避到何時去了？」賴雲煙的口氣又可親了兩分，聽著還似有關心之意。

魏瑾泓就知道，他剛把賴震嚴的事透露給她是有用的，她對同一條船上的人，哪怕是虛應，樣子也是能裝得好看的。「兩、三年吧。」他淡淡地道。

賴雲煙聞言，著實詫異了一下。他打算裝兩、三年的孫子？是真是假？「要這麼久？」她又問了這一句。

魏瑾泓收回看她臉的眼，垂眼看著膝上的錦袍，另道：「此次沒有帶妳去，江大人是其一，其二是賴大人也去了，於妳怕是有損。」

「總不會把姨娘的事怪罪到我頭上來吧？」賴雲煙淡笑著說完，心裡卻清楚知道，這事賴遊是做得出來的，她那父親，有什麼是他做不出來的？上世幫著庶女上位、踐踏嫡女的事他都做得出來了，還不怕人說，這世加上宋姨娘的事，他還能對她好到哪裡去？

「上次賴家給妳送了點心過來？」魏瑾泓撣了撣膝上的灰，漫不經心地問道了一句。

「嗯。」賴雲煙的眼睛微瞇了一下。

「試過了？」

「試過了。」

「有毒？」

「有毒。」

「這事妳方便查？」

「魏大人方便？」賴雲煙反問。

魏瑾泓點頭。「不過尚有一事。」

「魏大人請說。」賴雲煙笑了。

「妳不能見江大人。」魏瑾泓依然低頭看著錦袍，淡道：「其餘，有事問我，萬事隨妳。」

「您這是怎地了？」半晌，賴雲煙訝異地道。她看著完全變了個樣子對她的魏瑾泓，弄不明白魏瑾泓怎麼就變得這麼大方了？

魏瑾泓聞言笑了笑，抬頭看向她，道：「我已跟人說，妳眼疾又犯，不便帶妳去。」

賴雲煙笑了笑，未語。

魏瑾泓便起身，朝她微一拱手，就抬腳而去。

善悟前幾日突然跟他說，他與府裡跟他同困一室的人緣分甚淺，要是過了今年，他們的緣分之線斷了，無人再與他同擋血煞之氣，明年他就有血光之災，且禍及全族；如此，只能由他先退幾步了，而他真下定了決心做了，她的反應卻沒有他以為的那麼差。

人敬一尺，我敬一丈，她的為人還真是自始至終都未變。

魏瑾泓留下那句話走後，賴雲煙忍了忍，還是伸手揉了揉眼。「老天變臉了？」今兒個太陽是打西邊出來了吧？要不然，一朝之間，畜生怎地突然有了點人樣？

魏瑾泓回來給賴雲煙帶了第一手消息後，不多時，賴震嚴給她的信也到了府中。信中兄長的字跡有點草，賴雲煙把信看完後，在燒信之時，臉上全是苦笑，心裡也苦澀至極；兄長的這一趟，真是險中透著險。現下，京城的達官貴人，誰都知他與父親面不和，心也不和了，賴遊根本不給他這個嫡長子一點臉面。

賴雲煙也清楚地知道，她動的那兩手，並不能在洪平帝面前拉他下馬。於洪平帝而言，賴遊是有功之臣，另一個，他信老臣還能拿捏得住任家，所以老皇帝只要面上還能過得去，就不會動賴遊這個老臣子。

賴畫月為太子姬妾的事，兄長在信中極其詳細地說了，個中利害他也分析了一道，他還道，父親所做之事不僅於此，另還有一些事，他探不出來。他探不出來，她暫時也探不出來，老狐狸還是老狐狸，在朝廷裡跟人勾心鬥角了半輩子，哪是那麼好對付的？

上世賴遊沒有做太多，就已把稚嫩的他們害得很慘；而這世她多了前車之鑑，有了不少防手，但看他這段時日的所作所為，她這世的父親大人怕是要比上世對他們更心狠手辣了。這就是蝴蝶效應了吧？沒有想到，這事落到她頭上來了，讓他們子更不像子，父更不像父了。

果然人的什麼決定，都不可能是萬全之策，總會帶來後果。

兄長的信後，黃閣老那邊的人過來說，她也被人盯上了，叫她小心謹慎為上。

探子走後，賴雲煙第一次覺得，賴遊要是死了，她是一點傷心也不會有了；上世他死時，她在他面前給他磕的三個頭，現在想來還是矯情了。

隔日，賴府的管家帶著僕人送了一堆補品來，管家說，是老爺知道她眼疾又犯，心裡甚是擔憂，就把府中大半的補品都給她送來了，讓她天天用，沒了他再去尋藥材送過來。

這話說得真是漂亮啊！管家走後，賴雲煙把十來個參盒都打開看了看，見都是珍品，不禁感嘆賴遊真是捨得花血本。這些她以後交給舅舅賣，能賣不少錢呢！江南一帶的老爺子、老夫人，可是最喜這些個人參了，便是不吃，買上一根救命參放枕頭下，他們也能睡得安心，這參啊，比在京城賣要貴得多了去了。賴雲煙決定，下次賴遊要是敢送，只要裡面沒下毒，她就敢收，這也是錢啊，噁心錢也是錢，她不嫌棄。

賴遊這一手玩得漂亮，一邊讓人知道嫡子對其違逆，一邊花著大錢讓人知道，他還是關心這個嫡女的；這時賴雲煙除了感激的話，其他最好什麼也別說，要不然到了賴遊的嘴裡，他們兄妹都會被他打成蛇鼠一窩了。

兄長這一段時日，怕是要把前世那在漫長的十幾年裡所受的苦，在短時間內全都嘗了。賴雲煙覺得心痛，但也沒辦法，這注定總是有這麼一遭的，既然躲不過去，就只能迎面而上了。

又過了兩日，魏瑾泓那邊的蒼松過來送了東西，說是楚侯爺送的。

賴雲煙打開一看，見又是人參，眼睛都笑彎了。「我最愛這個了，替我謝謝侯爺了！」愛送，那就多送點吧，侯爺家不缺參，她可是缺錢得很呢！

雖說黃閣老的身分尊貴得很，但骨子裡的愛財之心可一點兒也不比她舅舅弱，想請他辦事，她手裡那點錢根本就應付不了。

楚侯爺這人與魏瑾泓的交情太好，因著他在背後替魏瑾泓撐腰，上世他們兄妹就因此吃了不少苦頭；但這世還沒鬧到那個境地，賴雲煙覺得在此之前，他們要是在魏府又狹路相逢了，她一定要盡力展現她甜美的一面給侯爺看。侯爺也是個大方的，家中金銀珍寶又多，最愛給美人送禮了！

# 第二十七章

打聽到今天舅舅的商船要離京，管事之人又是舅舅的心腹，賴雲煙一大早就起來叫人把她備好的兩箱人參搬上了馬車，走了一上午的路，把箱子交給了管事的，又交了一封信讓他帶去。信中不乏甜言蜜語，其間更是讒言無數，賴雲煙寫完還瞧了幾遍，覺得自己那諂媚之情已經躍然紙上了，拍舅舅馬屁的功力不減當年，這才滿意地折紙封蠟。

這感情啊，都是交流出來的，她這一擔簍投其心意的好話，想來也是能讓舅舅更歡喜她一些的。他們前世合得來，這世感情也差不到哪裡去，哪怕這世她一開始就坑了她舅舅這麼多銀子，但之前他臨走時，不也是咬牙跳腳地又賞了她十兩銀讓她買糖吃？

等到船開，再從望京碼頭回到通縣，這時已是夕間了。

賴震嚴已在府裡等候她多時了，見她回來，在廳屋裡，賴震嚴當著魏瑾泓的面便問：「去哪兒了？」

「有江南的船要回去，我去了碼頭，找了個管事的給我帶信給舅舅。」

「下次差下人去辦就是。」賴震嚴不滿地搖了下頭。

「雲煙知曉了。」

賴雲煙朝他們都請過安後，在魏瑾泓的身邊坐下，這才朝賴震嚴笑著說：「哥哥這是剛回來就來瞧我了吧？」

「嗯。」賴震嚴頷首，轉頭與魏瑾泓說道：「你趕回來就是為了陪她？我看她眼睛好好的，還有那精力出去亂轉，哪有犯病的樣子？」

「唉……」賴雲煙聞言立馬扶額，道：「現下頭又疼了。」

賴震嚴不由得瞪她，斥道：「亂來！」

賴雲煙便笑了起來，笑了好幾聲，見兄長的嘴角繃得不是很緊了，她這才笑著說道：「前幾日是有些頭疼，夫君這才沒帶我去三周山。」

「是嗎？」賴震嚴看了她一眼。

「是。」賴雲煙笑著回道。

一旁的魏瑾泓嘴邊掛著溫柔的笑意，時不時看說話的兄妹倆一眼，並不插話，過了一會兒，他藉故有事要走開一下，把廳屋讓給了這兄妹倆。

他走後，賴震嚴鬆了繃緊的背，眉頭也皺了起來，嘴裡輕語道：「怎麼回事？」

信。賴雲煙未答話，只在桌上寫。

賴震嚴見她如此謹慎，就不再追問了，嘴裡的聲音也恢復了正常。「父親讓我來看看妳，說下月初七娘的忌日那天，妳要是有空就回府一趟，到時與我們一同為娘祭拜。」

賴雲煙的臉慢慢地冷了下來。

賴震嚴像沒有看到般，依然不緊不慢地道：「到時妳有空就回來吧。」

「到時是要做法事嗎？」賴雲煙垂了眼。賴遊啊，怎麼就有這麼狠的心？

「嗯。」

「要做幾場？」

聽她這般問，賴震嚴看向了妹妹。

「妹妹曾聽聞，江南一帶，有一家的大人甚是愛其妻妾，但紅顏命薄，他的兩位妻妾早時就亡了，不過他在古稀之年時，尚還記得為她們同做了一場法事呢。」賴雲煙看著手中的帕子，淡淡地道。

賴震嚴聽後，久久未語。

楚子青出去了一趟，再回來時，看著魏瑾泓半晌都無語，良久才與他道：「我可沒料到這賴遊是那般癡情之人。」

「查出來了？」

「是。」

「怎麼回事？」

楚侯爺咋舌道：「賴大人養的那兩個外室，雖都是年輕女子之像，但無不與那宋姨娘相像。」

「不僅如此吧？」

「是。」楚子青佩服地朝魏瑾泓拱一下手，又道：「且都有孕了。」

「看來宋氏之死是真的了。」魏瑾泓淡淡地道。

見他這時都不動如山，楚子青真是對他這好友佩服不已。「你這時都還坐得住？你那泰山大人，可不是一般地不喜你那舅爺。」

「賴大人是過於悲切了，想來過段時日就好。」魏瑾泓輕描淡寫地道。

楚侯爺搖頭。「你要是還想與震嚴兄來往，還是與賴大人隔開些好。」父子倆可是對仇人。

「現下不能。」

楚侯爺看向他。

「你忘了太子？」魏瑾泓說到這兒，笑了笑。「由他們去吧。」他們且暗中行事就算了，賴家的事，該告知她的他都告知了，至於怎麼辦，他就管不到太多了。

楚子青聞言搖頭道：「我比以前更弄不明白你了，你就告訴我，你到底看好誰？」

「還早。」魏瑾泓垂首伸手推了推他面前的茶杯，淡道：「喝茶吧。」

楚侯爺這時想及他侯府的那些破事，不禁苦笑道：「對，心急幹什麼？越急越亂啊！」他就是急了、惱了、怒了，才著了庶兄、庶弟的道，被皇上不喜，被族長斥責。

「有孕？」賴雲煙一從魏瑾泓嘴裡知道這個消息，拿帕攔嘴的手都僵了。

魏瑾泓看著她雪白手指旁邊的紅唇，微眯了眯眼。她今日嘴唇抹了胭脂，過豔，豔得就像燒得過旺的火。

聽聞京中密友已回，本打算去京中找人說話的賴雲煙，這時原有的好心情瞬間就沒了。

她半晌無語，他再朝她看去時，只見她拿手支著頭，額上有了細汗。

「叫大夫。」他起身去了門邊，朝小廝說了一聲，就大步回了原位，把她抱了起來。

她一路都沒說話，只是死死地咬著她豔得似烈火的唇，頭上的虛汗越來越多。一路上的丫鬟見此狀，已嚇得軟了腳，奔相走告，抬水拿帕的人忙成了一團。

這廂魏瑾泓放了她到床上，剛放上床，就被她緊緊地抓住了手。

「魏大人，我眼睛又看不見了。」

魏瑾泓拿袖子擦了她臉上的汗，閉了閉眼，這才靜下了心，道：「不用急，方大夫就來。」

她的手鬆了下來，魏瑾泓下意識手一緊，又重抓住了她的手。

「全看不見了……」賴雲煙苦笑道。「怕真是得瞎了。」

「不會。」魏瑾泓摸了摸她的額頭，發現冰冷一片，就跟當年他們決裂時，她臉上的溫度一樣。「絕不會。」他心不在焉地說著，眼睛往門邊看去，嘴裡的聲音微緊了一些起來。「大夫怎麼還沒來？」

跪在門口的春暉爬了起來，跪到了大樹下，爬了上去，打量了一會兒就索利地爬了下來，再跪回門口，恭敬地朝他道：「就來了，到大院門口了。」

方大夫進來後把了半天脈，還點了火摺子在賴雲煙的眼前試探了半晌，火光映紅了賴雲煙的眼，也燙出了她眼睛裡的眼淚，但賴雲煙的眼睛還是茫然地隨著他們說話的聲音轉動著，而不是隨著她眼前的火光。

「再過幾日看看。」方大夫開了藥方後，朝魏瑾泓拱手苦笑著道：「不才也是頭一次遇到這種情況。」

過了兩日，賴雲煙還是能與下人說笑，便是魏瑾泓來看她，她時不時也能譏諷兩句，像無事人一般；但魏瑾泓見她被下人扶著坐下後，就輕易不走動了，連去拿茶杯的次數也不像以往那般得多，謹慎至極。

賴震嚴也聞訊趕來，不多日，魏瑾泓回了京城，從宮中請來了聖醫。什麼法子都試了一遍，賴雲煙的眼睛還是沒有好轉。

這時，京中魏府裡祝慧真已有孕，魏府裡出了這樁大喜事，魏母便什麼好東西都往她那裡賞，賴雲煙這邊，魏母只是毫無聲息地把崔家的庶女送了過來，且說好了，沒生孩子之前，只是個侍妾。

這侍妾一到，賴雲煙就讓人把她送到了魏瑾泓的外院去了，這人本來要放在內院才好，但內院同時也是她的地方，她就沒動這手了。

她眼睛全瞎的事，不多時就被傳了出去。

這廂，很快就到了她母親的忌日。賴雲煙未回賴家，不過魏瑾泓已提前一天到了賴府，到第三日才回來。賴震嚴令身邊之人來與賴雲煙報了話，說姑爺昨日全日都與他一道，從清晨的祭拜到下午的法事都盡了半子之責，想來他們的孝心，娘泉下也是知曉的；這話外之音，就是宋氏的那場法事沒有做成。

魏瑾泓都替她去跪靈堂了，要是賴遊再在其中有所動作，那就是魏家的大公子都跪了一個妾，想來賴遊就算有著欺宗滅祖的膽，也不敢做這種會把自己完全交代了的事；要是他真敢，賴雲煙想，這事也就好辦了。她的眼瞎，正等著這呢！只要她眼睛一日不好，賴遊那因小妾而毒打嫡女的事就消散不了，賴遊的對手，隨時都可因這事參上他一本。

賴府祭拜之事過去後，賴遊去了魏景仲的德宏書院，在其中住了幾天，據說相談甚歡。不多日，魏景仲給賴雲煙送來了一些禮物，其中說還有賴遊給她的一些，管家傳了他的話，話裡行間的意思就是——天下間無不是的父母。

京中魏府的人走後，賴雲煙對還坐在身邊的魏瑾泓真心道：「您與您父親真是頗為相像，不痛不癢的話說的比唱的還好聽。」

魏瑾泓正老神在在地看著手中端著的杯子，嘴角含著溫笑，聞言只是嘴角稍冷地勾了勾，並沒有接話。這幾日，每日他都會來坐一會兒，她為了趕他走，什麼難聽的話都說盡了，只差沒像市井潑婦那般趕他走了。

賴雲煙閉著眼睛也難想像出他不為所動的樣子，見他沒說話，她抬手朝丫鬟沒好氣地說：「快扶我走，再留下去，被氣死的就是我這瞎子了！」

冬雨這幾天著實被她這幾日對大公子所說的話嚇得不輕，見小姐傳她，她不安地走到了賴雲煙的身邊，扶起了人，見大公子那邊沒有聲響，一到了門邊，她的腳步就略快了一些。

「小姐。」一出了門，走完了長廊，下了階梯，冬雨苦笑著開了口，道：「下次您跟大公子說話，還是讓奴婢出去吧。」

「妳不是膽子肥得很的嗎？」賴雲煙驚訝，這冬雨可不是個一般人，她是武夫的女兒，力大膽大，連墳山都守過的人，難不成這段時日還沒被她嚇習慣？想到此，賴雲煙自語道：「這可不行，妳要是還沒被我嚇習慣，我得找秋虹來幫我罵了。」

「奴婢不敢，秋虹也不敢。」冬雨無奈地搖搖頭。秋虹還比她小一歲，再怎麼膽大，也不敢幫著小姐罵姑爺。

「想在外面守著就在外面守著吧，就是莫讓他的人再騙去了，到時我可沒嫁妝好打發了。」賴雲煙笑了笑。

「您就莫逗奴婢了。」主子太不正經，以前自覺膽兒天生大的冬雨，最近覺得自己的膽氣是越變越小了。

又是一年過去，這年他們回了京中魏府過年，因著眼疾，初三那天賴雲煙並沒回娘家，魏瑾泓卻是在那天一大早就去了賴府，用過了午膳才回來；他回來後，又帶回了豐厚的回禮。

知道他要去之後，賴雲煙就令丫鬟找了他來說話，說賴大人給多少禮物，他全帶回來就是，千萬別推拒。見他回來，果然帶回了不少禮，賴雲煙眉開眼笑，魏瑾泓還沒走，她就讓丫鬟把那小箱珠寶搬放到面前，拿手細細摸個不停。

她眼瞎多日，除了那天哭了，別的時日成天不是笑就是鬧，看不出一點愁緒，這時更是一副對珠寶愛不釋手、歡天喜地的樣子。魏瑾泓抬眼看了她纖長的手指半會後，開了口道：「這應是妳舅舅送給岳父大人的。」

魏大人這幾日也時不時會給她潑點冷水了，這時賴雲煙聽到了秋虹、冬雨退下去的腳步聲，等腳步聲沒了，她便毫不猶豫地朝他滿臉嫌棄地道：「不用您說，趕緊走！」

「過了正月，我帶妳回府。」

「您什麼意思？」過了這正月，她不回通縣的魏府，難不成還一直待在這京中的魏府不成？

「回去後，府中的丫鬟，妳定個管事婆子管管。」

「關我什麼事？」

「妳身邊的那個福婆子，我看可管事。」

「您想得美！」

「內院乾淨，妳嫂子帶姪兒來住時也清靜。」魏瑾泓拿起茶蓋，漫不經心地拂了拂茶沫。

「福婆婆就福婆婆吧，魏大人可真是厲害！」賴雲煙都被氣笑了。「我嫂嫂他們什麼時候會過來住？」賴雲煙知道魏瑾泓不會無故提起這事，怕是他與她兄長有什麼合謀吧？雖然與魏瑾泓合手無異與虎謀皮，但目前看來也只能如此了。

「妳可還記得渥水之戰？」

賴雲煙握珠寶的手頓了下氺，她慢慢地沈靜了下來，想了半晌才道：「就是今年的事了吧？」

「嗯。」

當年與渥水對岸的孟國在渥水一戰時，因宣朝延誤戰機，渥水沿岸死了兩萬平民，數千戶人家流離失所。

那年三月時，孟國已經有大船向渥水水域迫近，而當時在朝中的丞相韓荀主張以靜待動，老將軍溫謙伯卻言道兵貴神速，欲要請征帶兵出戰，兩人還沒爭出個結果，孟國便以兵貴神速之姿，與渥水叛將裡應外合，侵占了渥水一地。後來溫謙伯打了兩年，他大病後，他的兒子接著替他打了三年，渥水之戰前後總共花了五年，才讓渥水重回宣國。

這時的丞相雖不能說是權傾朝野，但卻是洪平帝最信之人，而且，他是魏瑾泓的師伯。

「我記得，當年您是站在丞相這一邊的，收復渥水失地時才和溫老將軍交的好。」賴雲煙收回了手，摸著蓋頭把盒子蓋上，把箱子放在了腿上，摸著木盒上光滑的漆。

「把箱子放桌上。」魏瑾泓一直都看著她的手，見此說道了一句。有種漆毒，摸得多時，皮膚就會潰爛。

賴雲煙乍聞沒什麼反應，等了一會兒才反應過來魏瑾泓話中之意，把箱子放在了桌上。一放好，她不禁搖頭失笑。「這與我嫂嫂住進我府裡有何干係？」賴雲煙拿帕擦手，轉臉往魏瑾泓坐著的方向看去，輕道。

「當年還未開戰之時，並不止我一人站於韓相後。」魏瑾泓淡道。「賴大人也是。」

「嗯。」賴雲煙點頭，韓荀得人心，她父親也好，還是別的朝中重臣也罷，都與他關係甚好。

「當年太子也是主戰的。」

「是。」賴雲煙緩緩點頭。

「正月過後，皇后生辰，宮中怕是會有慶宴。」

「喔？」

「到時震嚴兄要怎麼做，就要看震嚴兄的意思了。」

「你讓我兄長跟著他打仗？」

「跟隨太子打一場勝仗，於震嚴兄有利。」

「您呢？您想要什麼？」

「來日，我與韓師伯反目之後，震嚴兄要站於我身後。」魏瑾泓也輕聲地道。

「魏大人，有一事不知我所料對不對。」賴雲煙抿了抿嘴，嘴邊一絲笑意也無。

「妳說。」

「您要提前年月推您那新稅法？」

魏瑾泓聽後，眼神也深沈了起來。「不會提前。」

他不想提前，也提前不了。在隱患沒有根除之前，他的稅法提出來，還是會遭到滿朝的反對，最終失敗，他們誰也不想為自己的封地交稅。前世，他的對手太多了，哪怕他背後有元辰帝，但他們都受制於田土最多的貴族朝臣，後來連瑾榮都歸於山林後，他就沒什麼可用之人能用了。

「但您還是要推，且在推之前，您要把韓相定的土地法毀了。魏大人，您本該再多重生十來年，生在韓相拜相之前的，那麼這天下豈不全是您的了？」

她說得太直接，魏瑾泓抬眼看著滿臉諷意的她。「是嗎？」

「上世沒幾個人支持您，這世也不會有什麼改變。」賴雲煙淡道。

魏瑾泓不語，沈默了良久，又道：「當年安康變法，江大人出來為我說了幾句話。」

「他是真君子。」又從他口中聽到故友，賴雲煙的口氣便不好了起來，語氣有說不盡的諷刺。「不像您，做盡卑劣之事，卻得了大公無畏的匾額，掛於那堂前，也不知那些年您睡不睡得安穩？」

魏瑾泓對她的話置若罔聞，他看著她緊緊擰住帕子、暴起青筋的手，依舊淡淡地說：「我還以為，妳也是作如此之想。」

賴雲煙聞言哈哈大笑了起來，笑到最後，她眼淚都流了出來，心裡疼得一個字都說不出口。世事多荒唐，他的鴻圖大願，瞭解的人最後還是她這個仇人，而支持他的人是她那個最終被他殺了的至交。

雖說兄長跟太子去打仗，會省不少事，至少父親那邊就不能利用太子打壓兄長了，但這有利的同時也是有弊，因為到後面，兄長改變立場時就會有些風波；可人生沒有太多魚與熊掌兼得的事，目前看來，她兄長也只能去打這個前鋒了。說來，也只有兄長去經歷過一個歷程，往後他站在一定的高度上了，這才能站得穩，這也是賴雲煙細想之下，默認了魏瑾泓的話的原因。

正月過後回了通縣，魏瑾泓會時不時地出去一趟，賴雲煙卻是真守在了府中；那些與她來往的小姐，這時差不多都是處在婚嫁中了，連時五娘都要與她那守孝完了的未婚夫成親了，都沒什麼時間過來探望她。尤其通縣還有凶地的名聲，後宅中人確也是頗為忌諱這個，便沒多少人願意來通縣；而賴雲煙眼瞎，這時也不便去京中串門子，只能日日在府中守著日子過。

上輩子後半生，賴雲煙一直都好好地過日子，沒把日子過成日子在過她，哪想重來一回，又回到了日子過她的狀態，她就算頗會苦中作樂，有時也覺得這日子有些難過；不過想想以後，多少還是有些盼頭的。

這時二月過了一半，蘇明芙來看賴雲煙，見她眼睛還是老樣子，就一直坐在那兒沈默不語。

「嫂嫂，妳喝茶。」她一直不說話，賴雲煙便又再催她的茶。

「唉……」蘇明芙情不自禁地嘆了口氣。

「這又怎地了？哥哥可是對妳不好了？」賴雲煙詫異道。

「妳又胡說。」蘇明芙對她這個小姑子時常覺得百感交集，有時憐她，卻轉眼又覺得什麼都無須為她擔心，因她就算瞎眼，看起來也光鮮亮麗。「要是傷心了，也無須什麼都忍著，跟我說說吧。」蘇明芙忍不住道。

「嫂嫂。」賴雲煙聽她那口氣，有些哭笑不得。「妳是不是在想，我時常半夜咬帕子在哭？」

蘇明芙也明白她這小姑根本就不想要什麼同情，聞言無奈地道：「妳哥哥與我只是心疼妳。」

「且心疼著，我樂意得很。」賴雲煙微笑道。這不說明了還是有人把她放心上的？誰人能拒得了這種美事？

「妳啊……」蘇明芙不知說什麼才好。

「嫂嫂也叫哥哥多心疼心疼妳，咱們這種的，有人疼才活得好。」賴雲煙眨了眨眼睛，笑得眼睛都彎了起來。

見她還說玩笑話，蘇明芙無奈至極地笑了起來，那因操勞府中之事的疲憊情緒也稍好了一些。

這廂姑嫂倆說了一會兒的話，就開午膳了。

膳後，賴雲煙讓蘇明芙躺在她的床上睡一會兒再回去，順便她們還可再多聊一會兒。蘇明芙開頭還跟賴雲煙有問有答，但不到半炷香的時辰，就睡了過去。賴雲煙靜躺在她的身邊，聽著她沈重的呼吸聲，在心裡無奈地嘆了口氣。

她這嫂子啊，兄長雖是全力護她，但內宅之事繁瑣，且府中當家的人還不是她兄長，是那個萬般看他們不順眼的父親，她這嫂子在府中的日子過得也是如履薄冰，萬事都不敢行差一步的。

如說賴雲煙一年前對蘇明芙還只是期望，現在她對她這個嫂子已是有七分敬愛的。蘇明芙不過是十七歲稚齡，就已生下了孩子，且還堅定地站在了她兄長之後，誰家家中有這麼個女人，那都是福及一生的事，但願他們此生，誰也不負誰。

這夜魏瑾泓回來，又進了賴雲煙的那小院子。

賴雲煙正在假寐，聽到丫鬟給他請安的聲音，還有他傳來的腳步聲，不得不坐了起來，轉頭對著門邊道：「魏大人，下次天色要是晚了，就別過來了，擾我安眠。」

「嗯。」魏瑾泓輕應了一聲，掀袍坐在了臥榻側對面的椅子上。

「又有何事？」魏瑾泓找她聊天這也聊得太頻繁了些，賴雲煙真是巴不得他趕緊去抱他的美嬌娘，少擾她的安寧。

「無事。」魏瑾泓略一思索，還是未把江鎮遠的事告知她。

「有事就說。」賴雲煙打了個哈欠，對魏瑾泓這人的習性再明白不過。「您要是藏著匿著也無不妥，不過最好想想我知情後會是怎麼想的。」

「我聽聞江大人今日去了渥水。」

賴雲煙止了只打了半個的哈欠，緩緩回頭，朝魏瑾泓出聲的位置看去。「他去那兒做甚？」

「說是聽說那邊風光甚美。」

「還有呢？」

「不知。」

「是您不知還是不想說？」賴雲煙毫不客氣地道。

遇上他的事，她便變臉變得像三月的天，陰晴不定。魏瑾泓握拳，展開，伸縮了兩下，才又淡淡地道：「確是不知，妳可查探。」

賴雲煙想也不想地答。「最好如此，別忘了您跟我說過什麼。」

魏瑾泓沈默，過了一會兒，他啟齒問道：「他要是娶了別的女子，妳會如何？」前世江鎮遠為她孤身一人，這世，他要是有了別的女子，她會如何處之？

「只要是個好的，管他娶的是誰。」賴雲煙的眼睛動也不動地看向他。「魏大人，他前途之事、婚姻之事，最好全都是天定，您可別在其中作什麼文章。」

「若不然？」魏瑾泓看著她揚高的下巴，無所謂地問道。

「若不然，魏大人就會再明瞭一次什麼叫作婦人的心狠手辣。」他不是最恨她的翻臉無情嗎？他要是逼得她一點活路都沒有了，她完全不介意再來一次。

「妳不活了？不替妳兄長活了？」

「我想活，也願意為我兄長活。」賴雲煙冷冷地道：「但我也願意為他死。魏大人，這對我來說，沒有哪個是不對的。」他非要探她底限，那她也清楚明白地告訴他就是。

魏瑾泓聞言，輕輕地翹起嘴角，無聲無息地微笑了起來，只是這時，他的眼裡全是冰冷的漠然。

「真乃情深意重，魏某受教了。」他溫笑道，轉過視線，盯著圓門邊靜靜輕飄的紗簾。

當年啊，她也願意為他死；轉眼，她就願意為另一個人死了。

他還以為，當年江鎮遠死了後，她沒有那麼傷心的；畢竟，他死後，她不也活得好好的？

# 第二十八章

二月底，渥水傳來孟國的船隻出現在渥水上的消息。太子請戰，洪平帝應請，太子速即攜謀士，領五千精兵去了渥水，賴震嚴也在隨行之列中。

他們走後，賴雲煙當即派人夜襲賴遊外室所居之處，沒有幾日，賴遊就替她們換了個地方；靜待了小半個月，得知賴遊管嫂子要家中帳冊查看後，那外室們安置之處又再遭襲，這一次，比上次的恐嚇要嚴重許多。

黃閣老做生意看心情、看銀錢，但卻不動婦孺，因此動賴遊外室這事，賴雲煙只能託魏瑾泓去辦，待事情辦完，賴遊那裡火冒三丈，但把帳冊還了蘇明芙。

賴遊沒有找茬後，賴雲煙還很是和和氣氣地與魏瑾泓處了幾天，結果魏瑾泓坐的時辰便又長了，賴雲煙見他有久坐之勢，就又託病趕了他幾天，待魏瑾泓不再頻頻而來後，他們之間這才恢復了正常。

這時，魏母又派婆子過來問事，賴雲煙讓福婆婆帶了她去問侍妾，僅就隔著簾子聽了那吉婆婆的請安。

侍妾都未有孕，魏母便信了通縣是凶地之說，讓魏瑾泓回府住一段時日。

魏瑾泓回魏府住了幾天，就又回來了。

待到三月底，渥水傳來得勝的消息，宣軍大勝孟軍，並占據了孟國的桑縣；而在這時，謀士江鎮遠的名聲傳遍了朝廷上下，因他的定桑之計，才讓宣軍夜渡大船，偷襲桑縣，最終拿下了孟國最富饒的小城，以產蠶絲聞名天下的桑縣。

賴雲煙聽聞這訊後，心中卻無欣慰之情，反倒不安。這日魏瑾泓來之後，她又問了他話，道：「他現如今性情如何？」她與他遇上時是他的多年之後，她不知，現在的他是不是當年她遇上的那個他。

「妳想見他？」她問得隱晦，但魏瑾泓卻是聽了出來，並道：「妳不能見。」

賴雲煙啞然，靜默不語。只一戰，他就名聲大震，她真是不知這對他來說，是福還是禍？

也在三月底，賴遊的一個妾室，生下了一個女孩，聽說，那先前說「定是男孩」的穩婆死了。賴雲煙聞訊後，五味雜陳地笑了笑，就不知五月生的那個，是男是女了？

四月初頭的那幾天，太子回朝途中，謀士江鎮遠說是與人相告而去，卻並沒有告知他去往何方，就這麼瀟脫而去了。賴雲煙聽聞這事後，真正放鬆地鬆了口氣，不管他以後如何，但此舉還是多少說明著，此時還是少年的鎮遠，仍是有點率性的；這種時候，他要是跟著太子回朝，等待他的就是高官厚祿了。

四月中旬，太子回朝了，舉朝歡慶。

「太子的聲威，似是到了人人交耳稱讚的地步？」熱氣透過似玉般光潔圓潤的瓷蓋裊裊升起，賴雲煙伸手去摸了兩下，碰到了熱氣，才把蓋子掀開，端起瓷杯，輕抿了一口茶水。

「嗯。」魏瑾泓看著她垂下的眼，淡道。她最令人驚訝處，不僅是知道他的大概意圖，而且能準確地判斷當下的走勢，因此，前世她讓他忌諱了小半生；她當年在府中，就沒有那麼清明過。

賴雲煙又嚐了一口茶，隨即輕笑了一聲。魏大人果然不做無用之事啊，老皇帝還沒死呢，對皇太子的過度讚美就成了捧殺了，沒幾個當皇帝的老子會允許自己還沒死的時候，兒子就爬到了自己頭上；何況洪平帝不是庸君，他在位上玩了一輩子的權衡之術，在一個有封地制的國家把君權發揮得淋漓盡致的皇帝，除非他死，要不他不會允許誰踩到他的頭上去的。

太子是個好皇子，有勇有謀，但怕還不是個好太子；他要是裝孬，再多點耐性，熬死年歲已老的洪平帝，這天下豈不就是他的了？男人啊，不管是處在什麼位置上的，就是對權力沒什麼耐性。

「為何而笑？」

「魏大人不知？」賴雲煙垂眼，拿帕擋了嘴間的哈欠，淡淡地道。她這剛午覺完，魏大人就來了，害她想接著打個盹都不成。

「願聞其詳。」

「夫市之無虎也明矣，然而三人言而成虎。魏大人，我們心知肚明的事，您就別假裝您不懂了。」賴雲煙微有點不耐煩地道。

跟三人成虎的道理一樣，太多人說皇太子的好話了，好話越多，皇帝心中的刺就越深，他們都很明瞭洪平帝那最厭被人牽制的性情，魏大人怕是早就想到這一策了，所以才由太子去立了這個功；要論城府之深，這宣朝上下，現在能比得上魏瑾泓的，可真是屈指可數了。

「嗯。」魏瑾泓不動如山，拿起茶杯喝了口茶，與她道：「這一套茶具名喚玉情，是經年縣送上來的，我得了一套，就放到妳房裡吧？」

「好。」賴雲煙一口就答應了下來。經年縣的東西，都是好東西，且都是貢品，而絕頂的工匠燒個三、五十年的，也未必能燒成一套絕品出來，堪當價值萬金。

「不要給任老爺了。」魏瑾泓看著她的長指淡道：「留著待客吧。」

賴雲煙便笑了起來。她確實不是個心善的，眼瞎悶在府裡的這段時日，也沒少幹取樂自己的事，她在魏瑾泓的庫房裡挖了不少別人看著微不足道，但卻價值不菲的小東西出來，然後往她舅舅那邊送；可能真是鬥出毛病來了，只要能禍害到魏瑾泓，她心裡就高興。

「大人。」想至此，賴雲煙笑道：「說來您覺不覺得，我們前世的日子確是不錯的。」愛恨都走過一遭，先是相愛，後來相殺，想來還是有幾許痛快的。

賴雲煙此語讓魏瑾泓瞇了瞇眼睛。「妳覺得不錯？」

「嗯。」

「是在府中還是……」

「整個一生。」賴雲煙聽到他語中的遲意，不禁失笑。

「包括後面？」

「包括。」

「喔，是嗎？」魏瑾泓看著她腕處的血紅玉鐲，淡道。

「對了，還有件事要問魏大人。」

「請。」

「魏大人的侍妾一直都沒有消息？」

魏瑾泓看向她笑意盈盈的臉，手指無聲地合攏成拳，舒展成指，再合攏成拳。

「生吧。」賴雲煙誠懇地道：「若不然，您就真無所出了。」不僅如此，他還給她造成了相當大的麻煩，現在魏母已是隔三差五地過來問消息了，鬧得她不安寧。

「找幾個聰明的生，若不然，我提早出府，您找個好人家的娶過來，好好教子，也就不會再如前世那般了。」

「何因讓妳口出此話？」魏瑾泓微有點不解。

「魏大人最近跟我談得到一處，難不成是假的？」賴雲煙握嘴，詫異，她還以為他變得好溝通了呢！

「嫡長子得妳生。」

「我若不生？」賴雲煙好笑。

「賴大人尚在，皇上還活得好好的，蘇大人還要好幾年才能回來助妳兄長一臂之力，在這段時日，妳兄長需要我。」魏瑾泓攏緊了眉心，嘴角微抿。「而我需要一個妳我的孩子。」

又是孩子。你還是下輩子作夢想想吧！賴雲煙心中諷刺地想了這句，笑而不語。

每每到這時，她才知她確實是厭惡這個曾傷害了她的男人的，若是真的什麼都不介意，跟誰生孩子不是生孩子？她另找了他人，也不一定有感情，但這孩子還是生得出來的；但跟魏瑾泓，卻萬萬不行，光想想，她還是能吐得出來。

孩子之事沒什麼好的解決辦法，她不會生，也不能逼著魏瑾泓讓人懷孕好免了她的麻煩，因此還是只得如此。

四月底，賴震嚴來了。

賴遊另一個外室肚中的孩子早產，是個男孩，但生下來就沒氣了，賴遊氣瘋了，府中頗為不寧靜，賴震嚴便把蘇明芙和賴煦陽送了過來。

過了幾日，傳來賴遊要娶繼室的消息，定的人是蕭家那位和離多年的小姐。賴遊此舉，殺了賴雲煙一個措手不及。蕭貴妃可是六皇子的生母、以後的太后，她那個這麼多年也沒有人願娶的妹妹若是成了自己的繼母，那可真是棘手了；這事不僅賴雲煙震驚到啞口無言，賴震嚴也是被驚得不輕，當即接了蘇明芙與孩子回去。

蘇明芙走時，那清秀靈氣的臉滿是肅殺之氣，看得賴雲煙都心驚；煦陽走時也是啼哭不已，一離賴雲煙的懷，小嗓子就哭得尖利，哭得賴雲煙的眼角都紅了，完全不想讓他走，可煦陽還是被兄長一把抱走了。

他們走後，替嫂嫂帶了幾天孩子的賴雲煙站在門口許久，直到聽不到馬蹄聲了，才在四月底還有點冷氣的風中開了口，與身邊的人道：「您有什麼辦法沒有？」

「有。」身邊的男人依舊不緊不慢地道。

賴雲煙轉身，下那石梯時，身邊的人扶住了她。魏府前身是公主府，府面很大，便是那大門內外的石階，一梯就有三尺長，鋪成了百米的石梯道。大門位處高位，下梯時，能把府內的樓臺閤宇看得甚是清楚，這是個好地方，可憐她還是得繼續裝眼瞎，繼續看不見，就如她身處弱勢，還是得繼續認輸一樣。

丫鬟過來，賴雲煙朝她們說了句退下，讓魏瑾泓扶了她。

「以前您扶過我沒有？」前情舊事，賴雲煙已記不清了，便語氣平和地問了身邊的人一句。

「未。」魏瑾泓也很是平靜地道。

「真是老了，記不清太多東西了。」賴雲煙有些感慨。「成天算計來、算計去，事太多了，便把以前的事忘了，騰出腦子來裝這些消耗人的東西，我都記不清您我之間小時候的事了，只知道您曾經也是對我好過的。」

「嗯。」魏瑾泓接話淡淡地道：「我還記得曾在四月末，為妳去池塘抓了幾隻蛙，妳嫌難看讓我放回去，放蛙時我被震嚴兄推入了池塘，妳哭著剛拉上我，就捉著震嚴兄的手咬了口。」

他這一說，賴雲煙也想了起來，想起自己小時惱了怒了也是個刁蠻的性子，不由得笑了，道：「不知兄長腕處的那道口子還在不在？」

她上牙咬得太重，那道口子就是塗了傷藥，也用了半個月才好起來，最終還是落了印，也不知這時有沒有消去？

「尚在。」魏瑾泓答道。

賴雲煙便沈默了起來。她是真不記得了，魏瑾泓不說，她都想不起，她曾對他那般的心無旁騖過。

「有什麼事，就說吧。」魏瑾泓看著她此時少女的臉，語氣也輕了起來，裡面藏著點嘆息。

「想讓我怎麼做？」罷了罷了，如她一次的願吧，她想如何就如何吧。

魏瑾泓的口氣軟了起來，賴雲煙沒想到自己的示弱有這效果，先是愣了一下，隨後就道：「我父親與蕭家的婚事不能成。」

「我會想法子。」

「如此，多謝了。」賴雲煙頷首。

「嗯。」

「魏大人如有旁的事，我能伸上一手，請說就是。」賴雲煙也頗為誠心地道。只要是她能做得到的，她必會還了這次的人情。

魏瑾泓聞言輕呵了一聲，隨即笑而不語。他扶了她下梯，又與她道：「園中百花盛開，便去走上一走吧？」

「也好。」這種時機，賴雲煙欣然點頭。

這一年五月，祝慧真已懷胎八月，恰是這時，她的貼身丫鬟也有孕了。這事不出一天，就被魏母傳得連在通縣的賴雲煙都知道了，賴雲煙不由得感慨薑還是老的辣，魏夫人等在這兒呢！祝慧真給她沒臉，她輕輕幾句話，就全討了回去；這時傳得這麼大，再想打掉丫鬟肚子裡的孩子也是來不及了，要不然傳出去就是笑話，就全是祝慧真的不是了。

賴雲煙先是感嘆魏夫人好手段，再就是感嘆魏瑾瑜的造子能力，這嫡妻懷著的還沒落地呢，就又把人家丫鬟的肚子搞大了，不愧為魏瑾泓的同胞兄弟啊！如果不是還得當瞎子，這時賴雲煙還真想回魏府看看熱鬧呢！現在的魏夫人和魏二少夫人，應是到了她們鬥法鬥得最有意思的那個階段了，也不知這次後，八小姐的傲氣會不會收斂點？

這夜魏瑾泓回來後，又來賴雲煙的院中坐。

賴雲煙吃了丫鬟給她端來的宵夜，讓她們上茶退下後，魏瑾泓就與她溫和地道：「京中府裡的事，妳可知曉了？」

「嗯，您母親今日派了人告知了我。」賴雲煙笑道。

「這幾日妳待在府中吧。」魏瑾泓頷道。

賴雲煙笑而不語，轉過話題又道：「楚侯爺近日還在府中住？」她今天去樓亭上吹風，看到了他正在水榭樓上舞劍。

「嗯。」

「侯爺的身姿還是如當年那般颯爽。」

「喔？」魏瑾泓揚眉，看向了賴雲煙的眼。

賴雲煙眨眨眼，拿帕擋嘴笑了一聲。「是妾料想如此，應是不減當年吧？」

魏瑾泓收回了眼神。「他族裡的叔公正坐府中，在等他回去，還要一段時間。」

「這樣。」賴雲煙沒再過多地問了。

「丞相那兒……」魏瑾泓這時微偏了偏頭，掠過她的臉，看向了她身後插著鮮花的銀瓶。精緻亮堂的銀瓶裡滿是豔得似血的石榴花，她端坐於前，嘴畔掛著淺淺微笑，與怒放的血花竟是相得益彰，就算眼「瞎」，她也還是知道怎麼讓這屋子如她一樣鮮活。魏瑾泓的視線再重轉回到她的臉上，嘴角的笑依舊溫和。「丞相那兒，妳是幾月插的人進去？」

賴雲煙驚異地瞪眼。「魏大人在說何話？」

「前年的六月嗎？」魏瑾泓自顧自地說著他的話。

「魏大人在說什麼，妾身不懂。」賴雲煙下意識地想拿帕擋嘴，但立馬就按捺住了這太明顯的舉動。

「聽聞丞相府裡出了內奸，這幾日會肅查清府。」魏瑾泓淺言。見她笑笑不出聲，他便收回了眼神。

想查清她都幹了些什麼不容易，但如她前世跟人所說過的話那樣，跟著錢查，總能查出她不少事來；除了那神龍不見首尾的黃閣老。便是他日日盯著，她還是在他的眼皮子底下幹了不少事，魏瑾泓想，他們這一生除了綁在一塊兒這條路外，沒有更好的路了，就是不管對她的那些別的慾念，他也需要她。

提完醒後，魏瑾泓喝完杯中的茶，便起身回了院子，接過了翠柏手中的清毒湯，一口喝了下去。不到半炷香的時間，肚子已有了揪疼之感，他來往恭房兩趟，長舒了一口氣，便坐於案前看起了秘牒；不知要到何時，她才肯停止這些弄不死他的小打小鬧？

# 第二十九章

這月到了中旬，賴遊續娶之事沒了聲息，而魏府那邊卻熱鬧非凡。懷胎八月快要臨盆的祝慧真說是不行了，性命堪憂，便是京中，與祝家有點交情的人都來通縣與魏家長媳賴雲煙打探消息了，賴雲煙皆答不知，過了兩日，祝府來了人，請賴雲煙去府裡一趟。

祝家來了大少夫人說話，賴雲煙就不好推託了，當大少夫人一提起這個意思，她就點頭道：「嫂嫂開了這個口，那雲煙就去。」

「唉……」祝大少夫人一聽她那連猶豫一下都沒有的語氣，就嘆了口氣，苦笑道：「我心中自是知妳有妳的為難處，但家裡人實在擔心慧真；前些日子府裡的人去了太多次數，這時不便再去了，只能來託託妳。」

「嫂嫂不必這麼客氣。」賴雲煙搖搖頭。「你們家裡的老祖宗、祝嬸嬸她們，還有你們，都對我挺好的；本來如若不是雲煙眼瞎不便，早已為著你們上門去了，我這裡也尋思了幾天了，現下妳來一趟，雲煙便也無須尋思了。」她這話，七分真，三分假。她無前去之意，但祝家上了門，她確是要走上一遭了；不為祝慧真，僅為祝家對她情義不薄的那幾人。

祝家的大少夫人一走，賴雲煙先讓小廝準備馬車，她則讓秋虹她們為她打扮了一通，穿得素雅地出了門。

路中碰上了出門而返的魏瑾泓，兩輛馬車隔著一段路停了下來，一會兒後，蒼松過來問了話，得了話之後不久，魏瑾泓就上了賴雲煙的馬車。

一上馬車，魏瑾泓就對跪坐於她腳前的兩個丫鬟道：「下去。」

「是。」丫鬟們施禮，飛快地退了下去。

賴雲煙聽他口氣不對，不似平時溫和，待他坐定後，便隨口問了一句。「怎地了？」

魏瑾泓先是不語，過了一會兒，等馬車走了一段路後才道：「徐鑫這個人，妳知多少？」

「徐鑫？」賴雲煙不解，想了好一會兒才從腦海裡把這個人調了出來，與他道：「他幹什麼了？」

徐鑫這人算來也是祝家的親戚，是祝家的兒子祝小厚，她叫一聲小厚哥哥的表兄的遠房堂弟，為人賴雲煙只有兩個字可以形容他：無賴。比她這個姓賴的還無賴，什麼人被他沾上了就甩不掉，是個給了三分顏色，他就能給你開起染房的人。

可徐鑫就因是個無賴，一輩子也就是個在他們眼前只能過兩次眼的人物，今天這是怎麼把魏瑾泓都給氣著了？

「他在翰林院謀了個位置。」

「他父親是頗有幾分手段。」賴雲煙點頭道，接著等魏瑾泓的話。

「在前幾日，他私下拜了我父親為師。」說到這兒，魏瑾泓的臉便冷了下來。

賴雲煙愣了一下。「你不是弄到今日才知吧？」

魏瑾泓冷冷地看了她一眼。

賴雲煙沒反應，過了一會兒，才「哈」地笑出一聲來，隨即抱著肚子拚命忍笑，這才沒有大笑出口。老天爺啊，這魏瑾泓的運氣還真不是一般的衰啊！一群原本的親戚都甩不掉、處理不乾淨了，現在又來了一個，這可真快要把她給樂壞了！

她笑了好一陣，魏瑾泓一直沒出聲，賴雲煙也不好再繼續笑下去了，只得重新坐好，拿帕擦了擦因笑而濕潤的眼角，緩了好一會兒後，才笑著道：「徐鑫這人看著一表人才，收了他，您父親……」便是如此，只要您管徐鑫一輩子，給他高官厚祿，您父親還是能清高一輩子的——原本賴雲煙要說這話，但說到這兒，她覺得確實不能在這個時候連魏景仲也擠兌上了，畢竟，魏景仲跟她也沒什麼大仇，尤其是現在還沒到結仇的分上，她無須此時就對他太不客氣，於是便閉了嘴，把接下來的話忍了下去。

「妳去京中府裡做甚？」魏瑾泓閉眼緩了一下，問了別話。

「祝家來人了。」賴雲煙沒有瞞。

「妳想如何？」

「這事哪是我想如何，就能如何的。」賴雲煙好笑地道。

「說說吧。」魏瑾泓睜眼，淡淡地道。

聽著他不重不輕的口氣，賴雲煙頓了好一會兒，才慢慢地道：「祝家人於我有義，魏大人多少知我性子，別人給我一分臉，我是要還上兩、三分才心安的。」

「是嗎？」

「呵。」賴雲煙輕笑了一聲。話雖是這樣說，但她確實也不是個心善的人，祝家的人若不找上門來，她還就真不會出這個頭了；上世魏大人說她是個有著蛇心蠍意的女人，想來他也是一直這麼看她的。說來他這想法不怎麼對，但也不怎麼不對，她確實不是個什麼窮好心的人。

「到府就是晚上了，得歇一晚。」

「嗯。」

見她不多語，魏瑾泓瞥了她一眼，看著她膚若凝脂的臉，道：「她們無礙。」

「我曉得，我去只是讓祝家人安個心，另也多勸道勸道幾句；您娘恨不恨我、厭不厭我，這就是她的事了。」賴雲煙點頭，轉過頭，看著他的膝蓋處道：「若不然，您當我去做甚？」

「妳想做的事甚多。」這次不會與他母親對著幹，誰知她下次會不會？有了那好時機，她豈會鬆手？他也沒見過她想下手時鬆過手，她太擅長於對人一擊斃命。

魏瑾泓的話讓賴雲煙微笑了起來，她也沒再出聲了。他們兩個人現在的關係啊，也真是妙不可言，時不時同處一室、共處一車，但他們誰也不會真信誰，哪怕只一會兒也不會。

等馬車進了門，魏瑾泓下車後，回身等著丫鬟扶了賴雲煙下來。

賴雲煙下車後，往後輕揮了一下手，她身後的丫鬟就往後退了幾步。

這時，不遠處有僕人疾步而來，蒼松他們見丫鬟退下後，就也往後退了幾步。

賴雲煙抬起眼睛無神地看著前方，她嘴邊有著微笑，嘴唇輕啟。「徐鑫的事，您現在就要辦，辦得越無聲無息越好，他是個見縫就鑽的，背叛對他這等人來說就如同兒戲。」當年，徐鑫就是她叫人處理的。徐鑫當年對祝小厚兩面三刀，他把祝小厚出賣給祝家的對手後，賴雲煙就悄悄地讓人做了他；果然，這小人沒了後，她那小厚哥哥的官路就順暢得多了。

「嗯。」迎面的僕人大隊前來，魏瑾泓伸出手，拿過賴雲煙的手，搭在了自己的手臂關節處。

兩人去魏母處請過安，魏母大概明瞭她這輕易不回府的大兒媳之意，讓他們用過晚膳後又跟他們說了一會兒話，之後，就讓管事的伺候著他們回院歇息。

第二日一大早，魏母處的丫鬟來請他們去用早膳，這時魏景仲和魏瑾瑜也在。

魏瑾瑜的臉色倒不難看，臉上還有喜色。

「這也是個能幹的。」見小兒子的笑臉，魏母笑著轉過頭，與賴雲煙笑著說道。

賴雲煙笑而不語。

魏母見她不搭腔，便朝魏瑾泓隨意地說道：「你們什麼時候有？看看瑾瑜，都快兩個孩子的爹了。」

「是啊，大哥、大嫂，你們什麼時候有？」魏瑾瑜笑著道。

「等你嫂子眼睛好了再說吧。」

「什麼?!」魏瑾泓的話一說完，魏母的聲音便在屋子裡失驚般地響起。「泓兒，你什麼意思？」魏母的眼睛都瞪大了。

「雲煙眼睛不便，等好了再生孩子吧。」這話，魏瑾泓是對著魏景仲說的。

魏母猛地轉頭，看向她的夫君。

「這是你的意思？」魏景仲看向大兒，眉頭微攏。

「是孩兒的意思。」

「容為父想想。」

「老爺，這有何可想的?!」魏崔氏失聲道。

她的聲音稍有點過大，魏景仲便輕瞄了她一眼，見她收了眼睛、低下了頭，他眼裡的不悅才褪去，轉過臉對魏瑾泓說：「你的第一個兒子便是我們魏家長孫，慎重點也不是不可為。」說罷，看向賴氏，見她垂首，一副貞懿賢淑的樣子，便道：「不孝有三，無後為大，妳可知？」

「兒媳知曉。」

「嗯。」魏景仲撫鬚。

「可若是好不了……」魏崔氏的聲音有了點泣意。

魏景仲看她一眼，淡道：「老夫這還沒下定論吧？」

「老爺……」魏崔氏聞言抬頭，勉強地朝魏景仲笑了笑。

這時婆子在外面說已擺好了膳，魏景仲便站了起來，等魏崔氏站起來後，他這才移動腳步。

魏崔氏便高興了起來，順從地跟在了他的身後。

魏瑾泓緊隨，魏瑾瑜跟在兄長身邊，朝被丫鬟扶著的嫂子好笑地笑了笑，就湊到兄長耳邊打趣地道：「嫂子若是不生，便找人替她生了，還不誤屋中的事。」說罷，自己都覺得好笑，拿扇打著手心，痛快地笑了起來。

笑聲引得魏母轉頭笑看了他一眼，便回過頭朝魏景仲說：「咱們家瑾瑜，就是個天生不會愁的！」

魏景仲回過頭，看著小兒與他肖似的笑臉，嚴肅不已的臉稍微柔和了一點下來。

賴雲煙在他們背後依稀聽到了他的意思，心中也好笑不已。拿這種事當玩笑話說，這九大家裡像魏瑾瑜這樣拿不得體當率性的，還真是不多了；魏家真是有德有能，在祖墳上燒了高香，才得了這個寶貝兒。賴雲煙好笑不已，在抬腳過門檻時，魏瑾泓突然回頭，對上了她帶著笑意的眼。

在這一刹那，兩人的眼睛在廊上剛剛點燃的燈火裡交會，一人眼睛帶笑，一人眼神漠然，彼此頓往，對上一眼，又別過，一人回頭，一人低頭，就像什麼都沒發生過般。

賴雲煙眼瞎，便不用伺候公婆，當在飯桌前屁股落坐椅子的那刻，賴雲煙在心中又歡呼了一聲：值了！這眼瞎得好，不知省了她多少的事啊！

不過就算如此，賴雲煙也被魏母拖到了下午才去看了祝慧真。

祝慧真快要臨盆了，可賴雲煙一見到她時，還是對這多月不見的八小姐著實驚訝了一下——她下巴瘦尖得可以當錐子扎鞋了！她還在眼瞎之中，因此面上不敢露出任何神色，被丫鬟扶到她床邊坐下後，才探出手去摸祝慧真的手。

在丫鬟的幫忙下扶上後，她在祝慧真的低泣聲中心疼地道：「怎地瘦了這麼多？肚中孩兒可好？」

「嫂嫂、嫂嫂……」祝慧真這時失聲痛哭了起來。

「可別哭了，這對妳肚中孩兒不好。」賴雲煙忙輕聲安慰。

這時屋子裡的丫鬟都退了下去，祝慧真緊緊反握住賴雲煙的手，哭道：「嫂嫂，我這心裡就跟被刀子割一樣！我曾聽聞這世上的男人最喜新人笑，最厭舊人哭，我當時不信，死都不信，可……可到今天……」說著，她已泣不成聲。

賴雲煙輕拍她的手，待她哭過後，有些無奈地說：「什麼新人、舊人？在咱們這樣的人家裡，只有正妻、奴婢之分，妳拿誰當新人，誰當舊人呢？」說到這兒，賴雲煙心下也有些感慨。

八小姐這還是只過了一、兩年呢，等時間過得久了，她自己對身側之人都心灰意冷了，那時候，才是最悲哀的。現在她還能痛、還能哭，以後啊，可能都沒力氣痛、沒力氣哭，日日夜夜困在這方寸之間，會感覺到自己的靈魂日日在死去、在消逝、在麻木，那時，才是人最難受的時候。

「嫂嫂、嫂嫂……雲煙姊姊，妳告訴我，我該怎麼辦？」祝慧真又細細地哭了起來。

賴雲煙聽她邊哭邊調整呼吸，知她也是個愛惜自個兒生命的，便不由得鬆了口氣。她是真正地鬆了口氣，心下對這傲氣的八小姐也不由得有些放心了起來。女人不怕傲，也不怕她只為自己想，怕的就是她不夠為自己想，要拿命去和男人搏個結果，那才是最傻的。

「妳這麼聰明，怎會不知怎麼辦？」賴雲煙拿出帕，伸出手去擦她的臉，憐惜地道：「妳以前怎麼做的，以後也怎麼做的就是。」

「我以前心悅他，姊姊，我是真的心悅他！」祝慧真緊緊地握住賴雲煙的手。

「誰讓妳以後不心悅他了？」賴雲煙輕描淡寫地說：「拿他當父親心悅，當哥哥心悅，當弟弟心悅，尊他、敬他，你們就可如往日那般好了。」可以拿他當任何一個人去看待，就是別拿他當自己愛的男人，這日子就不會過不好。

「可他有了別人，我這心裡……」祝慧真又流下了一串淚。

「只是個丫鬟，一個奴婢。」這小姑娘，還是沒聽明白她的話。

祝慧真看著輕描淡寫的賴雲煙，那蒼白瘦弱的小臉上淚痕慢慢止了，過了一會兒，她似是自言自語地道：「妳真不像我以前認識的那個雲煙姊姊。」

「此話怎說？」賴雲煙淡道。

「我以前認識的雲煙姊姊，定會不屑於跟我說這般的話，我還記得妳當年說定要跟大哥恩愛永生……」祝慧真拿過自己的帕拭去眼淚，隨即冷笑了一聲，道：「我自己歡喜心悅的人，憑什麼讓給別人？尤其還是讓給一個奴婢！」

賴雲煙剎那啞口無言。現在好了，剛剛她還敬佩這傲姑娘是個還為自己著想的，轉眼間，她就往死胡同裡鑽了。這種事，關奴婢什麼事啊？沒了這個美婢，還會有下一個美婢，只要男人管不住他的下半身，哪怕他心中只有她一人，他也不可能只有她一人。

「他不可能無妾。」這傻姑娘可不要比她以為的還想不開才好。

「他說了只要我嫁進來，他就會把她們打發走！」祝慧真這時真是恨得咬了牙。「就是後來他也答應了我，等我生了就打發了她們走的！若不是、若不是……」說到這兒，她嗚嗚地傷心地哭了起來，若不是那老太婆放出了那話，那丫頭早就讓她沈了塘了！

這下，賴雲煙可真是無話可說了，過了一會兒才道：「妳心中有數就好。」這八小姐，心裡主意大得很，不比她家中那些甚知三從四德的姊妹；看她哭了半天還有力氣咬牙切齒，賴雲煙覺得也沒什麼好擔心這個倔姑娘的了。

她再不濟，還有祝家站在她身後，便是父母不管，祝家祖母也不會允許有人打她的老臉；只要不越界，八小姐不會受什麼委屈，也不會有什麼奴婢翻身欺辱正室的事發生，有人撐腰的人是有底氣驕縱放肆的。

賴雲煙又伸手拍了拍她的手臂，憐愛地道：「妳好好歇著吧，等孩子生下來，便什麼都好了。」

祝慧真看了臉上沒抹脂粉，頭上只戴了幾支銀釵，一身寡淡的賴雲煙一眼，想著她通縣的府裡不知有多少小妾、侍妾搶她的恩愛，心中便也好受了點；瑾瑜再讓她傷心，也不過是有兩個丫鬟陪著玩耍罷了，哪像那府中，美妾、嬌侍聽說都十位有餘了。

氣過了，想想也沒什麼大不了的，孩子魏家想要，那就要吧，橫豎不過是個庶子，是個不是她生的孩子，她就不信她還拿捏不住這種下賤婢子生出來的東西！

——未完，待續，請看文創風267《兩世冤家》2

2015年2月出版

# 兩世冤家

文創風 266~269

她的性子太過愛恨分明了，她開心了，便會讓人也開心，
相對地，她不開心了，反擊也極為強烈，沒給自己留太多情面，
因此，最終把自己弄得傷痕累累，跟他鬧得恩斷義絕，無一絲情分……

溫暖的文字　烙印人心的魅力／溫柔刀

難不成，那一跤竟把自己給摔死了？不是這麼衰吧？
更倒楣的是，不僅她重生了，連她那個和離了幾十年的夫君也重生了?!
不，這一切肯定是惡夢……若不是夢，就是孽緣啊！
前世和離後，她幫著摯愛的哥哥算計他這個政敵，毫不手軟，
可她千算萬算都沒算到，互鬥了幾十年的他們竟要重來一回！
兩個外表年輕的人卻擁有老人靈魂，這老天爺也太愛捉弄人了吧？
罷了罷了！賴雲煙決定，暫且先看著辦吧！
只要他不先攻擊，他們之間要禮貌以待地相處至分開是不成問題的，
雖然，他們更擅長的是在背地裡捅對方的刀子。
因此即便他對她噓寒問暖、關懷備至、嫉妒橫生，她也不為所動，
畢竟他太能裝了，前世一裝就是一世，沒幾人不道他君子，
相比之下，被休出門的她，不知被多少人戳著脊梁骨説風涼話呢！
唉唉，這樣殘忍虛偽的冤家，怎地就叫她一再地遇上了？

情感刻劃細膩，催淚指數破表／溫柔刀

# 娘子不給愛

全套五冊

她知道他不喜她生的兒子……準確的說法，是厭惡。
可在兒子振翅高飛的戰場上，她需要他豐厚的羽翼擋住利箭，
因此，她戴上溫婉的假面，當起他要的可人妻子……

文創風 208 1

別人穿越不是吃香喝辣，生活起碼也過得不賴，
可她不知是否前世把老天爺給得罪慘了，
穿到張小碗這個八、九歲的小女孩身上也就罷了，
偏偏這女孩家裡一窮二白，就是生生給餓死的呀！
而且她上有體弱父、懷孕母，下還有兩幼弟，
重點是，家裡只剩下一咪咪向別人借來的糙米可吃啦！
看來得想法子覓食了，否則她肯定得再死一回啊！

文創風 209 2

為著政治利益一些狗屁倒灶的事，張小碗被親舅舅迫著出嫁，
即便這個舅舅多年不曾往來過，她也只能被趕上花轎嫁人去，
果然，她一個鄉下出身的村婦，哪配得上京城當官的夫家？
要不是因為舅舅救過她公公，這樁婚事根本輪不到她頭上，
她硬生生占住了汪家正妻的位置，惹得公婆不疼、夫君不愛，
這不，新婚沒幾天，她就被夫家趕到偏遠的宅子自生自滅了！
幸好她很滿意流放的日子，但……她開始噁心嘔吐是怎麼回事？

文創風 210 3

她懷孕生子了！一次就中，該說她張小碗倒楣到家嗎？
老天爺對她真是太壞了，這苦難的日子就沒一刻消停，
什麼母以子貴這種鬼話，她是完全沒在信的，
雖說她這當娘的出身不高，她的兒子八成也不得人疼，
但不怕一萬，只怕萬一，她產子一事還是能瞞就瞞吧，
不料，這事最終還是透了風，教她公公給知道了，
迫於無奈，她只得帶著兒子，千里迢迢回汪家認祖去啦～～

文創風 211 4

汪永昭，一個令歷任皇帝都忌憚不已、欲殺不能的大臣。
他不僅聰明絕頂，而且心腸比誰都狠，不喜的便是不喜，
兒子自小便恨極了他，因為他的存在對他們母子倆只有磨難，
然而張小碗卻清楚明白一點──違抗他是沒有好果子吃的。
因此在他跟前，再低的腰她都彎得下去，他的話也必定服從，
對她而言，他從不是什麼良人，只是一個可怕而強大的對手，
她小心謹慎地踏出每一步，因為一步錯，迎來的必是粉身碎骨！

文創風 212 5 完

汪永昭寵著她、護著她，會為她醋勁大發、與皇帝對峙，
甚至，為了不讓她傷心，他還瞞著她幹了不少好事、髒事，
這男人愛上她了，她知道，但張小碗並不愛他，他也知道。
男人的愛從來就不久長，尤其還是個權力大過天的男人，
她明白只有順著他的毛摸，才能換來他的寵愛與憐惜，
所有他想要的一切，她都可以給也願意給，除了愛。
呵，相較於他的冷酷，狠心絕情的她其實也不是個好人啊……

輕巧討喜．笑裡藏情／郁雨竹

2015年1月陸續出版

# 姊兒的心計

我不淑女，他算魯莽！

文創風 262 1

初到陌生環境的魏清莛和弟弟被關在一個廢棄小院裡謀生存，
有人「穿」過來立刻身分加級大富貴，她卻「穿」得好心酸，
娘病死，爹不疼，爺姥不愛就算了，
姨娘還落井下石，給的飯菜還有毒，
幸好偷偷摸摸溜進來一個少年，硬說他是自己未來的老公，
跟她約好長大後要退親，還塞給她幾個饅頭。
這麼多人想害她，她肯定要活得更好了……

文創風 263 2

母親過世前留下的一塊玉，
竟能讓她「看到」玉石上飄浮的靈氣，讓她賭石賺了不少銀兩，
沒想到訂下她秘密親事的居然也是憑著這塊玉。
後來碰巧還救了她那個有等於沒有一樣的未婚夫，
哎，她根本就不想嫁人，偏偏救他時揹著他下山，
順便也救了的四皇子等人完全目擊了這件事，這女子的閨譽啊……

文創風 264 3

一開始他的確打定主意不娶她，打算另外幫她找個會讀書的夫君，
偏偏現在哪個書生敢娶她啊，嫁不出去的可能性大增，
實話是他也看不起那些老鼠膽的書生，怎麼配得上女英雄？
看來只有他這個將軍敢娶她、配得上她了……
他可不是喜歡她喔，他只是有點心疼而已喔！

文創風 265 4 完

別以為她不知道，上自皇上、下至身邊伺候的小廝和丫鬟，
都偷偷覺得他們這對夫妻少了心眼、人情世故不太懂，
等著看她嫁入平南王府任家去，兩人的婚後生活有多「精彩」！
她可真心不這麼認為，嫁給這個直愣愣的將軍，還真是門好婚事，
平南王府老太妃不待見， 這婆婆也省得伺候了，
三不五時扮男裝，跟夫婿溜出府去賭賭玉石大賺私房錢，
她啊可會盤算了，兩人過得比誰都和和又美美……

這……未婚夫能吃嗎？她覺得吃飽可比嫁人還要緊吶！

# 為流浪貓狗加油 和貓寶貝 狗寶貝

## 廝守終生(一定要終生喔！)的幸福機會

對人來說，貓寶貝狗寶貝只是生活的一部分，但妳（你）對牠們來說，卻是生活的全部，領養前請一定要考慮清楚——

### ▲ 招人疼的貓兒子大慶

性　　別：正港男子漢
品　　種：米克斯
年　　紀：約3歲
個　　性：親人活潑
健康狀況：已施打狂犬病及三合一，已結紮，
　　　　　已植晶片，二合一檢驗通過
目前住所：新北市

本期資料來源：http://www.meetpets.org.tw/content/57295

## 『大慶』的故事：

大慶是從新店收容所出來的。當時看到牠，發現只要經過的人摸摸牠，牠就會舒服地眯起眼睛，滿足地直打呼嚕。大慶就這樣待在收容所的籠子裡，雖然遙遙等著愛牠的人出現，卻也一直很知足。

直到我終於下定決心當牠的中途，開始了我們一起找家的終極目標。可能因為缺乏安全感，再加上長期關籠的關係，大慶表達一切需求的方式就是喵喵叫。但是將牠接回家、和牠生活一段時間之後，身處環境大抵安逸的牠卻仍是如此，這才發現牠應該是養成喜歡說話的習慣了。

話癆的大慶，一旦你回到家，牠便會跟前跟後，喵喵叫著彷彿在跟人分享牠的所見所聞；當你坐定下來後，牠卻能默默窩在附近陪伴，還常常愛翻肚肚討摸。大慶是個小探險家，幾乎每天牠都會探索一遍家裡所有小空間，偶爾在你路過牠時，還會伸手去撈你正行走的腳，簡直是超可愛、甜入人心的貓兒子！

大慶胃口很好，不挑食，但吃某些飼料會拉肚子，所以需要依照我提供的牌子餵食。如果想給大慶一個溫暖的家，且願意詳述下列問題者，歡迎來信waterpolo0128@gmail.com（黃小姐），主旨註明「我想認養大慶」。

### 認養資格：

1. 認養者須年滿20歲，已獨立自主，並獲得同住家人或室友的同意。
2. 須具備基本養貓知識，並確定自己與同住家人不是貓毛過敏體質。
3. 須請認養人自備生活相關用品。
4. 同意配合簽署認養保證書（須出示正本身分證核對）。
5. 同意認養後撥空主動聯絡送養人，及日後可能之追蹤探訪。
6. 認養者認養前務必三思，須有自信對牠不離不棄，愛護牠一輩子。

### 來信請說明：

a. 個人基本資料：姓名、性別、年齡、經濟來源、居住地、住家環境、聯絡方式等，住家環境越詳盡越好。同住家人或伴侶是否願意一同參與照顧？
b. 想認養「大慶」的理由。
c. 過去有無養寵物的經驗。如果寵物成為天使了，麻煩說明過去的飼養歷程。
d. 目前家中有無其他寵物？牠們現況如何？（例：年齡、性別、是否絕育）會如何安排「大慶」和目前寵物成員度過適應期？
e. 貓咪難免亂抓亂咬，不論家具或是飼主手腳，若有此情形發生，會如何處理？
f. 對照顧「大慶」有什麼計畫？（例：時間分配、空間安排、食物）
g. 未來若有當兵、結婚、懷孕、畢業、出國或搬家等計劃，將如何安置「大慶」？

love.doghouse.com.tw 狗屋．果樹誠心企劃

文創風 266

# 兩世冤家 1

國家圖書館出版品預行編目資料

兩世冤家 / 溫柔刀著. --
初版. -- 臺北市 : 狗屋, 2015.02
冊 ; 公分. --（文創風）
ISBN 978-986-328-412-3（第1冊：平裝）. --

857.7 103027055

著作者 溫柔刀
編輯 黃淑珍
校對 沈毓萍 馮佳美
發行所 狗屋出版社有限公司
地址 台北市104中山區龍江路71巷15號1樓
電話 02-2776-5889～0
發行字號 局版台業字845號
法律顧問 蕭雄淋律師
總經銷 知遠文化事業有限公司
電話 02-2664-8800
初版 2015年2月
國際書碼 ISBN-13 978-986-328-412-3
原著書名 **《两世冤家》**，由北京晉江原創網絡科技有限公司授權出版

定價250元
狗屋劃撥帳號：19001626
網址：love.doghouse.com.tw E-mail：love@doghouse.com.tw